錢穆先生全集

U0062562

錢穆先生全集

[新校本]

現代中國學術論衡

九州出版社

圖書在版編目（CIP）數據

現代中國學術論衡／錢穆著. -- 北京：九州出版社，2011.1（2024.4 重印）
（錢穆先生全集）

ISBN 978-7-5108-0749-7

Ⅰ.① 現… Ⅱ.① 錢… Ⅲ.① 社會科學 - 概況 - 中國 - 文集 Ⅳ.①C12-53

中國版本圖書館 CIP 數據核字（2010）第 226493 號

現代中國學術論衡

作　者	錢　穆　著
責任編輯	周弘博
出版發行	九州出版社
裝幀設計	陸智昌　張萬興
地　址	北京市西城區阜外大街甲 35 號
郵　編	100037
發行電話	（010）68992190/3/5/6
網　址	www.jiuzhoupress.com
印　刷	三河市東方印刷有限公司
開　本	635 毫米 × 970 毫米　16 開
插頁印張	0.5
印　張	18.5
字　數	208 千字
版　次	2011 年 5 月第 1 版
印　次	2024 年 4 月第 3 次印刷
書　號	ISBN 978-7-5108-0749-7
定　價	74.00 元

錢穆先生

錢穆先生印・未學齋

新校本說明

錢穆先生全集，在臺灣經由錢賓四先生全集編輯委員會整理編輯而成，臺灣聯經出版事業公司一九九八年以「錢賓四先生全集」為題出版。作為海峽兩岸出版交流中心籌劃引進的重要項目，這次出版，對原版本進行了重排新校，訂正文中體例、格式、標號、文字等方面存在的疏誤。至於錢穆先生全集的內容以及錢賓四先生全集編輯委員會的注解說明等，新校本保留原貌。

九州出版社

出版說明

錢賓四先生於一九七五*年編撰《中國學術通義》，就經、子、史、集四部，求其會通和合。又繼之而為是書，依當前各門新學術，分門別類，加以研討。全書計十二目，都二十六篇。

中國重和合會通，西方重分別獨立，一切人生及學術，無不皆然。遠自漢書藝文志，下及清代四庫全書，讀其目錄，中國學術舊傳統大體可知。近代國人一慕西化，大學分院分系，乃及社會學人論學，門類風格，煥然一新。即如宗教、科學、哲學諸名稱，皆譯自西方，為中國所本無。既無此名辭，亦無此觀念，又何能成此學術？今國人乃以新觀念批舊學術，遂見其無一而當。本書則即就近代國人所承認之學術新門類及其新觀念，還就舊傳統，指出其本屬相通及互有得失處。既具體條舉諸例，並諸條加以詳細發揮。使讀此書者，一則可以明瞭中西雙方學術思想史之有相異處；再則可以由學術舊傳統，迎合時代新潮流，而創開一新學術之門戶，以待後人之繼續邁進。

＊新校本編者注：原文為「民國」紀年。下同。

本書撰就於一九八三年冬，翌年十二月由東大圖書公司初版。此次重排，即以此爲底本，除加入私名號、書名號及增入若干引號，以便讀者閱讀外，內容一仍其舊。整理排校如有疏誤，敬希讀者不吝指正。

本書之整理，由邵世光小姐負責。

錢賓四先生全集編輯委員會　謹識

目次

序

文化異，斯學術亦異。中國重「和合」，西方重「分別」。民國以來，中國學術界分門別類，務

爲專家，與中國傳統通人通儒之學大相違異。循至返讀古籍，格不相入。此其影響將來學術之發展實

大，不可不加以討論。

晚清之末，中國有兩大學人，一康有爲，一章炳麟。其時已西化東漸，而兩人成學皆在國內，未

出國門一步。故其學皆承舊傳統。康氏主今文經學，章氏則主古文經學。兩人雖同治經

學，其崇儒尊孔之意實不純，皆欲旁通釋氏以爲變。康氏著有新學僞經考、孔子改制考，並自號長

素，其意已欲凌駕孔子。其爲大同書，雖據小戴禮記禮運篇「大同」一語爲號召，但其書內容多採釋

氏。惟康氏早已致力實際政治，謀求變法維新，故其宏揚釋氏者並不顯。章氏以爲文排滿下獄，在獄

中讀釋氏書，即一意尊釋，而排滿之意則無變。自號太炎，乃尊顧炎武之不仕清廷，而亦顯有凌駕顧

氏之意。此下著書，皆崇釋抑儒，孔子地位遠在釋迦之下。如其著國故論衡，一切中國舊傳統只以

「國故」二字括淨。「論衡」則僅主批評，不加闡申。故曰：「中國有一王充，乃可無恥。」其鄙斥傳

統之意，則更昭之矣。惟其書文字艱拗，故其風亦不揚。

章氏去日本，從學者甚眾，然皆務專門，尟通學。惟黃侃一人，最爲章氏門人所敬，則以其猶守通學舊軌。康氏門人少，惟梁啟超任公一人，早年曾去湘，故亦受湘學影響，知尊湘鄉曾氏。先創新民叢報，後改爲國風報。創刊辭中大意謂，國風相異，英法皆然，中國亦當然。其識卓矣。後爲歐洲戰役史論，敍述當時歐洲第一次世界大戰之來源，提綱挈領，要言不煩。如任公，實當爲一史學巨擘。惜其一遵師旨從事變法維新之政治活動，未能專心爲學，遂亦未臻於大成。及第一次歐洲戰役既畢，任公遊歐歸來，草爲歐遊心影錄一書。大意謂，歐洲文化流弊已顯，中國文化再當宣揚。其見解已遠超其師康有爲遊歐歸來所草十三國遊記之上，而亦與太炎大不同。惜任公爲學，未精未純，又不壽，年未六十即辭世，此誠大可惋悼矣。

與梁任公同在北平講學者有王國維靜安。先治西學，提倡紅樓夢。新文學運動受其影響甚大。然靜安終以專治國故，名震一世。當時競治殷墟龜甲文，而國維教學者，應先通許氏說文爲基礎。可謂當矣。惜靜安亦不壽，先任公而卒，亦大堪惋悼。

胡適之早年遊學美國，歸而任教於北京大學，時任公、靜安亦同在北平。適之以後生晚學，新歸國，即克與任公、靜安鼎足並峙。抑且其名乃漸超任公、靜安而上之。蓋自道咸以來，內憂外患，紛起迭乘，國人思變心切，舊學日遭懷疑，羣盼西化，能資拯救。任公以舊學加入新思想，雖承其師康氏，而所學實有變。適之則迳依西學來講國故，大體則有採於太炎之國故論衡。惟適之不尊釋。其主

西化，亦不尊耶。而其譏評國故，則激昂有更超太炎之上者。獨靜安於時局政事遠離，而曾爲宣統師，乃至以留辮投湖自盡。故三人中，適之乃獨爲一時想望所歸。而新文化運動乃竟掩脅塵囂，無與抗衡。風氣之變，亦誠有難言者。

舊學宏博，既需會通，又求切合時宜，其事不易。尋瑕索疵，漫肆批評，則不難。適之又提倡文學白話文，可以脫離舊學大傳統，不經勤學，即成專家。誰不願踴躍以赴。其門弟子顧頡剛，承康氏「託古改制」義，唱爲疑古，著古史辨一書，尤不脛而走，馳譽海內外，與適之齊名。同時有馮友蘭芝生，繼適之中國哲學史首冊之後，續爲中國哲學史一書，書中多採任公諸人批駁胡氏意，其書亦與適之書同負盛名。對日抗戰時，余與芝生同在湘之南嶽，以新撰新理學手稿示余，囑參加意見。余告以君書批評朱子，不當專限「理氣」一問題。朱子論「心性」，亦當注意。又其論「鬼神」，與西方宗教科學均有關，似亦宜涉及。芝生依余意，增鬼神一篇。並告余，朱子論心性，無甚深意，故不再及。並在西南聯大作講演，謂彼治哲學，乃爲神學。余治史學，則爲鬼學。專家學者，率置其專學以外於不論，否則必加輕鄙，惟重己學有如此。於是文學、史學、哲學，及考古發掘龜甲文等各項專門之學，一時風起雲湧，實可謂皆自新文化運動啟之。

但適之提倡新文化運動，其意不在提倡專門，凡屬中國舊學，逐一加以批評，無一人一書足資敬佩。亦曾提倡崔東壁，然亦僅撰文半篇，未遑詳闡。適之晚年在臺灣出席夏威夷召開之世界哲學會議，會中請中、日、印三國學人各介紹其本國之哲學。日、印兩國出席人，皆分別介紹。獨適之宣講

杜威哲學，於中國方面一字不提。則適之所主持之新文化運動，實爲批評中國舊文化，爲新文化運動

作準備。當時有唱「全盤西化」之說者。而適之僅提倡「賽先生」科學與「德先生」民主兩項。於

宗教則避而不談，又主哲學關門。適之有「大膽假設小心求證」一語。其所假設者，似僅爲打倒孔家

店，中國舊文化要不得。一意廣泛批評，卽其小心求證矣。至「民主」、「科學」兩項，究當作何具

體之開創與設施，則初未之及。亦別有人較適之更作大膽假設者，如線裝書扔毛廁，廢止漢字，改爲

羅馬字拼音等。又如陳獨秀之主張共產主義。適之對此諸端，則並無明白之反對。要之，重在除舊，

至於如何布新，則實未深及。

不幸而日本東侵，又繼之毛政權上臺，政府播遷來臺，而一切情勢皆大變。在大陸，已無學術可

言。臺灣惟科學、民主兩項仍在提倡。而中國舊文化、舊傳統、舊學術，則已掃地而盡。治學則務爲

專家，惟求西化。中國古書，僅以新式眼光偶作參考繙閱之用，再不求融通體會，亦無再批評之必

要。則民初以來之新文化運動，亦可謂已告一段落。

繼此當有一大問題出現。試問此五千年摶成之一中華大民族，此下當何由而維繫於不壞？若謂民

族當由國家來維繫，此國家則又從何而建立？若謂此一國家不建立於民族精神，而惟建立於民主自

由。所謂「民」，則僅是一國家之公民，政府在上，民在下，無民族精神可言，則試問西方國家之建

立其亦然乎？抑否乎？此一問題宜當先究。

又所謂分門別類之專家學，是否當盡棄五千年來民族傳統之一切學問於不顧？如有人謂，非先通

康德，即無以知朱子。但朱子之爲學途徑與其主要理想，又何嘗從先知康德來。必先西方，乃有中國，全盤西化已成時代之風氣，其他則尚何言。

早於治朱子必先通康德之說之前，已有人主張不通西洋史即無以治中國史。於是「帝王專制」與「封建社會」之兩語，乃成爲中國史之主要綱領。又如謂非取法西方文學，即無以建立中國之新文學。於是男女戀愛、武力打鬥，乃爲現代中國新文學必所共有之兩項目。以此而言，一切學術，除舊則除中國，開新則開西方。有西方，無中國，今日國人之所謂現代化，亦如是而止矣。

余曾著中國學術通義一書，就經、史、子、集四部，求其會通和合。今繼前書續撰此編，一遵當前各門新學術，分門別類，加以研討。非謂不當有此各項學問，乃必回就中國以往之舊，主「通」不主「別」。求爲一專家，不如求爲一「通人」。比較異同，乃可批評得失。否則惟分新舊，惟分中西，惟中爲舊，惟西爲新，惟破舊趨新之當務，則竊恐其言有不如是之易者。

此編姑分宗教、哲學、科學、心理學、史學、考古學、教育學、政治學、社會學、文學、藝術、音樂爲十二目。其名稱或中國所舊有，或傳譯而新增。粗就余所略窺於舊籍者，以見中西新舊有其異，亦有其同，仍可會通求之。區區之意，則待國人賢達之衡定。

一九八三年冬錢穆自識於臺北士林之外雙溪時年八十有九

略論中國宗教 一

宗教爲西方文化體系中重要一項目。中國文化中，則不自產宗教。凡屬宗教，皆外來，並僅佔次要地位。其與中國文化之傳統精神，亦均各有其不相融洽處。此一問題，深值研尋，加以闡揚。

宗教重「信」，中國人亦重信。如孝、弟、忠、信，五常之仁、義、禮、智、信。惟西方宗教信在外，信者與所信，分別爲二。中國則爲人與人相交之信，而所重又在內。重自信，信其己，信其心。信與所信和合爲一。孔子曰：「天生德於予。」中庸言：「天命之謂性。」中國人觀念中之「天」，即在其一己性命內。所謂「通天人，一內外」者，主要即在此。離於己，離於心，則亦無天可言。故中國人所最重要者，乃爲己之教，即「心教」，即「人道教」。

中國人亦非不重神，但神不專在天，不專屬上帝，亦在人在物。孟子曰：「聖而不可知之謂神。」則聖人即是一神。周濂溪言：「士希賢，賢希聖，聖希天。」是聖人之更高境界，即當爲一天人，即神人。「聖」之與「天」與「神」，亦和合爲一，故「尊聖」即可謂乃中國之宗教。

中國人亦非不信有靈魂。古人言「魂魄」，「魂」指心之靈，「魄」指體之能。又言人之死，骨肉

腐於土，魂氣則無不之。則魂魄雖和合爲一，亦可分別爲二。魄附於身，魂在心，乃可流散於外，有

不與其軀體以俱盡者。其實軀體腐爛，亦化爲氣，同一流散。惟中國人之視心身則有別，即視魂魄有

別，亦即視神物有別。中國人乃於和合中見分別，亦即於分別中見和合。雖有分別，仍渾然和合爲一

體。西方人天與人別，內與外別，僅主分別，不復和合。但謂中國人有和合，不再有分別，則亦

失之。

人死爲鬼，鬼與人有分別，鬼與神亦仍然有分別。人之生，其心能通於他人之心，能通於古人之

心，又能通於後世人之心，則此心即通於天地而爲神。但不能人人之心如此。不能如此，則爲一小

人，其死則爲鬼，不爲神。惟有共同之心，則生爲聖爲神，通於天，而無死生之別。中國古人稱之曰

「不朽」。朽者在物在身，不在心。立德、立功、立言爲三不朽，皆指「心」言。

人文之不朽依於自然之不滅。中國人亦言心氣、性氣、生氣、魂氣、神氣。亦言天氣、地氣、山

川之氣。凡言「氣」皆自然。又言才氣，而不言德氣。才亦人人俱有，見於外，屬自然。德則爲中國

學養所成，屬人文。韓愈言：「足於己，無待於外之謂德。」西方人亦言性，而不言德。德存於內，

人獨有之觀念，而爲其他民族所少見。神可有德，而鬼則無德。若其有德，則亦爲神，不爲鬼矣。

人死而魂氣無不之，生者之心則追念不已，而希其歸來，故有招魂之禮。又設爲神位，希其魂氣

之常主於此而不散。如生則魂氣常主於身，今則以木代身，希魂氣之常駐。至於軀體，則必朽腐，埋

葬之而已。此爲中國人重魂不重魄一證。但人死後是否有魂，此魂是否能歸來常駐此木，此則有待人之信。西方宗教，信不求證。如上帝，如天堂，如靈魂，信其有，斯止矣。在科學與生物進化論上有種種反證，但宗教信者可以置之一旁不理，而不害其各有存在，各有發展。但中國則不然。必求和合，凡信必求證，所謂「無證不信」是也。則人死之有魂氣存在，又於何證之？曰：皆信之吾心，無反證即可矣。以信在心，無反證，即心安而理得，故可信也。

生人見鬼，東漢王充疑之。謂人有生死，衣服無生死，何以生人見鬼亦穿衣服。此之謂「反證」。但鬼是一具體，而魂氣乃一抽象。具體可尋反證，抽象則不可求反證。魂兮來歸，無反證可得，則可信之而心安矣。骨肉葬於土，恐有發掘，故設爲墳墓，歲時祭拜，斯亦心安。祠堂神主，魂氣所歸，則可晨夕敬禮，其侍奉較之墳墓骨肉，殷勤尤遠過之。

西方之上帝乃一具體存在，中國之天則屬抽象存在。具體必求證，而上帝之在人世，則無可證。故耶穌言：「凱撒之事凱撒管」，爲其無可證，乃分上帝、凱撒而二之。耶穌釘死十字架上，乃凱撒事，上帝亦不能管。穆罕默德繼耶穌而起，故使其信徒一手持可蘭經，一手持刀，亦要管凱撒事，庶不致再上十字架。然而既持刀，而人世戰爭不必盡能勝，則上帝神靈豈不有反證。耶、回二教同一上帝，究竟孰真孰假，誰是誰非，此亦無證，但亦可互作反證矣。

西方人信上帝，又信有魔鬼。上帝具偌大神力，宜可使不再有魔鬼之存在。信有魔鬼，亦即信上

帝一反證。西方人僅重其「所信」，乃不重「信者」。信者受魔鬼騷擾，則其靈魂受災禍。得上帝保佑，

而災禍始免。中國人則信其己，魔鬼上帝皆在己之一心。己心不受魔鬼之擾，則魔鬼亦無以擾之。魔

鬼上帝之於己心，亦和合爲一。而外力所在，有所不計。乃有「殺身成仁，捨生取義」，惟尊一己之

德性，置身之死生於度外者。

中國既更重在信者之自身，則生平行事，果使問心無愧，縱不侍奉上帝，上帝亦不加罰。即如爲

臣事君，果使盡日祈禱，希君加賞，使遇明君，則決當斥之，不使在朝矣。中國人所重乃在己之「道

義」，不計身外之功利。以農事爲證，己之耕耘，必配合之於天時地理五穀之性。己之所能盡力者有

限。故但問耕耘，莫問收穫，惟求自盡己責。但業商者不如此想。其貿易謀利，乃是一種功利，非道

義。功利則須仗不可知之外力，於是信仰其外在者，惟求於己有功有利。如上帝，能使己之靈魂死後

上天堂，則其宗教信仰，亦屬一種功利觀。

尚書太甲篇有言：「天作孽猶可違，自作孽不可活。」農夫三年耕，有一年之蓄。九年耕，有三

年之蓄。則遇天時水旱，可以無患矣。是天作孽猶可違也。使己不負耕耘之責，則百畝之地，寧不荒

蕪，是自作孽不可活也。商業民族則不如此想，貿易求利，其外在所遇不可知，此乃西方宗教信仰崇

奉外力所由起。

印度釋迦所提倡之佛教，雖亦同是宗教，然與西方耶、回二教有大不同處。一則釋迦言「涅槃」，

乃抽象辭，與耶、回二教之上帝天堂爲具體性者不同。二則釋迦言塵世「生、老、病、死」四苦，皆

由生前作業來。生前作業，乃人類本身事，與耶、回二教之信靈魂非人世現實者又不同。三則釋迦乃以一皇太子離家出走，菩提樹下得悟，又經修鍊始成佛，與耶、回二教之自始即由上帝命其傳教，初不經由其自身之特殊修鍊者尤不同。信佛教，同經修鍊，同得成佛。耶、回二教，信者僅得靈魂上天堂，決不得同成爲耶穌與穆罕默德，此又大不同。又佛教雖信者同得成佛，而依信者各自之修鍊，又遞有階梯，如佛之下有菩薩，菩薩又分十地。耶、回二教信徒則一律平等，同此祈禱，同此歌頌。僅任職教會者，有地位之不同。及其死，亦僅得靈魂上天堂而止。抑且諸佛乃在諸天上，即諸天亦來聽佛法。耶、回教中之上帝，則絕不來聽耶穌與穆罕默德以及歷代教主之傳道。故耶、回二教，乃於平等上有極大一不平等。佛教則於不平等上有絕大一平等。此皆其大不同處。

佛教來中國，乃於中國傳統文化有其近似處，但亦有一大不同處。佛教與耶、回二教同對人生抱「悲觀」，而中國人對人生則抱「樂觀」。佛教在中國已極盛行，宋代理學家起，周濂溪教二程尋孔顏樂處，而生老病死不爲苦，此即對佛教一反證。苟使反之吾心，信孔顏儒道，亦在救世救苦救難，而吾心則樂，則何必效釋迦之逃避出世。中國人之由釋返儒，則仍在其一心。即理學興起前之中國高僧，亦知反之己心，則即身可以成佛，立地可以成佛，而無前世作業之爲障。南北朝時，竺道生已闡其義。唐代禪宗，更盛唱其說，而天台、華嚴相與助成之。此爲中國化之佛教。

印度地居熱帶，生活易足，人心懶於工作，易於厭世。中國地居溫帶，以農立國，勤勞節儉，乃

為生之本。故佛教主「出世」，而中國人則安於「入世」。此乃中印雙方之大不同處。西方人入世必「尚爭」，中國人入世則「尚和」。此又中西雙方之大不同處。

和則生樂。中國人言：「樂天知命」，樂天即知命。孔子曰：「五十而知天命。」乃知天之所命於己者，此即「為己」之道。中國人言「道」，有天道，有人道，人道之大者為「仁」。曾子言：「仁以為己任，不亦重乎。死而後已，不亦遠乎。」仁道即人道，亦即天道。以為己任，則即為己之道。死而己之責任方盡，乃得休息。惟仍有後人，繼續任此一大任。此為中國信仰之特殊處。

人之生必歸於死，此亦天命，人人易知。人之生必付以一番責任，此則非人人所知。天既付人以責，又必付人以能任此責之一番才能，中國人稱此曰「德」。孔子曰：「天生德於予」是也。此德亦稱之曰「性」。中庸言：「天命之謂性」是也。然人具此德性，未必能發揮為才能，以善盡此責，則必待於學。孔子曰：「十室之邑，必有忠信如丘者焉，不如丘之好學也。」「忠信」乃天命之性，而「學」則是為己之道。人必先學而後教。苟其不學，又何以教。

教，斯亦可謂之不仁。但學在先，教在後，故教人立志為學，其所學則為道。孔子「十有五而志於學，三十而立」是也。孔子七十，始曰：「從心所欲不逾矩。」故中國人之教，乃教人立志為學，其所學則為道。其道則曰為己之道，以達於人道，通於天道。其發端則在己之一心，其歸極亦

學，斯亦可謂之不仁。但學在先，教在後，故宗教信在外，而中國人則信在內，首當信己之能學。孔子曰：「學不厭，教不倦。」學而不一字即為一「學」字，此可證矣。故宗教之在中國不盛，而惟學為盛。論語二十篇，開首第教，斯亦可謂之不仁。故宗教信在外，而中國人則信在內，首當信己之能學。孔子曰：「志於道，據於德，依於仁，游於藝」是也。

在己之一心。故若謂中國有教，其教當謂之「心教」。信者乃己之心，所信亦同此心。其實世界人類

其他各宗教亦可謂同是一心教。歐洲人之心，在其各自之個人，本無心於斯世斯人，其所奉之教，乃

猶太人耶穌所創立。耶穌已預爲歐洲人留下一地位，曰：「凱撒事凱撒管。」但不僅耶穌上了十字架，

直至近代之核子武器，皆屬凱撒事，上帝不能管，此亦見歐洲人之心。耶穌之言，亦久而有驗矣。

一手持可蘭經，一手持刀，此亦阿拉伯人之心。離家兀坐山洞中，或大樹下，此爲印度人之心。

修身、齊家、治國、平天下，則爲中國人之心。凡教必本於心，此亦中國古人所創之「人文大道」，

可以證之當前全世界之人類而信矣。

近代國人則惟西方是慕，然不熱中於其宗教，獨傾心於其科學，此選擇亦可謂妙得其宗矣。科技

爲今日國人所競崇，先以賺人錢，最後必達於要人命。核子武器誠屬科技之最尖端。果使第三次世界

大戰幸不發生，而科技繼續進展，則必有不上戰場，核武器不待使用，而更有不見痕迹之新殺人利器

之出現。如是則世界眞有末日，而死者靈魂盡得上天堂，一切事盡由上帝管，更不由凱撒管，耶穌之

言，亦久而有驗。耶穌之最先旨亦或可由此而達矣。我誠不勝其爲靈魂界慶賀，但亦不勝爲生命界

悲悼矣。然果使人心能變，人同此心，孔子魂氣依然流散天地間，則或有中國人所崇奉之心教之所想

像之一境之出現。縱不在中國，或可出現於西方。夷狄而中國則中國之，亦安知其必無此一可能。此

其爲中國信仰之最後希望乎？我日禱之，我日禱之。

一神多神，又爲近代國人衡評中西宗教信仰高下一標準。惟中國之多神，亦中國人心一表現。凡

中國人所親所敬，必尊以爲神。如父母生我，乃及歷代祖宗，皆尊以爲神。立德、立功、立言三不朽人物，縱歷數千年以上，中國人亦必尊以爲神。士、農、工、商四業，除商業外，孔子爲至聖先師可不論，如稷爲農神，夔爲樂神，其他百工尊以爲神者難縷舉。自人文界推至自然界，吾心亦莫不有敬有親。敬而不親，親而不敬，於心有愧。故天地亦如父母同尊爲神。敬之與親有間，則禮生焉。「禮」者，體也。天地萬物，實與心爲一體。而此體之本，則在我之心，此卽孔子之所謂「仁」，而中庸則謂之「誠」。「誠者天之道，誠之者人之道。」於我心而見其眞實不二，斯得之矣。故孔子曰：「人而不仁如禮何。」然非禮無以見仁，猶之無軀體亦無以生魂氣。故中國人言天必言地，苟非有地，則亦不見有天之存在。故子貢曰：「夫子之文章可得而聞，夫子之言性與天道不可得而聞。」而夫子之自言則曰：「弟子入則孝，出則弟，謹而信，泛愛眾而親仁。行有餘力，則以學文。」夫子之文章亦惟子貢之徒乃始得聞。故中國人之教，以心之親爲先，以心之敬爲後。知其親，仁也。知其敬，則爲智。而教親教敬，則重在行。行之眞實不虛，則禮是矣。禮不僅在人與人之交往，又必遍及於凡可親而敬者。故在家有竈神，鄉村有土地神，城區有城隍神。名山大川，所至有神。遠之有太陽神、月神、北斗星神。吾生四圍，凡所接觸，多所敬，多所親，遂多尊以爲神。孔子曰：「祭神如神在。吾不與祭，如不祭。」則心與神爲一。通天人，合內外，皆此心，皆有神，皆有禮。則天地亦只是一篇大文章，故中國人之教亦稱「文教」，又稱「禮教」，則多神又何鄙夷之有。中國人又常「神聖」連言。「聖」言其德，「神」言其能。如謂神工神能是也。工能見於外，而

德則存之內。然苟使無德，又何來此工能。西方人重能不重德，凡神皆以其工能言，而不稱其德。近

代國人則以己所尊崇之德，轉以奉之西方。如耶穌誕稱聖誕，新舊約稱聖經。其他凡耶教中一切皆稱

聖，如稱聖約翰、聖彼得、神聖羅馬帝國等是矣。甚至奧林匹克運動會傳遞火把，亦稱聖火。但中國

觀念神在外，聖在內，惟通天人一內外，乃以神聖連稱。如中國人稱「天地君親師」，縱亦言天地之

大德，終不言聖天聖地，亦不言天聖地聖。司馬遷所謂「天人之際」即在此。人有聖德，而可上通於

神，則在其魂氣，不在其軀魄。故中國人之於政治領袖，亦只希其爲聖，斷不以神望之。至如父母，

則不必盡爲聖，所謂「父子不責善」是也。而親之更勝於天地。「親」之，斯亦「敬」之矣。父母可

與天地同敬，而君王天子則決不能與父母同親。至於師，則可敬亦可親，所謂心喪三年，則師之由敬

得親，而其親乃可等於父母。君雖當敬，但親不如君。猶之地之可親，亦勝於天。此其當親當敬，可

親可敬，豈非皆一本於己心。故中國之教亦稱「名教」。天、地、君、親、師，皆於其一體中分別所

立之名。惟此體則本之一心。而此心則卽古人之所謂魂氣也。由是言之，故惟孔子魂氣不散，宜爲吾

國人惟一之信仰所在矣。則果謂中國亦有宗教，宜稱爲「孔教」，亦無疑。

（一九八三年七月東方雜誌復刊第十七卷第一期。原題名中西宗教比較。）

略論中國宗教　二

中國自身文化傳統之大體系中無宗教，佛教東來始有之，然不佔重要地位。又久而中國化，其宗教之意味遂亦變。

中國文化最重教育，即政治亦教育化，周公之制禮作樂是也。周公用之於政治，孔子播之於社會，儒家精神乃以教育爲主。爲儒則必爲師，尊師重道，又爲中國文化傳統主要精神所在。

中國人之教，爲師者必爲其弟子留下地步。中國人之政，在上者亦必爲在下者留地步。君臣相處有禮，庶可樂。禮之流衍，有各種制度。一切限制與度數，皆爲對方留地步，與掌握權力以把持其下之意義大不同。

「禮」者，於分別中見「和合」，於上下間見「平等」，而猶貴於死生人鬼之間得其「通」。周祚啓於武王，但上推文王，又必上推后稷，以見大業之由來。故有宗廟之祭，乃教爲君者勿存自尊自貴之心。先有列祖列宗，傳遞此業，又其上則有天。天人相通，先後相承，豈任一人所能獨擅此大業。然則中國之禮，即中國之宗教，其原始尚遠在周公之前，而傳遞則直達於近世。故亦可謂中國有宗

教，而無教主。爲之主者，即天，即上帝，即列祖列宗。其教直達於吾心，使吾心能上通於列祖列宗，以達於天，達於上帝，斯此大業乃可保持而弗失。非我能保持之，乃吾之列祖列宗得天與上帝之同意而始獲保持之。

天子宗廟之祭，列國諸侯皆來陪祭。諸侯亦各有國，乃由中央天子之列祖列宗所封建。而得此封建，亦不在己，乃在其列祖列宗。故諸侯之歸其國，又必各自祭其祖宗。更下至於庶民之受百畝而耕，亦祭其祖宗。尊祖敬宗之禮，固已下達於天下。禮不下庶人，非指此。此之謂宗法社會。

人之對其祖宗死者有禮，人與人相處亦有禮。父子兄弟夫婦相處，必各爲其對方留地步。君臣朋友相處，亦必各爲其對方留地步。故五倫之間亦各有禮。禮者，體也。有禮則相互各有地位而共成爲一體。父子相與即一體，慈孝主在心，見之行事即成禮。夫婦亦然。其他諸倫莫不然。

中國人所信在天，在上帝，在各自之祖宗。其所奉行，在各自當身人之間。而天帝祖宗，亦必爲當世人羣留地步，如是信，如是行，由此乃有人道。人道由天道來，亦由鬼道神道來。鬼亦人也，雖已死，而有其不死者仍留在人間。故此世界乃人鬼合一之世界。鬼世界即融合於人世界中，其主要乃在人之一心。身必有死，心可不死。此心寄在己之一身，亦寄在父子夫婦五倫大羣間，並可寄在前世及後世之人間。故人之一心，亦寄在後世之人心。

孔子繼周公而起，即周公孔子之心以爲心。孔子之心與周公之心相通，故時夢見周公。此心孔子稱之曰「仁」。故孔子曰：「人而不仁如禮何，如樂何。」繼周公，即敬周公之心。故周孔之教，亦可謂之

「心教」。周公禮樂，主要使用在政治。孔子仁道之教，則推廣以及於全社會全人羣。周公孔子非爲宗教主，而後代中國人信奉周公孔子，至少當不下於佛教之信奉釋迦，耶教之信奉耶穌。

在朝當政，則當信奉周公以爲政。在野不當政而當教，則當信奉孔子以爲教。中國儒家畢生所志即在此。政教對象在於外，而治之教之之大任，則歸本於己之一心。其他民族之宗教，其所信，皆在外。中國宗教，則既信外，亦信內，而毋寧所信於內者當更重。其他宗教，莫不教其信者奉獻其身於所信。而中國人之教，則教其修養所信於己身己心，而加以表現加以發揚，不啻教人各以釋迦、耶穌自任。此則其大異處。

佛教來中國，教人先出家。中國人生重家，其道大異。但後世中國社會，父母死必邀僧侶來家誦經唸佛，超渡亡魂，僧侶亦樂爲之。實則僧侶心中亦各有其父母之存在。此即佛法中國化之一證。又佛教主人身地、水、風、火、四大皆空，既不主有人世界，自不主有鬼世界。但以此心悟此法，佛心佛法，則可常存宇宙間。中國佛教乃專從此方面來加發揮，來加宣揚。此心此法即此道，此道瀰滿天地間，則爲佛教中國化之更大表現。此心此道，則以己爲之主，故曰「即身成佛」，「立地成佛」，則人人世界即可爲佛世界，實即人人世界即可爲聖賢太平世界。此又中國人生理想之所在。

每一宗教各奉一教主，耶、回兩教皆然。佛教分大乘、小乘。釋迦最先所說或僅屬小乘，此後異說宗派紛起，遂有大乘。我愛吾師，我尤愛眞理，大乘佛學已趨哲學化。但說法日分，則教主被信奉之地位亦日降。佛教在印度，終於衰落，亦此之故。其來中國，則惟傳大乘，宗派更日增，而益見佛

教之盛。此亦中國民族性情使然。

中國先秦有諸子百家，一師授教，學者稱弟子，其教稱爲「家言」。家言亦有分歧，儒分爲八，墨分爲三。此如子孫分家，但共戴一祖。祖下又分宗。合中有分，分中有合，此乃中國之「宗法」精神。中國僧侶又爲佛法「判教」，各宗各派盡認爲釋迦之說，但有先後之別。判法各不同，然仍同爲一教，則不啻合西方之宗教與哲學而一之矣。此誠中國文化一大特色。

凡宗教，必爲天下古今全人類立教，不爲俗世一時一地一事立教。故成爲一宗教，皆主出世。惟中國之教更重在各自一己之奉行，孔子謂之「爲己」之學。故中國人學尤重於教。孟子曰：「乃我所願，則學孔子。」稱「願」，則是學者之「自由」。孔子已逝世，聖人先得吾心之同然，求之己心，即得先聖人之教矣，故又曰：「歸而求之有餘師。」此則教者與學者相「平等」，而喫緊則更在學者。孟子又曰：

「人皆可以爲堯舜。」但不言人皆可以爲孔子。此因尊師重道，孔子始立教，故後世尊之曰「至聖先師」。而自孔子以下，再不尊奉人爲人師。孔子孟子皆稱亞聖，則孔子不啻爲中國人之教主矣。實則人胥學，斯人人胥可爲。故周濂溪曰：「士希賢，賢希聖。」佛教中國化，亦稱即身成佛，立地成佛，近代國人競慕西化，羣言自由、平等、獨立、博愛，實則中國人之爲教爲學，已盡此四者而有之。

顏子孟子皆稱亞聖，則主在淑世，此即「博愛」義。其爲教，則主在淑世，此即「博愛」義。近代國人競慕西化，羣言自皆在一己，此即「獨立」義。故周濂溪曰：孟子又曰：「可欲之謂善，有諸己之謂信，充實之謂美。」西方哲學探求眞、善、美，皆在外。

如孟子言，則眞善美三者同在己之一身一心，無待外求。則中國之教與學，已併西方之哲學與宗教而一之。而在中國，則無宗教，無哲學，此誠中國文化之深義所在。當商量，當涵養，不憚邃密深沉以求之。

中庸言：「天命之謂性，率性之謂道，修道之謂教。」人同此性，即同具一天。耶教言天堂，與塵世別。中國人觀念，天堂即在塵世，同在人之心。故孔子曰：「十室之邑，必有忠信如丘者焉。」是即人人已同得爲一眞實之信徒矣。修道之謂教，則如孔子。孔子曰：「三人行，必有我師。」三人中，一人即己，其他兩人或有善或有不善，擇其善者而從之，其不善者而改之，則人盡吾師也。孟子謂「舜善與人同，樂取於人以爲善」，若就宗教言，豈不先有信徒，始有教主。爲教主者，乃學於信徒以爲教。濂溪言「聖希天」。實則天已散在各人身上，各人心中，此所謂「通天人，合內外」。惟必以一己好學之心爲之主，故大學言：「自天子以至於庶人，一是皆以修身爲本。」

唐以前中國人皆同尊周公孔子，則獻身政治終爲人生一大事。惟政教合，故孔子與周公同尊。及宋以後，乃改周孔爲孔孟，又增以大學中庸定爲四書，爲人人所必讀，其重要似猶過於五經。則教尤尚於政，學尤尚於仕。不必出身爲仕，而人生大道亦可盡於己之一身。但終不謂凱撒事凱撒管，政治仍在此人生大道中。如信佛教，亦可不出家，爲一居士。此見中國人性情之廣大融通處。故中國人能信佛教，同時又能信回教、耶教，而和平相處無衝突。莊老之徒，其後亦創爲一道教。儒家則終不成

為一教，更見為廣大而高明矣。

中國民俗又有土地城隍，及其他諸鬼神之奉祠，並及於妖精百怪。此皆非道非釋，不成為教。在上者或斥以為淫祠，但亦不嚴加廢禁。亦見中國人性情之廣大融通，不僅合天人，又合大地山川，並及宇宙萬物而為一。要之，則主在人之一心。能慈、能孝、能忠、能信，則隨其宜而並容之。今國人則必斥之謂非宗教，非科學，非哲學。但就文學論，則此等亦有可為文學題材者。即如清初聊齋誌異，乃民間一流傳甚廣之文學作品。以文學眼光視之，亦終不宜盡斥為迷信。故為中國社會來寫一部中國宗教史，此等亦為中國文化體系中之一鱗一爪，不當擯棄不述。

孔子曰：「敬鬼神而遠之。」又曰：「祭神如神在，吾不與祭，如不祭。」是孔子於鬼神，非信非不信。宗廟社稷，以至祖先祠堂，祭拜之禮，特以教敬，斯已矣。敬則仍在己之一心，務使己心能敬。「知之為知之，不知為不知，是知也。」知與不知分，則信與不信亦難定。又「子不語怪、力、亂、神」。此四者，西方文學，一切小說戲劇多好言之。西方宗教則惟上帝一神，與文學中言神有別。

今人謂西方宗教乃「一神論」，實亦可謂之「無神論」。中國古詩三百首，以及離騷楚辭，皆言神，但與西方文學中之神不同，以其與怪、力、亂不同。故若謂中國有宗教，乃「多神教」，而孔子亦近神。漢賦及樂府，下至詩詞散文，以及小說傳奇，雖亦間有怪、力、亂，然皆非言怪、力、亂，乃別有所指。如水滸傳乃以忠義為言，非唱亂。金瓶梅則及於亂矣，非亂於上，乃亂於下；非亂於國，乃亂於家；斯尤亂之甚者。然金瓶梅終為禁書，不得流傳。聊齋誌異言怪，亦非言怪。凡中國文學中言

神，則莫不涵敬意。此見全部中國文學雖言怪、力、亂、神，亦無大違於孔子之教。近代國人乃以西方文學為宗，提倡新文學，怪、力、亂皆不排斥。而金瓶梅則以新文學觀念再獲提倡研究。亦有人言，提倡新文學勢必達於非孔反孔，此亦一例矣。

又如平劇中有白蛇傳一劇，白蛇為怪為亂，而法海則為神為力，雙方鬥法，白蛇負，被幽雷峯塔下。白蛇夫許仙官，乃一極平常人。然劇中表演，毋寧同情許仙官與白蛇精，而於法海之神通廣大則轉少讚賞。尤其是「祭塔」一幕，白蛇與其子相晤，唱辭哀怨，可使聞者泣下。夫婦母子，人倫大道，劇中寓意，亦不失中國文化大傳統。惟偏在怪、力、亂、神方面，乃終成為一小說一戲劇，終非中國文學之正統。

今再言孔子何以不語怪、力、亂、神。姑再舉一小例。余幼時親見鄉間有招魂術，一村婦口念咒語，能招亡魂附體發言。其言非亡魂親人絕不知，而此村婦能言之。此術遍布中國全社會。類此術者尚多，今不縷舉。凡此皆屬神而怪。今國人盡斥此等為迷信，又謂其是一種低級信仰。中國人言魂魄，魄附體以俱滅，魂氣則無不之。如孔子之魂氣，豈不仍流布存在於今日之中國。村婦招魂及其他怪術，實皆有關魂氣方面。若認此即為中國之宗教，則中國宗教中實涵有極多科學成分。即須有此下一種新科學加以深究與詳闡，不得以西方科學所無，即盡斥之為不科學。但非積長時期多數人之研尋，不易遽得定論。孔子則志在人道，志在教人心能有信，能有敬，求之內，不求之外，所以不語怪、力、亂、神，並其言性與天道亦不可得而聞。

後起如道家陰陽家，多言自然，言宇宙萬物，遂多轉入人間迷信。僅能深究，實皆有關科學。英人李約瑟著中國科學史，乃謂中國科學源於道家。惟孔孟儒家則所重不在此。中國文化大體系偏重儒家一途，自然科學乃不能如西方之暢盛發展。若以為此乃中國文化之所短，實亦即中國文化之所長。

蓋中國亦自有科學，自有發展，特其途向不同，此亦中西文化體系之相異處。

孔子所常語者為禮，禮中必有鬼神，又所尊奉。惟禮非為鬼神而有，乃為己心而有，故孔子言：「人而不仁如禮何。」禮者，體也。主於中屬於內者為心，見於外則為體。故禮必隨時隨地隨事而有變。心則一，無變。然必合內外乃成體，乃為一，而必多變，而變必歸於一。故孔子之教，可謂之「禮教」。中國之文學，亦必有禮之意義存其間。禮即此人文大體。亦可謂凡屬宗教皆即禮，乃於人文之禮中求別創一禮，故宗教遂成為文化中之另一體。中國之禮，皆大通合一，故中國宗教，亦同在此文化大體系中，而可不別成為一體。

中國有吉、凶、軍、賓、嘉五禮，治軍亦一禮，故亦無力、亂可言。若如今世西方之有核子武器與太空飛行，以中國觀念言，則怪而進於神矣。其神為可尊乎？不可尊乎？要之，已不在禮中。禮必有常，又必合內外以「成體」。核子武器乃分裂敵我，顯為二，不為一，又不常。故治軍果有「有常」，又必合內外以「成體」。核子武器絕不在其內。周孔之言禮，亦可謂其非宗教，非哲學，非科學。非我族類，其禮，核子武器絕不在其內。周孔之言禮，亦可謂其非宗教，非哲學，非科學，非文學。非我族類，其心必異，以其他民族之文化來相繩糾，則宜見其為無一而有當。

西方文化乃求合諸體以成體，而此諸體則皆各求發展，不易合成為一體。中國文化則從一體中演

出此宗教、科學、哲學、藝術之諸項，凡此諸項，皆不得各自完成為一體，此其異。

惟其西方人文不易合成為一體，故必以法維持之。中國非無法，但言「禮法」，則法亦必統於禮。乃從一體中生出法，非由法以摶成此一體，亦已明矣。中國人又言「道法」，則法必統於道。法則為一種力，其力在己之外。禮與道則為一種情，一種意，此情意則在人之心。故曰「王道不離乎人情」，則不能外於人情而有法，亦即此見矣。而成為一宗教，又豈可外於人情乎？西方教會組織實亦是一種法，一種力。中國不尚法，不尚力，故若中國無宗教，西方一切組織，一切系統，乃盡在外形上作分別。中國則在各己之內心上摶成為一統。此為中西文化之最大相異處。

今再由教而言學。西方學校亦尚組織，有系統。每一人由小學中學至大學，分科受教，其所師，當在百人上下。故西方人無尊師重道觀，惟求自創造，自發明，自為一專家。中國有私塾，有書院，皆一人掌其教。故來學者必知尊師。其自居則為門人，為弟子。故西方宗教有教主，而學校之教則無主。中國則無宗教，而教必有主，有師道。天地君親師，師居其一。亦可謂西方乃有教而無師，中國則凡教必有師，斯又一異。

中國人崇尚人性，性亦可流為不德，而德則必從性中來。藝術亦必本之性。西方人言真、善、美，皆從外面著眼。中國人則一返之己性。孔子曰：「知之者不如好之者，好之者不如樂之者。」知屬「真理」，好成「道德」，樂則「藝術」。若就此意言，科學在人生中，必進而為道德，尤進乃為藝術。此為中國人觀念。西方宗教主原始罪惡論，善德則一歸之天，但人為不善亦本之性，則其於道德

既不好之，亦不樂之矣。宗教信仰乃是一種畏天命，非知天命。既不知之，又何好何樂。自中國人言之，則亦一種功利觀而已。故西方宗教乃分「天」與「人」為二。世界必有末日，科學乃求以反天，人憑其知識技能來利用天，征服天。中國人之道德藝術則「通天人，合內外」，而自人性、人情、人心為出發點。中西文化分別，可謂主要正在此。

略論中國哲學　一

「哲學」一名詞，自西方傳譯而來，中國無之。故余嘗謂中國無哲學，但不得謂中國人無思想。西方哲學思想重在探討眞理，亦不得謂中國人不重眞理。尤其如先秦諸子及宋明理學，近代國人率以哲學稱之，亦不當厚非。惟中國哲學與西方哲學究有其大相異處，是亦不可不辨。

中國人好人與人相處，不願把自己割裂人外，高自標置，輕視他人。此一種謙恭退讓之心理積習，乃於中國學術有大影響。卽如孔子，近人每稱「孔子思想」、「孔子哲學」，此亦有宜。但孔子最喜提出一「仁」字，卻謂：「若聖與仁，則吾豈敢。」此固見孔子之謙恭退讓，但孔子於此仁字雖加解釋，而未作詳細之闡申。只答他人問，或自偶言，論語所載，逐條不同。近人又好爲孔子仁的思想、仁的哲學等論文，多就論語各條彙集爲說，自加發明。但謂孔子思想不邏輯，無組織，無條理系統，則又不然。此顯見中國哲學與西方哲學之有不同處。

孔子提出此仁字，後代國人遞相傳述，亦特爲作註。東漢末鄭玄曰：「仁者，相人偶。」此「相人偶」三字乃仍須後人更爲解釋。康成意特謂人與人相偶而仁始見，若非人相偶，將不見有此仁。唐代

韓愈又曰：「博愛之謂仁。」中國人每「仁愛」連言，以愛說仁，宜無不當。但人之愛各有別，又如何乃爲博愛，此則仍須有說。南宋朱子註此「仁」字則曰：「仁者，心之德，愛之理。」康成相人偶從外面說，昌黎博愛從內心說，朱子則說內心之愛亦有條理不同，則三人說實一貫相承。惟朱子言「德」字、「理」字，若非詳加闡說，仍不易明。余只就近代通俗語說，仁只是一種同情心，人與人有同情，即是仁。但不知此說究有當否？又不知此後人更將如何來說仁。然則只一「仁」字，乃成中國兩千五百年來一項共同思想，共同哲學，而似乎仍未達於一定義之完成。此又中國哲學與西方哲學之一不同處。

孔子又每「仁禮」連言。「禮」字似乎不專屬思想，而中國此一禮字，卻愈推愈廣，愈傳愈久。直至清代秦蕙田編爲五禮通考一書，分爲吉、凶、軍、賓、嘉五禮，尚僅專就上層政治方面，根據歷史事實加以纂修，而卷帙之浩繁，內容之複雜，已足驚人。今不得謂孔子哲學思想不重禮，而禮之考究，則又似乎不宜盡納入哲學範圍內。此則又是中國哲學與西方哲學一不同處。

孔子又「仁智」連言。此「智」字似當屬思想範圍。何等思想始屬智，此似一思想實質與方法問題，但孔子又似未加詳言。中國後人常以「仁、義、禮、智、信」五字並言，論語固亦言及「義」字「信」字，但專以「仁智」並言，似乎已占孔子思想之最主要部分。中庸又以「知、仁、勇」爲三達德，「智」與「知」宜當作何分別？今人言哲學，似專歸之思想與知識方面，而於孔子之言禮、言智、言勇、言信，有所不顧，則宜不能得孔子眞意之所在。此又中國哲學與西方

哲學一不同處。

繼孔子而起者有墨翟。儒墨成為先秦思想之兩大派。墨翟言「兼愛」，與孔子言「仁」有不同。

孔子言愛有分別，朱子言「仁者愛之理」是已。兼愛則是一無分別愛，故曰：「視人之父若其父。」

既不主分別，乃亦不言禮。發明孔子言仁，不得忽略此禮字。墨子非禮又「尚同」，孔子則「尚別」，

其言「君君、臣臣、父父、子子」是也。故孔子又曰：「必也正名乎。」名即其別也。若謂視人之父

若其父，則父之名已不正。於是墨家之後乃又有名家，其論名，則與孔門儒家言又不同。然則討論孔

子思想，必當以與孔子相反之墨家作參考。而衡量墨家思想，又當以後起儒家之與墨家相駁辨者作論

點。要之，中國思想屬「共同性」，屬「一貫性」，即儒墨思想，亦猶然。而後起儒家言禮又有主張

「大同」者，則在儒家思想中又滲進了墨家義。孟子曰：「能言拒楊墨者，聖人之徒也。」乃後起儒

家，又轉引墨義來廣大儒義，即大同之說是也。此見中國思想特富「和合性」。故治中國思想必當就

中國思想之發展與演變中來說。苟以治西方哲學之態度與規則來治中國思想，則實有失卻真相處。

儒墨之後又有道家。茲據老子為說，老子曰：「道可道，非常道。名可名，非常名。」老子特舉

「道」與「名」兩詞，其實即據儒墨之所爭而言。不通儒墨，即無以通老子。老子又曰：「失道而後

德，失德而後仁，失仁而後義，失義而後禮。禮者，忠信之薄，而亂之始也。」此處老子所用道、德、

仁、義、禮各詞，皆承儒家言，而意義各不同。又老子此處反禮則同墨，是則儒、墨、道三家，在當

時實同具有共通性，一貫性，而亦並有其和合性，與西方哲學之各自成為一專家言者，又大不同。

繼老子之後有中庸，其書當出秦代，爲治中國思想哲學者所必究。而其書收入小戴禮記中，則治

中國思想哲學者，絕不當置禮於不問，此又一證矣。中庸言：「天命之謂性，率性之謂道，修道之謂

教。」此天、命、性、道、教五字，皆前人所熟論，而中庸承之。子貢言：「夫子之言性與天道，不

可得而聞。」但孟主性善，荀主性惡，皆力言性。天命猶言天道，孔子所不言，墨與道始言之。莊老

道家不言性，專言道。荀子言性莊子「知有天不知有人」，則莊老所言皆天道，非人道。老子曰：「人

法地，地法天，天法道，道法自然。」則莊老言道，即言自然。孟子曰：「莫之爲而爲者，天也。」則

此「天」字亦猶指自然。中庸言：「天命之謂性。」斯性亦猶自然，是在儒家言中已融入了道家義。

又中庸言：「率性之謂道。」此道始是人道，而連上句言，則天道人道亦一而二，二而一矣。是則雖

同用此「天」「道」字「性」字，而內涵意義則各有別，此卽老子「道可道非常道，名可名非常

名」之旨也。是則儒家之顯用道家義，又益明。

又有兩書爲治中國思想哲學者所必究，一爲秦相呂不韋之呂氏春秋，一爲漢代淮南王安之淮南王

書。兩書皆會集賓客通力爲之，又皆會合以前諸家言，而求和通成一定論。此又中國思想有其共通

性、一貫性、和合性之一明證。其實孔子以下兩千五百年來之中國思想，莫不求會通和合以臻於一定

論，一如呂氏春秋、淮南王書之所爲，而豈欲各自獨立，以各創一新見，以求異於他人之謂乎！此尤

是大值研討一大問題之所在也。

繼此再言宋明理學。朱子力言「理氣」，近人依據西方哲學術語，謂朱子乃主理氣二元論。實則

朱子明言：「氣中必有理，理即見於氣。」則理氣亦二而一，一而二。朱子又言：「必分先後，則當理先而氣後。」據是言之，可謂朱子乃主「理氣一元論」。其實朱子「理氣」二字，採自莊老道家。佛家華嚴宗亦用此「理」字，故有事法界、理法界、理事無礙法界之分別。朱子編近思錄，第一卷爲道體，可見北宋周張二程尚用「道」字，不用「理」字。朱子用「理氣」二字乃後起，採之道、釋兩家，但朱子又確是儒家之嫡傳正宗。此可見中國思想中國哲學，不主獨自創造，特立一新說，乃主會通和合，成一共同的，一貫的，有傳統性的定論。此乃中國思想中國哲學之與西方大不同處。

同時與朱子樹異者有象山。後世稱「朱陸異同」。朱子主「性即理」，而象山則主「心即理」。孔子七十而從心所欲不逾矩，此可謂之心即理。然自十有五而志於學，經五十五年工夫，而始達到此境界。而孔子之所謂學，顯然不專指思想，故曰：「學而不思則罔，思而不學則殆。」「學」與「思」分作兩項工夫。此又中西一大不同處。朱子在此上亦言之極謙遜，說象山偏在「尊德性」，自己偏在「道問學」，戒學者當兼取象山講學長處。西方哲學則既非尊德性，亦非道問學，又顯與中國學問途徑有別。

象山之後又有明代之王陽明，理學遂分程朱與陸王。相傳陽明晚年有天泉橋四句教，陽明曾告其門人錢緒山：「無善無惡心之體，有善有惡意之動，知善知惡是良知，爲善去惡是格物。」其實此四語，只是在解釋大學。象山教學者「先立乎其大者」，則本孟子。陸王乃理學大師，又是理學中最富創闢性，最不喜拘守舊說，敢於自立己見，自信己意，與程朱有不同。實則此兩人亦仍是爲前人作解

釋而已。或認爲陸王近禪，多釋氏義，則朱子何嘗不近莊老，多道家義。中國學人必前有所承，必主會通和合。而陸王之與程朱同爲儒學，則大體無疑。今吾國人喜據西方傳統來作批評，則中國古人全無是處，又何必作程朱、陸王之分，又何必作儒、釋、道之別乎！

錢緒山以陽明四語告之同門王龍溪，龍溪不以爲然，謂「心體既無善無惡，意亦無善無惡，知亦無善無惡，物亦無善無惡。」兩人以此相爭，告陽明。陽明則曰：予本有此兩意，龍溪之語可以開示具上根性人，緒山語則以開示上根性以下之普通人。此兩番話乃啟此下大爭論。今就另一方面言，龍溪對之持疑，陽明聞之乃謂本有此兩意，龍溪語乃以告上根人。實則緒山四語明明聞之其師，龍溪之語本非陽緒山僅一普通人，不具上根，故陽明只告之如此。龍溪獨具上根，故告之如彼。今當謂龍溪語本非陽明所告，陽明乃聞而欣然，加以同意。此其心胸之寬濶，意態之和平，亦見陽明平日爲人之真可愛矣。

中國人論人，尤重於論學。象山陽明，論其人則亦確然儒者。論其學，論其所言，縱有失當，而不害其爲人。此尤中國文化傳統一大特點，烏得專據學而不論人，亦如專據思而不論學，皆非其正。

孟子言「知人論世」，今人則謂欲究一家之思想與哲學，必同時討論其時代背景。此即見用心廣狹之不同。西方哲學只重其思想，中國則更重其人。無論爲老爲釋，其人則均可重。無論爲漢儒宋儒，其人亦俱可重。無論其爲程朱與陸王，其人亦同可重。不僅哲學如此，一切學皆如此。如史學，如文學，如藝術，爲一書法家，爲一畫家，皆如此。今人則不論其人，專論其學，則宜與中國自己傳統必有大相違背處。抑且時代背景，人各有別，而中國則又必有一共同傳統。學由人來，人由天來。

此又其一大相異處矣。

抑且西化東漸，乃最近百年之事。以前中國人只讀中國書，只想做一中國人，其有與西方不合處，宜皆可諒可恕。中國人亦非專己自守。佛法東來，中國高僧信其法而傳之者多矣。然凡為高僧，皆言佛法，卻不來反儒教。佛法傳則儒教自息，不待先闢儒始傳佛，此亦中國人意態。如韓愈力闢佛，但其遇見大顛亦加喜好。其徒李翱，則多採佛說，但亦於愈未嘗稍加以闢斥。亦有力加以闢斥者，則如顧亭林之於王陽明。然知人當論世，晚明以下之王學流弊，則洵有可斥矣。

又余嘗謂中國人自居必知謙恭退讓，故其待人則必為留餘地。發言自抒己見，每不盡言。若對方是上根人，我自不煩多言。若對方係普通人，則我雖多言亦何益。中國人做人，本非由單獨一己做，康成之所謂「相人偶」是也。如孝，則必對父母，而父母各異，如何孝其父母，亦何一言可盡，故必求人之反之己性，反之己心，以自盡其孝，則不必亦不能寫為「孝的哲學」一書。此猶孔子並不寫為「仁的哲學」一書是已。故若謂中國有仁孝哲學，則人人自為之，又必待此下百世人同為之。中國哲學之必為有共通性，一貫性，傳統性，而不成為專家言者在此。則又何必強中國人必為一西方哲學家，乃始謂之是哲學乎。道不同，不相為謀。若他年西方哲學其道大行，則中國古人言自亦無人理會，不必特加以申斥也。此亦是一套自然哲學。不知今日專心慕好西方哲學者，意謂如何。

（一九八三年九月，東方雜誌十七卷三期）

略論中國哲學　二

西方思想重分別。如黑格爾辯證法，有甲則有非甲，合爲乙。又有非乙，合爲丙。始此以往，則永無止境。故西方思想有始而無終，有創而無成。有變有進，而無完無極。中國則不然。乾道生男，坤道生女。男不稱非女，女不稱非男。男女和合爲人，既具體又確切。人又與禽獸別，但人與禽獸合稱動物，以與植物相對。有生物則與無生物對。萬物與天地對，合成一大體。在此一體中，天地萬物亦各有止有極，即有成有終。

人有男女，禽獸亦有雌雄牝牡，則正反合一形式，已臻複雜。又如男女結合爲夫婦，則夫婦即成爲一體。此非於一男一女之外別有增加。又如死生爲一體，生可以包括死，死可以融入生，亦非於生之外別有死。即如天地，地可以附於天，非天之外別有地。一陰一陽之謂道，其實陰亦即歸納於陽，非於陽之外別有陰，亦非於乾之外別有坤。曰天，曰乾，曰陽，即可以盡此宇宙矣。

乾道成男，坤道成女，則婦從夫，乃天道。今人則譏此爲中國之重男輕女。然英國至今始有一女首相，美國至今尚無一女總統，則西方豈不亦重男而輕女。又如宗教信仰，上帝亦屬男性，獨陽無

陰，豈不亦是重男輕女之一證。而耶穌終有一聖母，則亦如中國雖重乾而終有一坤與爲對立矣。

易繫辭有言：「夫乾，其靜也專，其動也直，是以大生焉。夫坤，其靜也翕，其動也闢，是以廣生焉。」是易以「動靜」配「乾坤」，而乾之與坤，又各有動靜。又言：「闢戶謂之坤，闔戶謂之乾。一闔一闢，謂之變。」是則又謂坤之闢卽乾，乾之闔卽坤矣。此與西方哲學中之辯證法又大不同。卽如男女，亦可分動靜。男偏動，女偏靜，而男女雙方又各有動靜。固不得謂男性無靜，女性無動。則黑格爾之辯證法，可見其疏略而不備。

義至顯且明，具體可證，無可非難。

易謂「乾之靜也專」。專者專一，卽專於天，亦卽自然。在中庸則謂之誠。誠則必專必一，否則不見其爲誠，故曰：「誠則一。」盡宇宙間，惟其專至專至一，乃至無可名，故道家又稱之曰「無」。無之對稱則曰「有」，而一切有則可盡包涵於無之中。故有無正反之上，更無一合。合卽合於無，猶無之對稱則曰「有」，而一切有則可盡包涵於無之中。故有無正反之上，更無一合。合卽合於無，猶天地正反之上，卽合於天。西方哲學則不能有中國人「天」之一觀念。如科學中之天文學，研究太陽系乃及諸星羣，皆應屬地不屬天。又如宗教言上帝管理天堂，自中國人觀念言，此天堂亦應屬地不屬天。此上帝乃一超人格之至高之神，但仍有其人格性，仍非中國人之所謂天。上帝管理天堂，宰制靈魂，則上帝與天堂靈魂非專非一，非可謂上帝卽天堂靈魂內在所存之一誠。若謂西方有此誠，卽西方哲學所謂之眞理，此眞理之誠，則在外不在內，故不專不一，而非中國之所謂誠矣。

惟此專一之誠，其動乃能直。直之反面爲曲。而依中國觀念，則曲仍包在直之內。故易曰：「直方大。」直向前，遇阻而改向，然仍是直向，則直與直之間乃成一曲，中國人稱之曰「方」。方者直

之改向，而仍不失其直，乃成一曲。中庸曰：「其次致曲」是也。能直能方，則能大矣。故中國所謂之「一曲」與「大方」，仍是一體。依西方幾何學言，方則已成一面，而其實只是一線，線則是直。直只是一線，而其實只是一點。依中國觀念言，點始是一專。所專則只在一點上，而此一點實亦可謂之無。孟子曰：「莫之爲而爲者天也。」故天屬「無爲」，即屬自然。而無爲自然，乃屬動靜而一之。至於坤之靜則曰翕。既翕而爲一，則其動向前，如門之翕而闢。翕者收斂凝聚義。不專不一，則其勢必分散。凝聚此分散，而使歸於一，則曰翕。既翕而爲一，則其動向前，如門之翕而闢。翕者向內，成一「中」。闢者向外，成一「和」。故莊周言：「得其環中，以應無窮。」

西方人好言「創造」，而中國人則言「保守」。其實創造必求一「成」。使其有成，自當保守。故中國政府每一朝代有創始開國之君，亦必有繼統守成之君。若如西方人，永求創造，而終不有成，則此創造爲無意義無價值，復何可貴。

希臘人能創造一希臘，但不能守。羅馬人能創造一羅馬，但亦不能守。現代國家雖亦各有創造，但迄今亦各不能守，於是乃轉而爲今日之美蘇對立。但核武競賽，今日之局面，此下將仍不能守。故西方歷史乃一有創無守之歷史，有進而無止，有始而無終。此爲有直而不專，有闢而無翕，有動而不能靜，則無「正反合」可言矣。

中西文化之不同，其實起於農商業之不同。中國以農立國，五口之家，百畝之地，幾於到處皆然。父傳子，子傳孫，亦皆歷世不變。日出而作，日入而息，夫耕婦饁，老人看守門戶，幼童牧牛放

羊，舉家分工合作。春耕夏耘秋收冬藏，同此辛勞，亦同此休閒。其爲工人，亦與農民同有規律保障

之生活。一家然，一族一鄉同然。同則和，安則樂。論語二十篇之首章曰：「學而時習之，不亦悅

乎？有朋自遠方來，不亦樂乎？人不知而不慍，不亦君子乎？」孔子之所以教人，實卽當時中國農民

之同然心理也。而後人之所想像「一天人合內外」之境界，則從來農人之生活境界也。

西方古希臘亦有農民，擯之在野，淪爲農奴。商人則居都市中，越洋跨海，遠出經商。然買賣雙

方，須各同意，乃得成交。購與不購，購價幾何，皆決定於購方，乃購方之自由。故售方亦如賭博，

在己無確定之把握。同隊而出，贏利厚薄有不同，故亦不免有妒爭之意。歸而家人團聚，則別求一番

快樂以自慰。故其爲生，雜而無統，分別而不和，向外多變，不安而爭，不和不樂，而亦前進無止

境。於是乃成其所謂「個人主義」與「唯物史觀」。先則爭利，繼以尋樂。而利非眞利，樂亦非眞

樂。人生乃在尋與爭之中，究竟目的何在，則尋不到，亦爭不得，乃惟新惟變之是務。

西方人重創造，並不許模倣。商業貨品必有商標，一家專利，不許他家冒用。標新立異，花樣叠

出。此風影響及於學術界，於是哲學家中，乃有「我愛吾師，我尤愛眞理」之名言。眞理同爲哲學家

所尋求，但前人所得，後人亦不貴承襲。故開創新始可賞，守舊不足珍，否則乃無一部西洋史。而中國

人則謂，天不變，道亦不變，師法相承，循規蹈矩，不貴新創，始合理想。此又其大不同處。

又如近代西方生物進化論言：「物競天擇，優勝劣敗，適者生存。」中國人好言龍，龍乃古生物，

今已失其存在，豈爲劣者；如蠅如鼠，豈爲適而優者，乃得迄今生存。中國人則僅言：「天地之大德

曰生。」又曰：「勝敗兵家之常事。」又不以成敗論人。如諸葛亮司馬懿，五丈原對壘，諸葛病死軍

中，西蜀亦卽滅亡。司馬一家，開創西晉。而中國後人極尊諸葛，司馬氏豈能相比。又如關羽岳飛，

尊爲武聖。以其事敗，恐人不知敬，故乃特加崇揚。今人則謂乃崇揚失敗英雄，不知關岳之所成，乃

有更大於其失敗者。此亦崇敬其成，非崇敬其敗也。中國人主和合觀，不主分別觀。會通於他時他地

而觀其大，則關岳有成功。分別於他時他地而單獨觀之，則惟見關岳之失敗矣。

故中國人言思想貴主「通」，西方思想則貴有「別」。西方人須一家有一家之特出思想，而中國

人則貴在共同問題中有共同態度共同思想。故西方人貴有一人內心思想之獨特異人處，中國人貴觀

察於外而有其共同之標準與尺度。孔子曰：「述而不作，信而好古。」但孔子生時已非古人之時，故

雖信而好古，但亦有變。所謂「述」，乃亦孔子之「新」，而無背於古人之「舊」，此之謂「通」。兩

漢亦通於三代，唐亦通於漢，五千年歷史相承，仍貴有一通，仍不失其爲一中國。哲學史學，亦貴

通。故孔子作春秋，謂之史學，而不謂之哲學。孔子作春秋，實述舊史，仍守舊法，故史學又與經學

通。又謂經史皆是文章，則文學亦與經學史學通。而出於孔子之手，爲孔子一家言，則「經、史、

子、集」四部之學，在中國實皆相通，而學者則必稱爲「通人」。

人類相同，故可信。孔子曰：「後生可畏，焉知來者之不如今。」此猶謂焉知來者之不有如丘其

人者出也。揚雄亦言：「後世復有揚子雲，必好之矣。」則中國人既信古人，亦信己，又信後人。守

舊卽以開新，開新亦卽以守舊。孔子守周公之舊，乃卽所以開己之新。故孔子乃承周公之傳統而現代

化。周公乃如一舊孔子，孔子則如一新周公，新舊之間，變中有化，化中有變。變屬地，化屬天。中國人觀念中之「天」，乃爲一「大化」。西方人則知變不知化。故就雙方歷史言，可謂春秋戰國化而爲秦漢。西方歷史，則希臘變而爲羅馬，乃從頭新起，不得謂希臘之化而爲羅馬。中國人言「人文化成」，西方人實無此觀念。即如西方一部哲學史，亦僅可謂由柏拉圖變出亞里斯多德，由康德變出黑格爾，不得謂亞里斯多德與黑格爾乃由柏拉圖與康德化成。故一部西洋哲學史，可謂創新立異，有無窮之變。而一部中國思想史，則上下古今，一體化成。此乃其大相異所在。

西方人言「變」，則謂之「進」。然進之反面爲「退」，西方人知進不知退。農業社會，百畝之地，不能再進。而三年耕有一年之蓄，九年耕有三年之蓄。春耕夏耘在進在取，秋收冬藏在守在退。而三年之蓄，則更在進中預求退。此乃中國人進退之合一。而西方商業社會進展至資本主義，富則求愈富，進則求愈進，乃不知所謂退。

孔子志在學周公，乃及其老，則曰：「道之不行我知之矣」，又曰：「久矣我不復夢見周公」，是孔子志在進而知退一大證。漢唐儒以周孔並尊，宋明儒乃以孔孟並尊，以孟子易周公，此亦求進而知退之一例。大體言之，儒家主進，道家主退。乃中國儒學自中庸、易傳以下，無不兼融道家言，故知進必知退，乃中國人文大道之所在。顧亭林有言：「國家興亡，肉食者謀之。天下興亡，匹夫有責。」是中國人之退，亦即所以爲進矣。此義尤值深求。故曰進日退，一正一反，其合則在退，但亦可謂之在進，此乃中國之大道，非簡單申衍可明矣。

今人言進，則曰「進取」。中國古人言退，則曰「退守」、「退藏」。「取」之與「守」與「藏」，亦正反相對，而其合則當在守與藏。但西方人則知取，不知守，不知藏。大英帝國數百年來，其所進取於全世界者，亦可謂既久且廣矣。但其所守所藏今又何在？中國人言「開花結果」，實則開花是在進，而結果則已在退在藏。由舊生命展演出新生命，其主要機栝即在此所結之果。西方人生，則似惟主開花，而不知求有結果。希臘羅馬之與英法現代國家，都曾開花，但皆無結果，即由其不知有退藏一面。一切西方哲學，亦如正在開花，故一部西洋哲學史可謂繁花盛開。而一部中國思想史，則惟見其果實纍纍，不見有花色之絢爛。此亦一大異。

易繫辭言：「坤之靜爲翕，動爲闢。」翕即退藏於密。其闢仍是所翕之闢，非向外有進取。「君子闇然而日章」，「闇」與「章」又一對立，乃其闢之日章，非棄其闇而進於章。故西方進取，必見爲異體。而中國之退藏，則仍屬同體。中西之異即在此。

又如中國人言「魂魄」，亦一對立。魄屬體，魂則屬心，而體則統於心。體相異而易壞，心則同而常存。體壞則魄不存，心存則魂常存。孔子之體已壞於兩千五百年之前，故孔子生前之魄已散。孔子之心則一成不壞，故孔子之魂則猶存於兩千五百年之後。中國人謂此爲「不朽」。故死生對立，一正一反，亦可謂之以死合生。惟其死中有生，生能合於死，故得死後有不朽，而中華民族乃歷五千年而長存。中國之國土，則卽成爲中國之天堂。西方亦死生對立，其和合則又另爲一事，卽其宗教信仰之靈魂與天堂，故此世界乃必有末日之來臨。西方近代科學之核武器創造，則不啻爲促成此末日來臨作準備。

西方哲學如黑格爾，其主「正反合」，乃於合一後仍有其新的對立，則此世界，無止無歇，永成一對立。中國觀念則正反本屬一體，天人內外本屬和合，乃由和合中展演出對立，而終無害於其和合之一體。故在西方學術界，乃有科學哲學之對立，在中國則並無此對立。西方又有宗教與科學之對立，中國則仍無此對立。

西方科學宗教，一主「物」，一主「神」，然皆具體落實。惟主神則在「可信」，主物則在「可證」，其先皆屬一種大膽之假設。哲學則架虛乘空，不具體，不落實。如柏拉圖之理想國，即烏托邦，絕不從當時希臘實況或雅典實況建議設計，乃僅從其一己意見發言，故與中國古人之政治思想如周公如孔子者大異其趣。故西方哲學重客觀，不重主觀，於此哲學家本身之時代與地區，乃絕不介意。即如康德，其人生平，記載備詳，但與其哲學無關。在中國，則讀其書貴能知其人。如論語孟子是矣。讀莊子書，雖不能詳見莊周之爲人，但亦可從其書約略推想。讀中國文學亦然。讀老子書，則讀其書中惟見老子之爲人，乃始與西方哲學家有其類似處。讀屈原離騷，可知屈原其人。讀司馬相如諸賦，則作者其人不在內，故揚雄譏之爲雕蟲小技。讀李杜詩，則知李杜其人。讀韓柳文，則知韓柳其人。讀水滸傳與三國演義，並不能知施耐庵與羅貫中，故小說不爲中國文學之正宗。即如讀史記，亦可備見司馬遷之爲人。讀漢書，則班固爲人較少見。而史、漢兩書高下，亦於此判矣。此亦中國學術傳統精神之所在。今人乃一切以西方爲衡量，乃謂不先讀康德哲學，無可明朱子之思想。是朱子在康德前，已預知其後世西方有康德而先與之同，斯亦出神入化，可謂極人類聰明之至矣。否則一切思想必以康德

爲宗主，同則是，異則非，儘可專讀康德書，專治康德哲學，何不憚煩必再及於朱子。

近代人嚴復，譯西方哲學書，有羣己權界論。「羣」與「己」亦相對立。然依中國人觀念，中外古

今，羣中只有己，羣爲其大共相，己爲其小別相，仍爲一體，非對立，則何權界可言。

中國人一切學術思想行爲只一「道」。堯舜之禪讓，禹之治水，稷之教稼，契之司教，夔之司樂，皋陶

之司法，盛德大業，其道則同，皆本於天，此亦可謂乃中國之宗教。旁及於農田、水利、音樂、律法、

教育諸端，則科學藝術胥融納其中矣。此亦可謂中國傳統哲學思想之主要精神所在，而實亦無獨立之哲

學。近代國人必崇西學，特據西方哲學，求爲中國古人創立一套哲學，而必據西方哲學作批評，使中

國哲學乃一無是處，終亦不成爲哲學。斯誠不具體不落實，亦西方哲學架空乘虛之一端矣。

茲再言「抽象」與「具體」，亦相對立。西方則認爲先有具體，乃有抽象。中國人觀念則先有抽

象，始有具體。如乾爲象，坤爲形。乾屬天，坤屬地。象必先於形，即天必先於地。故中國觀念，具

體即在抽象中。雖對立，非對立。如人身屬形，必先有人，乃始有此身之形，但非此形之即爲人。亦

如天之生人，必先生羣，始有己，非天之先生各別之己，乃始合之而爲羣。故西方有個人主義而中國

無之。依中國觀念，亦可謂先有家，乃有己。先有國，乃有家。先有天下，乃始有國。先有一共通之

「大同」，乃始有各別之「小異」。故各別之「小異」，必回歸於此共通之大同，乃始得成其爲一異。

西方人則認爲先有異，始有同。先有己，始有羣。羣縱有同，而己之各別之異則更重。然則使無人類

共通之羣，何來而有此分別各自獨立之小己乎？故西方人乃認爲可以無此天下，而仍有一大英帝國之

存在。則大英帝國之不可長存，亦不煩言而知矣。

故言學術，中國必先言一共通之大道，而西方人則必先分爲各項專門之學，如宗教、科學、哲學，各可分別獨立存在。以中國人觀念言，則苟無一人羣共通之大道，此宗教、科學、哲學之各項，又何由成立而發展。故凡中國之學，必當先求學爲一人，卽一共通之人。而西方人則認人已先在，乃由人來爲學，宜其必一己之創造矣。但人各不同，如康德與盧騷同爲一哲學家，而其人則大不同。亦如同爲一夫婦，而其爲夫婦者則大不同。同爲一國，而其國則亦可大不同。今人則又喜稱漢帝國唐帝國，此亦泯此中西雙方之立國精神矣。

今人又盛言科技。莊子曰：「技而進於道。」孔子曰：「志於道，據於德，依於仁，游於藝。」是中國古人無論儒、道兩家，莫不以「道」爲本，以「技」與「藝」爲末。志道、明道、行道，是其本。技與藝，皆包涵在道之中。游於一藝，可相分別，會通和合，則皆一道。此可謂是中國哲學，道與技亦相對立而和合爲一。而西方人則知有技有藝而不知有道，亦可謂西方人乃認技與藝卽是道。卽如近代之核武器，乃爲西方之尖端科技，大量殺人，亦卽道。故西方哲學必異於宗教，異於科學，異於藝術，乃始得成其爲哲學。又必各自相異，不相會合，乃始成爲一專家。是哲學亦成一技，而非道。一切學術合成一無道，則多技亦合成爲無技。卽如當前美蘇核武競賽，又焉有其他一技可加以遏止。縱使復有一新技出，能對近世之核武器加以遏止，則仍必有一新技與之相對立，其爲一無止無歇之無道世界則依然耳。

略論中國科學　一

中西科學有不同。中國科學乃人文的，生命的，有機的，活而軟。西方科學乃物質的，機械的，無機的，死而硬。有巢氏構木為巢，燧人氏鑽木取火，建築烹飪長期發展，亦人文，亦藝術，但不得謂之非科學。自房屋建築，進而有園亭，有山林名勝，有河渠橋樑，深發自然風情之結構，遍中國精美絕倫者到處有之，謂非有一種科學精神貫徹其中，又烏臻此。但在中國學術界，無獨立科學一名稱，亦曰「人文化成」而已。故在中國，乃由人文發展出科學。在西方，則由科學演出為人文。本末源流，先後輕重之間，有其不大同。

烹飪為中國極高一藝術，舉世莫匹。但烹飪中亦自有科學。即論茶之一項，自唐以來千數百年，其種植、其剪採、其製造、其烹煮，又如茶罏、茶壺、茶杯種種之配備，以及各地泉水之審別，茶品之演進，與夫飲茶方法之改變，飲茶場所之日擴日新，苟寫一部中國飲茶史，亦即中國社會史人文史中重要一項目。其處處寓有科學方法貫徹其內，則亦可謂與中國科學史有關。

神農嘗百草，為中國醫學之開始。中國醫學之對象，為人之整體一全生命。西方近代醫學則必自

屍體解剖入門，其視人身亦如一機械。各器官則如機器中各零件，醫學即修理此各零件，而似乎忽視了整體生命一認識。西方醫學亦知有血脈，但無「氣」之一觀念。人之一切知覺記憶，則在人身之腦部，而無中國「心」之一觀念。中國人所謂心，非指胸口之心房，亦非指頭上之腦部，而所指乃人之整體全生命之活動。此觀念亦爲西方人所無。

依中國人觀念言，一身之內，氣屬形而下，心屬形而上，此則仍是一種人文觀。若就自然方面觀，以宇宙整體言之，則氣屬形而上，心應屬形而下。此則中國醫學可通於西方之哲學神學，而與西方醫學轉有不同。司馬遷言「明天人之際」。人身爲一整體全生命，此屬小生命。宇宙亦爲一整體全生命，則屬大生命。故中國醫學屬生命的，即猶謂中國科學乃生命的。而西方科學則顯屬非生命的，此則中西科學之大異處。

中國醫學主要在切脈，方寸之脈之跳動，即可測知其全身，而病況由以見。西方人診病則必分別人身各部位各器官而加以判定。故中國醫學乃生命的、有機的，而西方醫學則屬機械的、無機的。中國醫學之用藥亦主有機的。神農嘗百草，百草亦各有其生命，生命可與生命相通，故用草爲藥可以治人病。西方人視人身如一機器，屬無機的，故其用藥亦用無機的，由化學製成。此「有機」「無機」一分別，依中國人觀念言，可謂科學亦當本源於哲學，但西方則分別爲兩種學問。中國乃無獨立之科學，亦無獨立之哲學，一切知識貴能會通和合，乃始成其爲學問。

中國人又有靜坐養氣養神，以延年益壽之術。養神即養其心，心亦即是神。西方人則惟知運動健

身，不知靜坐養神，此又觀念不同而方法亦隨之不同之一例。中國人又能在靜坐中預知外面事，如賓客遠道來訪，未到門，而坐者早知之。此事古今皆有，但既非科學，亦非哲學，今人則稱之謂神秘。但中國人則認為非人文要道所寄，故雖有其事，惟任其偶而有此發現，置不深究。

惟生命既可與生命相通，則預知賓客來訪，亦非神秘。但中國人則認為非人文要道所寄，故雖有其事，惟任其偶而有此發現，置不深究。

人之心神既可與遠道賓客相交接，乃亦可與死者心神相交接。死生界限，迄今仍難定。又如客死他鄉，其生命機能或未驟絕。中國有辰州符，念咒焚符，使死者隨其步行，歷數日數百里之遙，抵達死者家門，乃始倒地不起。此事極神秘，但非人文要道，中國人乃亦置不深究。但論其始，必有人先通此術，乃以傳人。其如何得通此術，倘詳述經過，亦一絕大科學問題，不得謂之乃神怪。

今姑稱之為通神之術，此種通神之術，中國到處皆有。即如堪輿風水，選擇墓地，皆用之。余有一友，學西方交通測量之術。有一儀器，持在手中，可測地下水道水量。對日抗戰時，奉命測量雲南道路，逢古墳墓，樹木旺盛者，試測之，乃知其地下必有大量水流。詢其子孫，亦必凋零，或無後繼。然則墳墓風水豈不顯與後代子孫有關，但堪輿家又何從得知，豈不近似西方近代之科學。但中國無科學之名，故亦可稱之為一種通神術。而今人則一依西方科學觀念，稱中國堪輿風水為迷信，為不科學。今稱「通神」二字亦不科學。實則中國即人文大道，亦主通神。宋儒張橫渠所謂「為天地立心，為生民立命」是也。此乃「往聖之絕學」，所以「開萬世之太平」者。是則中國之人文大道，聖學精華，亦可謂乃是

一種通神之高層科學矣。

大禹治水，又是中國科學史上一絕大工程。中國以農立國，農田灌溉，水利工程，最所重視。洪水氾濫則爲害。在大禹前，當早知有水利，而洚水乃益見其爲害。此下水利水害問題，乃中國人文學中一大條目，亦卽中國科學史上一大要項。戰國秦李冰父子，爲四川岷江鑿離堆，除水害，興水利。兩千年來，承續修理，史蹟昭然。胡渭之一部禹貢錐指，中國四千年來，黃河之水利水害，亦昭揭可知。又如自元以下之運河，北起通州，南迄杭州，運河之水或自高向低，或自低向高，五、六百年來之國計民生，所賴實大。此非中國科學史上之一絕大成就乎。惟中國學者則一以此等盡納入治平大道中，而不成爲一項獨立之科學工程，如是而已。

大禹治水以下，周公制禮作樂，又爲中國人文史上一絕大創造。禮樂中皆涵有科學。有禮器，有樂器。禮器有鼎彝，永傳爲中國之最佳藝術品。樂器有金、石、絲、竹、匏、土、革、木八項，逐項製成樂器，皆賴科學。但何以必「金聲而玉振之」，則乃藝術，非科學。但中國僅稱一「樂」字，無藝術科學之名。後人又謂「絲不如竹，竹不如肉」。因絲屬器聲，竹則人與氣經竹管以成聲，肉則是純是人聲。貴能從人心中直接露出，乃始爲音樂之上乘。中國音樂，人聲爲主，器聲爲副。西方音樂，則似以器聲爲主，人聲爲副。本末源流，先後輕重，又各不同。

中國音樂又以辭爲主，聲爲副。古詩三百首，皆求語語直接出自人心肺腑中，又能語語深入人心肺腑中。傳至今三千年，讀其辭，仍能感人心，不啻若自其口出，亦不啻若自其心出。離騷楚辭繼

之，亦然。漢樂府及五言古詩、唐詩、宋詞、元曲亦莫不皆然。皆配以聲，附以氣，但必以辭爲主。

辭則必以心爲主。如漢賦之務爲堆砌炫耀，所爭在字句上，則雕蟲小技，壯夫不爲。此則中國一套大

哲學、科學、藝術、文學一以貫之，而科學轉見爲末矣。自明代崑曲以至近代之平劇，亦一貫相承，

樂聲僅爲副，人聲、心聲、歌聲始爲主。一歌一唱，皆能深入人心。劇中人事，亦皆由此選定，皆重

在劇中當事人之心，而遂以感通聽眾之心，此乃成爲中國之藝術。劇場中一切表現，皆有科學，隱

於一旁，似可無見。其他亦然。

抑且古代少事物侵擾，其心純深，故易感。後世事物侵擾多，其心雜而浮，則不易感。今則爲科

學世界，惟見物，不見心。而又提倡通俗白話新文學，皆由當前事物充塞，不見作者心，又何以感讀

者心，今人乃竟有稱之爲短命文學者。非求通神，僅求過目。能傳數十年，斯可名震一世矣。文學如

此，其他亦然。

禮又有衣裳冠履之制。衣裳冠履皆成自科學。中國之絲織品亦科學，而成爲一種高尚之藝術。西

方人亦有衣裳冠履，但多成爲商品。中國人衣裳冠履從人文大道中來，亦修齊治平一要項，非爲經

商。如觀平劇，衣裳冠履皆以見人品，非可隨便使用。又如女性美，在其一顰一笑，一顧一盼上，不

在其塗唇畫眉上，服裝則尤其次。故平劇化裝，乃可一成不變，蓋亦有禮意存焉。故周公之制禮作

樂，其深意所存，乃在後代中國人之永久追尋中。

先秦諸子早期有墨翟，公輸般爲攻城之器九，而墨翟九破之。墨翟又能爲木鳶飛空，三日不歸，則

墨翟乃中國當時一大科學家。墨經中所傳有關科學之義理，頗有與近代西方科學相似處。然攻城滅國，非中國人文大道之所重，後世遂少公輸般、墨翟其人。三國時諸葛亮鑿修劍門棧道，又爲木牛流馬，以利運輸。道路交通，古今所重，劍門棧道今猶存在，木牛流馬則終廢棄。可見中國科學上之發明，有遞相傳襲，續有進步者。有棄置不理，終成絕響者。此見科學亦必融入人文大道中，不能獨立見重。

先秦諸子中期有鄒衍，會通儒家人文，道家自然，創爲陰陽家言。「一陰一陽之謂道」，其言實求本於天道以言人道，主要在言金、木、水、火、土五行，實皆科學。惜其書已失傳。今姑據呂氏春秋十二紀，小戴禮記月令，及淮南子時則訓言之，此亦五行家言之主要一端。匯合天文、地理、有生、無生，而一以人事爲主，又一以農業爲主，本於曆法，分一歲十二月爲二十四節氣，使務農者知所從事，而其他生產工業亦旁及焉。又推而上之於國家之政令。自然科學、人文科學、社會教育、日常人生一體兼顧，亦可謂中國學術思想共同理想所在之一例。宜其言爲此下儒、道、雜諸家均所採用，而有迄今兩千年仍奉行不輟者。

又如曆法，西方用陽曆，中國用陰曆，但亦不得謂陰曆不科學。抑且陰曆中亦兼用陽曆。若依陽曆，日南至日長至當爲一年之首。故中國俗言冬至夜大過大年夜。但中國重農事，春耕、夏耘、秋收、冬藏，一年必以春爲開始，而冬至則冬未盡，春未到。故孔子言「行夏之時」。漢以後，歷代正朔皆奉夏曆。觀於呂覽十二紀、小戴禮記月令、淮南子時則訓，則中國之曆法不僅與人生習慣息息相通，亦與政府法令處處相關。中國之陰曆，其意義價值，已融入中國之全人生。惟陰曆亦有其缺點，

如一歲十二月，又補以閏月是已。其補尚之難合處，有不知其然而然者。西方陽曆以冬至爲易歲大節。而耶教盛行，乃改尊耶穌誕辰，其距冬至不過數日之遙。則西方之尊耶誕，其爲科學，抑爲人文？尊科學，又豈得拒外人文於不顧，此又深値討論一問題矣。

鄒衍又言「五德終始」，其指導上層政治者，謂自古無不亡之國。其言深有理，乃在勸帝王之禪讓。而權臣乃利用之以簒弒，先之有王莽，繼之有曹操、司馬懿，爲世大詬病。其學因此不行，其書亦失傳。然其流傳社會下層者，則如上述醫學、堪輿之類，及其他諸端，仍傳習不衰。今日國人之所譏爲迷信不科學者，則幾乎胥與舊傳陰陽家言有關。

孔孟儒家主言人道，莊老道家主言天道。中庸易傳則主以人道上通於天道，兼採道家言，猶不失儒家之正統。故兩書皆主提挈向上，發揮一共通道理。陰陽家言則主以天道下通人道，然捨人道則天道又何由定。故其言多放散向下，流於逐事逐物之博雜上去，而不免於人類內心之深處有疏忽，此則其缺失所在。西方自然科學，無以定人道，僅求供人用。西方宗教家言，亦無以定人道，僅求減人之罪惡。而政教分離，終成一大病。中國陰陽家言，其大路向已不如儒道兩家之精深而宏大。然人文終不能脫離自然而獨立。生由自然，死歸自然，人生終在大自然中，同是一自然。陰陽家本自然講求人生，其說而中者仍不少。卽上論中國通神之學，亦多本於陰陽家言。雖宗主有失，但亦不得謂其全無

處。故政府雖行陽曆，而民間則仍多沿用陰曆。則人文傳統之難合處，有不知其然而然者。西方陽曆應以冬至爲易歲大節。而耶教盛行，乃改尊耶穌誕辰，其距冬至不過數日之遙。則西方之尊耶誕，其爲科學，抑爲人文？尊科學，又

不過陽曆年。則人文傳統之難合處，有不知其然而然者。西方陽曆應以冬至爲易歲大節。而耶教盛

得。今求研討中國科學史，則中國陰陽家言亦仍值再作研討。

秦代有蒙恬，傳爲筆之發明人。筆之發明當在前，而在不斷發明過程中，蒙恬或爲其一人。中國

有文房四寶，曰筆、曰墨、曰紙、曰硯，此亦皆一種科學發明。如筆有羊毫、有狼毫、有兔毫、有兼

毫，於多獸中獨取此羊、狼、兔三獸之毫。中庸曰「率性之謂道」，諸毫皆有性，擇其性相宜者以製

爲筆，以通於操筆作書者之性，則此造筆者亦可謂其有通神之技矣。

又紙與墨與硯，皆必與筆之物性相通，乃得成其妙用。而造紙之術則尤多變。觀於中國之文房四

寶，乃知中國人之善於會通配合，乃有不知其然而然者。造墨、造紙、造硯者，皆未必通書法，亦未

必能互相通。而書法家則兼用此四寶，以成其書法之妙，此非一種神通妙用而何。書法爲中國人一種

特有藝術，內可以代表書家一己之德性，外可以傳百千年而仍得後世人之愛好模仿，此亦一種神通妙

術矣。中國人之所謂神通，當於此等日常具體事上求之，斯不失其妙。

羣言中國在科學上有三大發明，一指南針，一印刷術，一火藥。此三者，惟印刷術爲用最大。余

嘗謂宋代乃中國歷史上之文藝復興時代。論其都市工商業，則遠遜於唐。但印刷術發明，書籍傳播

易，理學家乃能會通羣說以定一是。其言愈簡，其所包涵之意義則愈見有神通之妙。此誠學者所宜細

心潛玩。

北宋又有邵雍康節，與二程同時。遠得華山道士陳摶之傳，乃欲以數理闡釋歷代之治亂興亡。其

學頗似陰陽家，亦欲本天道以貫通之於人道。後起理學家擯不列之於理學之正統。然其言易，頗多妙

理。其數學之流衍，如民間算命之術，亦多上推之康節，乃亦頗有奇驗者。上之有邵衍，後之有邵雍，實皆可謂是中國之大科學家，同時亦可稱爲中國之大哲學家。而邵雍猶然。此兩人皆曾於中國學術史上有大影響，尤多流布於下層社會。近人皆譏之爲迷信不科學。而要之，如邵衍，遠在古代，已難詳論。而康節，亦終可謂是一神通之妙人。其遺文軼事，實大可珍玩，而可從一新途徑新觀點以重爲闡發者。明初有劉伯溫，讀其詩文集，當爲一文學家。乃民間相傳，則儼以繼邵康節，此仍待詳考。但其在學術史上，則斷不能如鄒邵兩人之所影響。

中國方士神仙長生之術，發明有鉛汞配合之方，流入西方，遂有今日之化學。中國人發明火藥，已知用砲，流入西方，遂有近代西方槍砲火器之開始。明初三保太監鄭和下西洋，先西方人直達非洲。西方之有遠洋航行，亦自中國指南針之傳入。可謂近代西方之殖民政策帝國主義，則胥得中國科學之翼助。然在中國則止而不前。可以富，可以強，而中國人乃終認其爲於人生大道利少而害多，乃不更進一步加以運用，以成如近代西方富強所賴之科學。此豈誠是中國人之愚而無知，抑故步自封，守舊好古，而不求進步之謂乎？此非會通全部中國史，深知其文化傳統之神通妙用所在，則無以釋之矣。

近代國人極慕西方科學，然中國亦自有之。英人李約瑟撰爲中國科學史一書，乃國人亦未能深玩。還就本國史本國文化傳統，則李書之未加詳發者亦多矣。其終將有人焉，重爲撰述一書，以發明中國科學之眞意義、眞價值所在，而使國人繼前軌而續有開新。余日望之，但恐終不能當余之生而見之矣。天乎，人又何尤！

略論中國科學　二

一

近代國人有自然與人文學之分，此亦承西方來。然此「自然」與「人文」兩名詞，則遠在兩千年前，爲中國所固有。但用以譯述西方學術，實大有問題。「自然」乃莊老道家語，義謂「自己如此」。西方科學則主反抗自然，戰勝自然，其最要發明則爲各種機械。機械非自然，則烏得稱西方科學爲自然科學。

「人文」二字，則源於儒家經典周易，所謂「觀乎人文，以化成天下。」人文猶稱人生的花樣。如夫婦、父子、兄弟、君臣、朋友皆是。自有巢氏、燧人氏以前當已有父子一倫，迄今不能免。亦可謂自石器時代至今電子時代，同有此父子一倫。此爲人文即自然，而與自然終有別。中國極看重此一別，西方則不然。如電燈、自來水，依西方觀念言，同屬人文。而中國觀念，則所謂人文，當有更高

駕出於使用電燈、自來水一類之上者。故雖同樣使用電燈、自來水，而人文仍可大不同。

大抵從中國言，道家重自然，儒家重人文，而兩者仍有其相通處。如儒家言「性命」，亦即自然。

人生天地間，生命所賴在一身，此身之食、衣、住、行，則種種有賴於身外之物，故人生亦只是天地萬物中一自然。但由自然展演出人文，而人文亦終不能脫離自然，而仍必以自然為依據爲歸宿。姑以食、衣、住、行言，中國在此四方面種種講究，種種成就，其極多處可謂已冠絕人寰。但只可說是人文進步，不能說是自然進步。

先言飲食。中國烹調飲膳之美，舉世稱羨。但中國人最稱羨者，孔子之「飯疏食飲水」，顏子之「一簞食一瓢飲」，兩千五百年來傳在人口。蓋中國人生重禮，禮屬人文，非屬自然。飲食亦必有禮。孔顏之飯疏瓢飲，有大禮存焉。姑言飲。李白詩：「舉杯邀明月，對影成三人。」酒貴酬酢，李白則莊老道家中人，但其隨時隨地隨口流露，一人獨飲，何等閒暢，乃必謂月下影前，儼成三人。中國人文精神之陶冶，真可謂無微不至矣。唐詩又曰：「勸君更盡一杯酒，西出陽關無故人。」故人對飲，此又一種人文精神。又曰：「清明時節雨紛紛，路上行人欲斷魂，借問酒家何處有，牧童遙指杏花村。」思鄉則思飲，而此酒家則在杏花村裏，飲酒而對杏花，猶如飲酒而對明月，此是何等情調。明月杏花皆屬自然，而飲者之情調則屬人文。其實則自然亦融入人文精神中，不能脫離自然以獨成其爲人文。又云：「欲飲琵琶馬上催。」此又是何等情味。非有此一種人文精神，則一切自然無意義、無價值，皆爲之變色矣。

又如衣。中國錦繡之美，亦豈不爲舉世稱羨。然而衛文公大布之衣、大帛之冠，更稱美一世，傳誦千古，故「衣錦則尚絅」。而晏子一羊裘三十年，亦受人崇敬。此則人文價值之遠勝於自然價值可知。呂氏春秋載一故事，一師、一徒，夜行遇大雪，不克進城，當露宿路上。師告其徒，今夜非一人穿兩人衣，俱將凍斃。我以傳道救世，庶我得活。其徒謂，師以傳道救世，君衣當授我，庶我得活。我得師衣而活，即師道。其師無奈，乃脫衣授其徒。此亦衣非重，死生非重，而惟道爲重之一例。中國人文所重即在道。後世科舉，未中第，未登仕途，皆布衣。此亦一禮，亦一道。然「布衣」重於君相，代有其人，正爲其能傳道，此猶中國人文精神之一種表現。女性亦稱荊釵布裙，「荊布」與「糟糠」並稱，亦見人文遠超衣食之上。

中國人之宮室亭園、家屋居住，莫不有人文精神寓其內，精心獨運，舉世莫匹。而如諸葛孔明之草廬，邵康節之安樂窩，更下如李二曲之土室，一廬、一窩、一室之陋，乃備受後人之想慕與崇仰。

陶詩：「狗吠深巷中，鷄鳴桑樹巔。」狗吠鷄鳴，乃屬自然景象。而狗吠深巷之中，鷄鳴桑樹之巔，則自然全化爲人文，而鷄狗亦成人文中一角色矣。古詩：「風雨如晦，鷄鳴不已。」此一風雨如晦之鷄鳴，更屬中國人文精神至偉大至崇高一象徵。祖逖之聞鷄起舞，則不過師承風詩所詠之一微小表現而已。又唐詩：「綠樹村邊合，青山郭外斜。」此村邊之綠樹，郭外之青山，非一極清雅之人文境界乎。又如陶詩：「採菊東籬下，悠然見南山，此中有真意，欲辨已忘言。」此一番真意，則不在東籬之菊，亦不在遠望之南山，而在詩人日常生活之心情中。籬菊之與南山，則亦全化入人文，與爲一

體，而不復有別矣。

中國之名山大川，古蹟勝地，亦皆人文化。如西湖孤山林和靖之梅妻鶴子，豈亦林和靖之化為禽獸草木，與梅鶴為一體，抑其梅其鶴之亦皆化入人文境界中，乃得與和靖之生活融為一體乎？不深入中國之人文傳統，而漫遊中國之山川勝地，斯亦交臂失之，如肝膽而楚越。則惟有效西方一觀光客，以遊歷為人生一樂事，則於讀萬卷書行萬里路之遊又不同。人生境界各異，此則為中國人文精神最要研討之所在。

次言行。中國古代貴族出，必駟馬高車。孔子則一車兩馬，老聃乃騎驢出函谷關，墨翟裂裳裹足，履破而無換。此三人之行，後世均傳為佳話。中國人極講究食、衣、住、行，但又於食、衣、住、行上講求禮。乃於食、衣、住、行不夠條件，極簡陋極缺乏中，反備受推崇，即此亦見中國人文精神之一端。尤其如唐玄奘攀登喜馬拉雅山，達印度，此故事之受人推敬，經人傳述，可謂古今獨步矣。近代西方人競喜馬拉雅山，亦為要反抗自然，戰勝自然，一顯腰腳。玄奘則不然。然而玄奘在中國人文精神上之偉大崇高處，則近代之攀登此峯者斷不能相比。即如哥倫布之駕舟橫渡大西洋，超越自然之人文生活。其意在尋覓印度經商佳地，論其人文精神，亦不得與玄奘相比。此正中西雙方人生之不同。

或疑中國人能注意食、衣、住三項，而安土重遷，憚於遠行，是又不然。孔子周遊列國，自此以往，中國士人多為「天下士」，行蹤遍全國者占大多數，老死不歸故土者亦多有，足跡未出鄉里者則

絕少。東坡詩：「人生到處知何似，應似飛鴻踏雪泥。泥上偶然留指爪，鴻飛那復計東西。」此非東坡一人之自詠，乃詠中國古今相承之士人。史跡昭然，茲不覼縷。

中國人觀念，食、衣、住、行，僅為維持生命。而生命則別有其更高境界，仍需充實光大。故中國人文乃有遠超食、衣、住、行之外之上者。如言孝，舜父頑母嚚，而舜之為孝益顯。然孝頑嚚固不易，孝聖賢亦惟艱，如武王周公之孝其父文王，亦豈易事。人之父母各不同，則「孝子不匱，永錫爾類」者，將萬變而無息，日新而不已。中國有百孝圖，孝行豈百可盡。周易「易」字，有易簡、不易、變易三解。各反諸己，其道則易而簡，雖百世而不易，亦因人而必變。中國人文盡此三義。西方人生不內求諸己，而外務於物，則不簡。因物而變，則無不易。自石器而鐵器、而銅器、而電器、器物變，斯人生亦隨而變，則人文隨自然化。而凡諸器物，又務求其反自然，機械化。則器物日變日新，自然已不自然，則又烏得有人文。凡其為人文者，盡屬不自然，則日變日新，又烏見其所底止。

中國人文言「孝」，則天之命，父頑母嚚則亦天之命。孔子曰：「天生德於予。」但天未嘗同生此德於孔子之父與母。故「天命」不易知。舜之孝，亦天生此性此德於舜而已。舜之因於父頑母嚚而益見舜之孝，則其父之頑、母之嚚或亦因其所遭遇而益見其頑嚚。孔子曰：「性相近，習相遠。」「習」見舜之孝，則其父生亂世，亦因世亂而益其聖德。今人則謂此為環境，人則隨環境而變。此猶則多因遭遇來。如孔子生亂世，亦因世亂而益見其聖德。今人則謂此為環境，人則隨環境而變。此猶謂人文隨自然變。中國人之人文理想，則謂任何環境中，各可保有其理想之一己，故曰：「君子無入而不自得。」以舜之父母而成舜之孝，以孔子之亂世而成孔子之聖，環境各不同，此即天命，即自然。

而各可保有其理想之一己，此亦天命，亦自然。而人文精神乃寓其內，遂使人文理想日新月異，悠久而不息，廣大而無疆。

今人則務求改造環境。較易改者，惟身外之物。乃有電燈、有自來水、有輪船、有火車。而不易改者，則惟各有其己之人。父母不易改，則可不孝。夫婦不易改，則可離婚。人與人之相處不易改，則曰自由、平等、獨立。國與國之交際不易改，則飛機、大砲、坦克、潛艇之外，又繼之以核子武器。劉向說苑指武篇謂：「凡武之興，爲不服也。文化不改，然後加誅。」此則今日西方之尚武力以征服他人，乃爲人文之化其力不足之故，此亦若爲可諒矣。然而中國人謂「天之大德曰生」，今則變成「天之大德曰殺」，此則異於中國人文之所理想遠矣。西方之自然科學亦異於中國之所謂自然。中國人主從自然中演化出人文，又求人文回歸於自然。而西方科學，則實爲利用自然而反自然。但西方近代人文則主要從科學來。故中國科學乃受限於人文，而人文爲主。西方人文則受限於科學，而科學爲主。此則雙方文化之大相異處。

今人又好用「文化」二字，乃從中國古語「人文化成」來。如電燈、自來水、火車、輪船，乃物變，非人文之化，則就中國觀念言，不得謂之是文化。如舜之大孝，而此下遂有百孝圖。如孔子之至聖，而此下遂有儒林傳、道學傳。此始是中國人所謂之文化。自修身、齊家而治國、平天下，此亦中國人所謂之文化。卽是人生的花樣多了，而化成那局面。器物的花樣多了，亦能化出新局面，但於中國人所謂之文化，則或反有害而無利。孔子之稱爲「怪力亂神」者，大體怪、力、亂三字，西方科學多有近

之。神之一字，則西方宗教近之，但皆非中國所謂之人文。

司馬遷言：「明天人之際，通古今之變。」神屬天，文屬人。但人文通於自然，則人文中亦可有神，甚至禽獸草木無生物中亦皆可有神。此諸神則皆由人文化成，此乃人文中之神。故中國「神」字亦必明其天人之際。孔子敬鬼神而遠之，此神乃屬人文之神，非怪力亂神之神。敬而遠之，則亦所以教人明天人之際也。而古今之變，則主要仍屬人文之變。非如西方之變，多屬科學之征服自然來。西方科學之變，至於近代，亦可謂已出神而入化。但此一種神，乃子所不語怪力亂神之神，與中國人文化成之神又不同，此亦當辨。

竊謂中國學問尚通。今日而言通學，則莫如「文化學」。當通各國之人文，會通和合，以求歸一，斯爲文化學。今人率好言文化，但未有一門文化學。惟中國人爲學，雖無此名，而已有其實。如入國問俗，即問其文化也。一國有一國之俗，斯即一國之文化。今試問，當今之世，孰爲齊？孰爲魯？又如何而始爲變，至於道。」此即孔子當時之比較文化學。今試問，當今之世，孰爲齊？孰爲魯？又如何而始爲道？此非當前一最大見識最大學問乎？最近一百年來之一部中國近代史，先主學德國與日本，次主學英法，最後則或主學美，或主學蘇，成爲一大爭論。實則仍然是孔子「齊一變至於魯，魯一變至於道」之意見與路向。不知孔子生今日，究當作如何主張？孔子不復生，則國人當自勉其學矣。

中國言「雅俗」，此亦人文一大問題，亦即文化一大問題。「俗」則僅限於一地，「雅」則可通之四方。今日國人分主美蘇之爭，實仍是雅俗之爭。究是民主政治可以通行於全世界，抑共產主義可以

通行於全世界？孰爲道？孰爲非道？此即中國古人雅俗之爭，亦即孔子當時齊、魯、道三階層之辨。

今日國人依西方言文學，則尚俗不尚雅。但言政治，則又要雅不要俗。其實西方政治無論言民主，或

言共產，皆主多數，實亦皆主俗不主雅。此見今日國人古今中外之爭，實亦並無一共同之尺度。

如言民主政治，必重選舉，義近通俗。今日國人則尊中山先生，終不如其尊西方，故言民主，仍必言選舉，而稱神聖之一票。雖出自僅

識之無之俗手，亦仍認之爲神聖。而共產黨徒則必以無產階級爲神聖。要之，今日國人慕效西方，尚

俗不尚雅，似已成一時之風氣。孔子言齊不如魯，則非當時之俗見，乃孔子一人之獨見。此乃孔子之

文化意見。故果欲成立一文化學，則恐非大雅君子，無以任之，豈通俗之見之所能定。

西方人既不重人文，自亦不能重文化。如爭民主與共產，一主自由生產，一主平均分配。一則在

商業上爭，再則在武裝上爭。一切所爭，盡在器物上。而一切是非則若盡在「富強」二字上，豈非一

切定於身外之器物乎？若言民主，不富不強，亦何得行？若言共產，不富不強，又何得行？今謂西方

文化只如此，又誰得而非之。既主富強，則非憑科學不可。然言人文，又不得謂富人、強人即是高

人、大人。今日吾國人處此世界，羨慕西化，當以科學爲重？抑當以人文爲重？而中國舊傳統種種觀

念、種種名詞、習俗慣例，皆從其人文理想來，終亦未能盡加洗滌清淨，此誠吾國人當前難解脫之一

大困惑。故就中國傳統文化言，則近代西方科學究當處何等地位，此實今日我國人所當愼重思辨者。

而中西科學之相異，亦當爲一重要題目矣。

今姑依當前國人大體意見，一以模效西化爲主，依照孔子語，則當曰：「蘇一變至於美，美一變至於道。」馬克斯主張共產主義，而提出唯物史觀。雖此唯物一觀念，亦承襲西方傳統，而說得太偏了，不如美國人言民主自由，尙多少留有人文地位，此其一。蘇維埃之推行共產主義，雖說是世界性，而實際則自帝俄時代起，以及列寧、史太林，未免專以斯拉夫人爲一國打算。美國則獨立兩百年來，早期則主門羅主義，只求自保，不干涉他國事。自八國聯軍以來，美國始追隨歐洲，過問國外事。但其對中國，卻始終未抱領土野心。其對菲律賓等亦然。第一、第二次世界大戰，皆不由美國發動。究竟美國幫助其他盟國之意多，而自求擴張之意少。最近世界事變中，如其對英、阿之福克蘭羣島之戰，及以色列與巴游之戰，多抱斡旋和平之努力，此歐人外，尙有猶太人、黑人，乃至如日本人、中國人等，凡列美國之國籍，則諸民族間各自平等。此尤開西方立國未有之先例，與蘇俄之顯以斯拉夫一民族立國者又不同，此其三。抑且美國之強，以保其富。蘇維埃則務強以求富。兩國立國精神又不同，此其四。故當謂「蘇一變至於美，美一變至於道」。是則當前國人一意傾慕美國，亦可謂大義至當矣。

惟尙有小節所當顧及者。美國乃當前世界最富最強之大國，吾國人自承乃一未開發落後國家，乃一貧弱之小國，則慕效美國，亦當較量彼我，善自爲學，不當好高騖遠，以求同爲一富強大國爲目標，此其一。又美國爲舉世多數國家共同慕效，自有其共通大雅之處，吾國只能慕效其一部分。故中國之與美，乃正有雅俗之分。中國當不忘中國之俗。以中國之通俗化來學美國，如舉一例，中國人仍

當讀中國書，貴能以中國書中所講道理來闡揚宏伸美國之大道，不當只求美國之大道，而先自把中國方面一切全放棄，此亦卽當前國人所主張之通俗化。如詩經有頌，有大、小雅，亦有十五國風。今日國人志切美化，亦不當僅對美有「頌」、有「雅」，而自己乃不復有「風」，恐亦終有未是，此其二。

慕效西化，謙卑自居，則決不當對國人對古人轉持一種崇高驕傲之態度，漫肆批評。今國人中，賢者富者，亦多轉隸美籍。據美國法律，則當與美國人同屬平等。而美國究亦非已達盡善盡美之境，尚待其能一變而至於道，則吾國人之得入美籍者，正亦同負此責任，庶亦於舉世人類有其貢獻，而吾國家民族之前途，亦與有賴矣。倘以改隸美籍者爲天下之士，則仍留本國者，宜可爲一國之士。孔子祖先，亦自宋遷魯，而如顏子、有子、曾子皆以魯人爲孔門之高第弟子，則果仍爲中國人，亦未嘗於天下無貢獻。此則仍待國人之自勉。

二

中庸言誠，猶莊老言自然，非有所爲而爲，乃無所爲而爲。言其德性，斯謂之誠矣。故曰：「誠者，物之終始。不誠無物。」則萬物皆成於自然，而其間有一重大意義，卽爲「終始」，卽時間之過程。故曰：「至誠無息，不息則久，久則徵，徵則悠遠。」若是有爲而爲，則者，自成也。」又曰：「誠者，物之終始。

得其所爲，其爲自息。惟其無爲而爲，斯其爲乃出於至誠，乃可以無息。故言自然，則必寓有一「時間觀」。西方人對自然僅注意其空間，僅注意於物與物之分別相異，而不知其和會通處，於是乃就其分別而各自探求其眞理所在，乃有天文學、地質學、生物學等各專門之學。故其所探求之眞理，則盡在外。其所成之各專門之學，則爲西方之科學。亦或會通以求，而仍向外求之，則爲西方之哲學。柏拉圖榜其門，非通幾何學勿入吾室，則哲學仍必本於科學。在自然之上，建立一上帝，信之爲一切萬物之主宰，亦卽眞理之所在，此則爲西方之宗教。故西方之科學、哲學、宗教，同屬向外求，而不存在於一時間觀念中。縱謂有時間，亦必隨屬於空間，如近代愛因斯坦之四度空間論是矣。中國人一切學問皆主向內求，而

謂：「悠久所以成物。博厚配地，高明配天，悠久無疆。」則悠久之時間，其位置尚在天地之上，而故乃深深獲得此時間觀。而萬物乃同歸於一，而其分別則僅一徵象之見於外，經時間而始有。

故中庸言：「今夫天，斯昭昭之多，及其無窮也，日月星辰繫焉，萬物覆焉。今夫地，一撮土之多，及其廣厚，載華嶽而不重，振河海而不洩，萬物載焉。」此則天文地質，莫非經歷時間之悠久，而遂有當前之現象。若言生物，自微生物以至於人類，亦同此一生命，而此生命則仍自無生物來，仍是一自然，仍是一無爲，仍是一至誠無息。故詩曰：「維天之命，於穆不已。」又曰：「不顯文王，之德之純。」此純亦不已，則科學、哲學、宗教，豈不同歸於一。一於此心之德之純一而不已，斯卽天之命。一天人，合內外，「苟無至德，至道不凝焉。」道必凝於德，德則卽此心之純一而不已，斯卽天之命。一天人，合內外，

如是而止。故曰：「至誠之道，可以前知。」「故至誠如神。」又曰：「曲能有誠，誠則形，形則著，著則明，明則動，動則變，變則化，惟天下至誠爲能化。」中國古人科學、哲學、宗教三位一體之學之最高理想、最高境界，已盡在此。

西方人主言變，乃不知言化。變亦屬於外，化則屬於內。變則此物變成他物，而空間亦覺其有異。如石器時代變爲鐵器時代，又變爲電器時代，此各時代之空間，皆絕不同。若知注意其時間，則一本相貫，一體相承，乃見其爲化，而變則只是化中之一徵。

中國人言生命，其實亦是一時間之化。自幼稚迄於耄老，仍是此一生命。自原始人迄於現代人，亦仍是此一生命。此一生命經歷長時間之化，必當有變。今日已爲電器時代，較之原始人之石器時代，一切物皆已變，而此生命之化則依然無大變。生命即是一大自然，科學違反了自然。往日以石器殺人，今日以電器殺人。科學日益發明，天下其烏能不亂？人種其烏能不絕？中國古人言：「正德利用厚生。」在內正德，始能在外有利用，而仍必以厚生爲歸。西方科學則僅求利用，不求正德，斯其生乃轉見其薄不見其厚矣。故科學利用非要不得，但當以「正德」爲大前提，「厚生」爲大歸宿，始有「利用」可言。以此意來尋求中國科學史，則庶見其於西方科學史有大異其趣者。此亦可謂中國科學乃會通和合於中國文化大傳統之全體而始見其意義與價值，此亦中國科學精神之一端。

又近代西方科學發明，亦非限於核武器殺人之一途。即如近三十年來之太空飛行，登陸月球，豈不開人類邃古未有之新局。中國易象最重龍，飛龍在天，亦僅中國古人一想像。近代西方太空人豈不遠駕飛龍而上之。前之如西方人發明紡織機，發明蒸氣機、輪船、火車之為利於人類者又何限。則西方近代之為禍，乃在其人文學，不在其自然科學。務求利用自然科學之種種發明於資本主義與帝國主義，而後其自然科學乃為禍不為利。中國古人言：「正德利用厚生。」果在人文學上能先正其德，則一切自然科學自不失其為利而厚生。若必如中國道家，并桔槔而並摒戒勿加利用，則烏得有如近代之自來水。孔子言：「仁者樂山，智者樂水。」亦可謂中國人多樂山之仁，西方人多樂水之智。一動一靜，一通一別。故儻一切學問，亦如西方能分別求之，又能會通用之，先正其德，而又能利用厚生，則正如晚清儒之言，「中學為體，西學為用」，先知以會通為體，又豈害於分別之為用。此則誠會通中西，又更有一新學術、新境界之向前發展，仍貴會通以求，不貴分別以觀者。余之一一比較中西學術異同，則仍貴於異中得同，乃能於同中存異。有自然，乃始有人文。有人文，而自然亦隨以前進，又豈嚴加分別之所能盡其能事乎！

略論中國心理學　一

一

中國人言學多主其和合會通處，西方人言學則多言其分別隔離處。如言「心」，西方人指人身胸部，主血液流行之心房言。頭部之腦，則主知覺與記憶。中國人言心，則既不在胸部，亦不在頭部，乃指全身生活之和合會通處，乃一抽象名詞。又人心必通於外以爲心，非可脫離外面分別獨立爲心。

西方主「心通物」，中國則更主「心通心」。如通於幼以爲心，則爲父母之慈。通於老以爲心，則爲子女之孝。此心又可上通天地，旁通萬物，相與和合，成爲一「氣」。理在氣之中，亦卽在心之中。

故宋儒又言心卽氣，不言心卽理。理卽於心上見，但非心卽理。此心所見之理，又稱「性」，故曰「性卽理」。今國人譯西方心學爲心理學，此亦失之。

西方人言心，指其分別隔離處言，故在西方心理學中，情非其要。西方哲學根本不言情。心與心

各別分離，故亦不言愛。其言愛，僅兩處。一曰男女之愛，又一則愛上帝。上帝愛萬物，乃以上帝之心愛及萬物。即父母，亦推上帝之愛愛之，非己心直接之愛。除此各別心理外，乃有羣眾心理，與變態心理。實則變態心理乃是一種病態心理。中國人言及人生大道必本於心，此等心應屬「理想心」。孔孟儒家、莊老道家莫不皆然。宋明理學家中陸王特稱爲「心學」，所言亦屬理想心。而陸王亦不失爲一理想人物。西方如佛洛依德，主張變態心理。即其本人，亦僅爲一心理學專家。求其用心，亦終不免有病態變態處，絕不得稱之爲人類之理想心。

中國人言心，則與西方大異。西方心理學屬於自然科學，而中國心理學則屬人文科學。何以必亦稱之爲科學，以其亦據人生種種實際現象言，有實際材料可證可驗，故當稱之爲科學。惟一重自然，一重人文，斯不同耳。實則人文亦是一種自然，西方則從自然推言及人文，中國則從人文推言及自然，先後輕重緩急又不同。

西方人言心僅屬人身之一部分，其身與外面接觸，則有種種欲，亦有種種所不欲。所欲則迎之，所不欲則拒之。其實西方自然科學之種種發明，皆與此有關。中國人則認心爲一身之主，故身之所欲所不欲，則更屬主要地位。中國之人文科學，乃由此而建立。心之主要所欲，則在心與心相通。固亦求他人之心通於己，故父母之慈，即求其子女之能孝。但更直捷更重要者，則爲求己心之通於他人之心，故父母即貴能慈，子女之能孝與不孝，則在所不計。中國五倫之道盡是矣。己心通他心，此心即安樂，是爲「小康」。人心盡得相通，舉世大安樂，

此即爲「大同」。要之，盡在一心。今人好言交通，有道路交通、有海洋交通、有空中交通，實則皆器物之通。而心與心不相通，此則僅增苦痛，釀大亂，無多益矣。

欲求心與心相通，先求己心自相通。如目視耳聽，當求外面色聲之相通。朱子所謂「格物致知」是矣。中國人言風景，亦即聲色相通之一境。倘己心不能通外物，即己心一苦惱。心有苦惱而向外求解放，則目更欲多視，耳更欲多聽，外面之聲與色更複雜而難通，而此心之苦惱乃更甚。又如嬰兒心、幼童心、成年心、中年心、老年心，隨年歲之日長而不同。自己一心先後不相通，斯亦一苦惱。逮其爲幼童，已覺往年嬰孩心要不得。逮其爲成年，又覺往年幼童心要不得。逮其爲中年老年，乃覺往年心盡要不得。在己無一貫之心，則亦無一貫之生命，乃惟求變求新，則到底惟一死，亦惟苦惱終生矣。故自然科學對物質界之所發明，凡以滿足人身之所欲者，其總結果則只爲增此心之苦惱。人必有死，而此心終未得安樂，則惟有求之死後靈魂上天堂。故西方宗教雖與科學相衝突，但科學愈發明，而宗教則終不可廢。

中國人亦求心與物通。食而飽，衣而暖，臥而得睡，身無多求，則心已安而樂。自生迄老，此心始終相通。果其生安而樂，則死乃休而息，斯亦可無他求矣。此非最高之宗教信仰，最切實際之科學發明而何？一天人，合內外，惟以此心爲之主。此爲中國人之心理學，即宗教，即科學，而吾道一以貫之矣。若言哲學，此非一最好之人生哲學乎？而形而上學以及智識論諸端，亦可包括無遺矣。

中國文學主要亦爲自達其一心之情意。學文學者，主要亦在以己心上通於文學作家之心。如屈原

離騷，此非自達其己心之情意乎。讀離騷者，亦貴能對己心情意自修自養，以上通於屈原之心之情意，離騷之可貴在此。宋玉學屈原爲辭，然宋玉所自達其心者，則不如屈原之心。故宋玉之辭，其意義價值終不能與屈原相比。即就屈原、宋玉兩人言，而中國文學之大本大源及其意義價值之所在，亦從可見矣。

中國此下諸文集，不論辭賦，或詩詞，或文章，苟屬上乘之作，後之讀其集者，爲之編年，成一年譜，可從以見此作者之生平，即見其內在一心之所蘊。而文學乃通於史學，實亦即中國一種最高值得研究之心理學矣。故中國史學必先重人，重其人之心。全部中國史實，亦可稱爲一部「心史」。捨卻此心，又何以成史。

次言藝術，凡藝術應皆寓有心，尤其以中國藝術爲然。如音樂，自古詩三百首以下，中國文學即與音樂相結合。直至輓近世之平劇，如唱四郎探母，即唱出四郎之心。如唱三娘教子，即唱出三娘之心。故舞臺歌聲亦即心聲。即非歌唱，伍子胥離楚去吳，遇一掌渡老人，向之求渡。又遇一浣紗女，向之乞食。此兩人皆投水自盡，俾使子胥心安。爲人謀而不忠乎？此等故事，雖非義理之深，顯自孔孟傳統來，則亦可謂「劇心」即「儒心」矣。又如「客有吹洞簫者，其聲嗚嗚然」，此簫聲即此客之心聲。「長笛一聲人倚樓」，此笛聲亦即此倚樓者之心聲也。中國人之歌唱與吹奏，每以一人之獨歌獨吹獨奏爲主，以其易見此歌唱吹奏者之「心」。而合唱合奏，則其所重轉在聲，乃較非中國音樂之所重。

次言繪畫，中國人畫山水，貴能畫出作畫者心中之山水。如畫禽鳥花木，亦貴畫出畫家心中之禽鳥與花木。故其所畫之山水、禽鳥、花木，實即不啻皆畫者之心，則繪畫亦與文學相通。故中國人作畫，每題曰「寫意」，非專畫外界之物，乃兼畫一己意中之物。此亦見心、物之相通。

次言書法，乃中國特有之藝術，而書法尤見書家之人品與性情，即書家之心亦隨其書而見。故必知如何養心，乃知如何作字。而練習書法，亦為中國人修心養性一妙道。更有進者，中國有文房四寶，造筆、造墨、造紙、造硯，亦見中國之科學。而造此筆墨紙硯之四者，未必兼能書法，而能通書家之內心所求，遂以成文房之四寶。則中國科學與中國藝術相通，而其本源則貴通之於一心。故國人每稱神通，文房四寶之為藝，亦一神通矣。其他器物之創製莫不然，茲不詳論。

然人心終有一大分別，今當稱之曰「自然心」與「人文心」。世界自有人類，其先為自然心，則亦為自然心。人類進步而為文化人，則其心亦為人文心。人之有心，實有其悠久之生命，即由自然而演進為文化心，即此悠久生命之過程。直至近代，人之初生，嬰孩心實即自然心，而人文心即植根於此。必善加養護，俟其成長，乃得人文心之日趨於穩定而舒展。然人文心仍是一自然心，非能離於自然心而別自成心。中國希賢、希聖、希天之學，則即指此而言。孟子曰：「大人者，不失其赤子之心者也。」大人心乃一文化心，赤子心則仍為一自然心。人類文化亦由自然來，亦不能脫離自然。文化心即自然心之完成。今人則必依西方觀念，謂人文演進一切可戰勝自然。人文而戰勝自然，與人

文之從自然生長，其義大異矣。

宋儒張橫渠言：「爲天地立心，爲生民立命。」若謂天地亦有心，此乃一種自然心。爲天地立心，則立此人文心。人類本聽命於天地之自然心，今則當使其聽命於聖賢之人文心，而聖賢心實即自天地心生長而來。故聖賢之爲生民立命，實仍即是天地之命。此即「繼往聖之絕學，開萬世之太平」，而横渠所言，則更爲明顯。中國往聖之學，最先即爲「孝弟」。有子曰：「孝弟也者，其爲仁之本歟。」人當嬰孩，以至於爲幼童，必在家中爲子弟。使於此時即教以孝弟，他年成長，此孝弟之心，即仁心之本。孝弟之心，亦可謂乃自然心與人文心之接榫處。及其長成，乃爲仁心，即見仁道，即大羣心相通，而始可躋一世於大同。

人自嬰孩，迄其未成年前，只在家中，日常相處，惟父母兄弟姊妹，五人至八人之間，極單純、極親切。心與心通，易眞誠、易深厚，此即孝弟之心之爲將來成年後處世人文心之基本。中國儒道教人，亦惟此爲主。故修身、齊家、治國、平天下，其道一貫。而修身之要，則曰「正心誠意」，亦即此孝弟之心意而已。父母兄弟各不同，則何以正此心，誠此意？須能「格物致知」。所以「求知」，此誠中國儒家教人大道所在。釋主出世，老主遁世，惟皆不馳心外物，而近在人道，故同主心與心相通。但其相通之幅度則狹，不如儒家之廣大。其相通之著點則低，不如儒家之高明。但其主心與心相通則一，故均得成爲中國文化一支派。

今則工商社會人事日繁，嬰孩即送托兒所，又送幼稚園。日常接觸可數十百人，既不單純，又不

親切。及進入國民小學，教師同學可達數百千人。又分科爲教，上自天文，下至地理，旁及萬物，幾乎盡可納入教課之內。此心分馳於外，對物對事，日不暇給。其對人，亦無怪其感情之日趨淡薄。則中國人所重視之此一番人文心，乃終無以培養，不見茁壯，何能成熟。故今日世界主要仍爲一人與物相交之自然世界，其次始爲一人與人相交之人文世界。而其心則毋寧羣以第一世界爲重，第二世界爲輕，此實今日世界之真情實況，而其本源則從西方文化來。國人亦競相趨附。固有傳統，則置不再問。此亦以人心爲其主要之關捩。

何以轉移挽回此心？主要則在發揚中國之心理學，重加闡申。好在此心已傳遞四五千年，又非懸空立論，各有實事實物作爲證據。如研究藝術，觀一劇，唱一歌，繪一畫，臨一帖，賞玩一古器物，皆可重獲吾心，如遊子之返其家，其安其樂，有不期而自至。其次則治文學，一詩一詞，一曲一文，反復朗誦，吾心如卽在其內。再次則讀史讀經，以及百家集部，乃無不可反己以自晤吾心。卽如釋家佛典，中國人心亦多有在其內者。得一門而入，斯吾心亦當如久別老友之重逢矣。

中國古人施教，自小學以至大學，自其居家爲子弟始，今則斯文道喪，欲加挽回，當轉自老年人始。中國之心學，本老幼皆宜。年之已老，既已謝絕人事，退居在家，與世無爭，一切藝術詩文本亦爲娛老之資。老年無聊，一加涉獵，不須具大資本，不須耗大精力，借此自娛，或亦可爲轉移國運之初機，亦可爲天地立心，爲生民立命之幼芽新萌矣。此固無害於舉世之競務外物，僅爲老年人圖心安心樂，又何不可之有。亦有少年老成，亦有中年遭挫折，退而爲此。韓信集市人而戰，如此則更易成

軍矣。余日望之！余日望之！

二

中庸言：「喜怒哀樂未發謂之中，發而皆中節謂之和。致中和，天地位焉，萬物育焉。」達此境界，豈非一最理想之宇宙，同時亦一最理想之人生。而工夫則只在此心之喜、怒、哀、樂上用。西方人言心，分智、情、意爲三。哲學則專用理智，情感不得攙入，意志亦須在探求眞理後始定，故西方哲學不討論喜、怒、哀、樂。

西方心理學實爲物理學之分支，儻謂其亦涉及生理，實只以身爲主。身亦一物，則生理仍不脫物理。故喜、怒、哀、樂亦從物理上來講究，在西方心理中，不占重要地位。

中國人言喜、怒、哀、樂，則從心上來講究，而又兼及「發」與「未發」問題，則更見與西方思想之大不同處。西方思想側重在空間，柏拉圖榜其門「非通幾何學勿入吾室」，幾何學則只是一空間形象。直至近代愛因斯坦始創言四度空間。然亦只以時間一度加入空間三度中，依然偏重在空間。中國則時間屬天，空間屬地，時間觀更重於空間觀。發與未發，卽在時間觀上生出分別，但亦兼寓有空間內外之分別。

程明道言：「我之喜，以物之當喜。我之怒，以物之當怒。」但此乃指心之已發言。在外面未遇當喜怒之物，吾心之喜怒未發，但亦不得謂吾心本無喜怒。然則當其未發，將謂之何？《中庸》所謂「未發之謂中」，朱子釋此「中」字爲不偏不倚。以其未發，此心之喜怒哀樂既不偏倚在外面任何一物上，則其存於內而未發者，當至爲廣大，混然一體，無分別無邊際可言，甚亦可謂之與天地同體。亦可謂天地亦本有喜怒哀樂，乃本天地之自然而有，惟當其未發則無偏倚。果吾心先有偏倚，未見當喜之物，而設意尋求吾心之喜，則吾心惟有向外面物上去尋求，而吾心乃失其大、失其中、失其存在。必尋求之於外物而始見心，未必與外物之可喜可怒者相當，則此心卽陷於「人欲」，而失吾心之眞與正，亦非得謂之卽天理矣。人世禍亂，多由此起。

此心先能不偏不倚，遇外物來前，而此心始有喜怒之發，然又貴「發而皆中節」。「節」者，有其一適當之限度。但自另一面言之，亦卽滿足其所當喜當怒之限度，則限度實卽是滿足，此卽「天理」矣。發而中節謂之「和」，不僅內心與外物和，一心之內亦自見和。吾心仍非有喜怒哀樂之別，其別只屬在外之已發，而其存於內而未發者，則仍是一「中」。亦可謂「發」與「未發」，「中」與「和」，仍屬一體。不明悟得此未發之中，又何能掌握得其已發之和。天地位，萬物育，此乃宇宙大生命之象，而體亦存其內。惟體又貴能卽象以求。心如此，生命尤然。又何能掌握得其已發之和。天地位，萬物育，此乃宇宙大生命之象，而體亦存其內。由喜怒哀樂進而言心，則心亦有發與未發之分。若謂凡心皆屬已發，則成爲僅有象而無體。無體

之象乃是一假象空象，而非眞象本象。明得象之必有體，斯即明得心之必有其未發。太極與陰陽之

辨，即在此。太極又即是一無極。因其未發無象，即亦無體可見。無物，亦無心可見。然在「體象」

「心物」之和合無間中，仍當悟得此一體一心之爲其大本大源之所在。則虛而即實，靜而即動，宇宙

萬物乃盡歸於此一心一體，而可無所遺外矣。此在中國學術思想史上，當會通儒、道兩家而求之。道

家偏喜言虛無，明得道家所言之「虛無」，乃始更易悟入儒家所言之「實有」。道家言渾沌，日鑿一

竅，而渾沌死。果能深思明辨，而渾沌仍不死，乃始見儒家之精義。

朱子中庸章句序，引尚書「人心惟危，道心惟微，惟精惟一，允執厥中」，來發明中庸此「中」

字，亦極具深義。人各有心，反求諸己，所謂人心者即見。中國人貴言「道」，而此心未必盡合於道。

但道則必本之於心，未有違於人心而可以爲道者。故人心之合於道者，則謂之「道心」，非別於人心

之外而有道心之存在。道心即在人心中，惟隱藏難見，故曰微。若此心違於道，則但謂之人心，而此

心則不易安定，故曰危。此「微」此「危」，只此一心。若近人只求進步，不知亦當有安有定不動不

進之時與處，則此即一惟危之人心矣。「精」乃選擇義，精選其合道之心則存之，剔減其未合道之心

而去之。使此心無不合於道，則人心即道心，道心即人心，即中即和，天地萬物即位育於

此矣。然此心之體藏於內，未與物接，則謂之中，不偏不倚，此始是心體。待其與外物交接，始見其

心之用乃有和。中國人言養心工夫有如此。此在西方哲學及心理學中，皆不易得此意。

中國俗語言「天地良心」。心之良，即是道心。一部中國二十五史先聖先賢上乘人物無不可以

「天地良心」四字說之。一部中國文學史，自詩騷以下迄與晚清，果其成爲一上乘作品，亦無不可以

「天地良心」四字說之。天則同此一天，地則同此一地，良心亦盈天地間同此一心而已。無此天地，

無此良心。非此良心，亦將非此天地。一而三，三而一。此四字非宗教，非科學，亦非哲學，但亦可

謂天屬宗教，地屬科學，心屬哲學，宗教、科學、哲學之最高精義亦可以此四字涵括，而融通合一。

亦可謂中國文化傳統卽在此「天地良心」四字一俗語中。近人提倡新文學，好言通俗，卽此四字一俗

語，非深得己心，又何以通之。此誠值吾國人之深思矣。

三

　　近代國人慕西化，亦好言自由。實則人生必具一身，身則是一物，其一切結構與作用皆必依物理

學條件，無自由可言。西方人認腦爲心，腦乃人身頭部一器官，同是一物。故西方心理學實只是生理

學、物理學，不能離於身離於物而言心。中國人言心，非身上一器官，乃指此身各器官相互配合而發

生之作用言。此一「作用」，乃可超於各器官，或說超於身，超於物，而自有其作用。

　　自「體用」觀念言，西方人則可謂主身是體，心是用，用不能離於體。中國人則由用始有體，離

用則體亦不可見。老子言：「三十輻共一轂，當其無，有車之用。」車由何來，由人生之需求道路通

行來。有此需要，而產生出三十輻共一轂之車。人由何生，乃由天命。天必命人有所作爲而生人，一

猶人之需求通行而製有車，故用在先，體在後。

西方人言天，則主言「天體」。中國人言天，乃主言「天用」。如言「天命」，即言天之動作，亦即

言天之用。又言「天地之大德曰生」，生是天之作用，而德爲其本。但德亦非一物，非一體，實亦一用。

中國人又言「氣」，氣亦非物非體而係用。故可謂西方主一「實體的宇宙觀」，而中國則主一「作用

的宇宙觀」。故言德氣，又言性氣，但不言物氣。中國人言心，必特重於其德性，而西方人則無此觀念。

又如言「道」，即如一條道路。人需由此至彼，乃行出一條道路來。此一條道路，成爲體，其實

乃由人之需求通行之一作用來，是亦用先於體。

西方宗教信仰天堂有上帝。實則天堂仍是一體。上帝雖具絕大作用，其居天堂，仍是一體。上帝

之一切作用，則全由上帝之體來。天堂中尚有無窮數之靈魂。此無窮數之靈魂，實皆各別爲體。得罪

降謫，下世爲人，則人身外有靈魂，乃分兩體。信仰上帝，好自修行，其身死後，靈魂重得上天堂，

則靈魂豈不離其身而可自爲一體乎。

但自西方宗教言，如上帝有其作用外，此無窮數之靈魂則僅一無所需求之存在，並無其作用可言。

自西方科學言，則萬物各有其作用，但只爲供給滿足人類之需求。而人類自身則除以萬物爲供給滿足其

所需求之工具外，其自身乃若無作用可言，而轉見有反作用。其對萬物之取得，自相鬥爭外，並有戰勝

自然、征服自然之想望。人生本由自然來，戰勝征服自然，豈不卽如戰勝征服自己。故又稱「自我突

破」。既稱突破，即失去了自我，豈不爲違情失理之尤。至於西方哲學探尋眞理，此眞理又當爲限制束縛人類之自由者。人類本身無作用，則又何自由可言。其病皆在先求體，不得其體，一切乃無著落。

中國人言天，乃一「作用」。言人生，亦言有魂氣，實亦一作用。而此等作用，其地位乃在體之上，不在體之下。在體之先，不在體之後。中國人言天神，亦言心神。神顯是一種作用，而其地位則在物之上，或可言在體之外。物則只可言物體，不得言物神。

故中國人之宇宙觀乃一動的宇宙觀，乃一作用的宇宙觀。人生分得此動與作用之一部分，人生實即只一心。心必依於身而表現，故其言人生主「安分守己」，又必主「修身」。換言之，人生乃在一大自由中分獲一小自由。周濂溪言「主靜立人極」，所謂靜，即安守此一分小自由，而還通於大自由。所謂「士希賢、賢希聖、聖希天」是也。西方人實抱一靜的不自由的宇宙觀，故尚動進，尚自由，而種種人生苦惱乃由此起。

嬰孩初生，食衣住行一切不自由，但有一大自由，即其能哭，其父母兄姊僅能供其需求。豈非人生即在自由世界中，只求其能安分守己，確爲一嬰孩而即得乎？人之耄老，食衣住行又不自由，但有子孫後輩侍奉供養，豈不仍是一自由。氣中有理，則猶人生之各有其分，各有其己也。惟理則必通於氣以成其理，則心則必通於他人之心以成其爲心也。故人類之生，乃一大作用。如嬰孩可以啟發人之慈愛心，耄老可以啟發人之尊敬心。果使人生無嬰孩期耄老期，則全體人生將爲之大變。如飛禽走獸，即無嬰孩期耄老期。或雖有之，而爲時極短暫，故禽生獸生與人生自不

七五

同。此即嬰孩耄老之有其作用之一證，此即莊老道家所謂「無用之用」也。

中國人言「人生多福」。始自嬰孩，終於耄老，胥可見矣。此「福」字猶如「三十輻共一轂」之「輻」字。有其限度，非共同會通於他輻，即不得成其用。又如「幅」字亦然。若單獨一嬰孩，單獨一耄老，又烏見其有福。福從示，即神，即能通。如從心之「愊」，果能與人相通，則見為惆惆純一之誠。若其固己自封，未能通於人，則成為心之鬱結。又如「逼」字，相互向外，則惟見其相為逼迫，無以見自由。故人之自由，乃通於人於人以為自由，非爭於人取於人以為自由。老子言：「既以為人己愈有，既以與人己愈多。」心與心相通之作用有如此。西方民主自由，乃下爭於上以為自由。通商自由，乃我取於彼以為自由。在我則為自由，在彼則為逼迫矣。西方人不重安分守己，務求向外爭取，則惟見一「逼」字。中國人能安分守己，其心向內，則為一「愊」字。其能心與心相通，則為一「福」字。西方人生則不知一福字。即就文字學言，而文化大體亦可見。

故人生多福在能「通人我」。其能侍奉人供養人者亦是福。如父之慈子之孝皆是，故有嬰孩，有耄老，即一家之福。范仲淹為秀才時，「先天下之憂而憂，後天下之樂而樂」。其憂天下之憂，此即其心之大通，此即其生之多福矣。中國人之人生哲學主要在此，其心理學主要亦在此，此即大學所謂「在明明德，在親民」也。故中國人之言心，乃一大自由，大作用，而身則僅為其一工具。西方人則認心只為身之一工具，此則大異其趣矣。

略論中國心理學 二

中國人言宇宙，宇指空間，宙指時間。言世界，世指時間，界指空間。又言天地，則天指時間，地指空間。故中國人之自然觀，乃是「時空和合」融爲一體的。西方觀念則重分別。時間、空間，相異獨立，而其視空間，一若更重於時間。柏拉圖榜其門，「非通幾何，勿入吾室」。直至近代，愛因斯坦始創爲四度空間論，加入時間爲空間之第四度，則仍重視空間可知。

西方人於自然，又主物質不滅論。分析又分析，直至最近，達於電子，僅是一動態，乃「能」非「質」。其動態分兩型，曰陰電子，陽電子。於是質的自然，當改爲能的自然。靜的變成動的，時間性的重要當更甚於空間性，此頗近於中國人之言「氣」。中國氣字兼包動靜，非有動而無靜。又兼融質與能，非有能而無質。但易見者則在其動與能，非無質無靜而僅爲動與能，則中國觀念對此一氣字，依然是和合的，與西方觀念重分別的不同。和合中非無分別，而專務分別，則將不見其和合之全與大。

今再言人體。中國常「身心」並言。亦可謂身屬空間，乃物質的。而心則屬時間，乃精神的。隔

略論中國心理學
二

七七

去時間，即不見有心。心於人身中見其動能，而不屬人身中之任何一部分。心融全身之百體而見其能，但不能離體離物而自成其為能。西方人言心則專指人身腦部言。腦屬物質，乃全身百體中之一體，即體以為能，是則乃限於身中之一體以為心。故西方人之心理學，依中國觀念言，實只能稱為物理學、生理學，或竟可稱之為腦理學，而不能超乎物與身與腦之上，別有一心。依中國人觀念，心身一體，即心物一體。但此中國人之所謂「心」，西方人亦不能盡加以抹殺，於是遂於「心」與「物」又加以分別。在西方哲學中，乃有「唯心論」與「唯物論」。實則西方哲學唯心論之「心」，與西方心理學之「心」，顯已有不同。而中國則斷無唯心、唯物之分。一如西方之四度空間，不能於空間外另見一時間，時間即附屬於空間。中國觀念則時間、空間相和合，心與物相和合，而融成一體。中國人合言天地，天地亦和成一體。西方人言天亦猶其言地，天文學與地質學相類似，而別有一宗教信仰之「天」，則與其天文學所言之「天」有不同。此乃中西雙方觀念之大不同處。若以唯物為偏左，唯心為偏右，則中國乃不偏左不偏右，而是綜合中立的。

中國人又稱此曰「太極」。太極動極而靜，靜極復動，和合為一。此一太極，更無與之為對立者，故曰「無極而太極」。有與無，仍是和合為一。然則在西方最後分析所得之電子中，不見質，不見靜。苟依中國觀念，則電子中仍必有質有靜，不能偏動偏能以為萬物主。

西方有哲學有科學，皆從分別來。中國重綜合，因此在中國學術中，乃並無哲學、科學之分別而各成一專門。

最近三年前，在中國大陸發現了許多人體特異功能之事實，震動視聽。尤以其反科學而確有此現象，不得謂之是迷信，而有待於科學上之新解釋，遂成爲大陸一時嶄新一問題。

舉其著者，如紙上書一字，捲成一團，納入耳中，其特異功能者卽能知此字。爲何不用目視，能見字形，此誠一奇。又如取一書坐臀下，其人能知書中第幾頁第幾行之第幾字爲何字。又取衣上一紐扣置帽下，往視，具特異功能者卽能知係一紐扣，但已不在帽下。後其人又言此物重在帽下，揭視則果赫然在矣。揭而視之，果已不在。問在何處，云在隔室桌上。往視，果然。又有時須無旁觀。如此之類，舉不勝舉。西方科學心物相異，偏重物質空間，此等事誠怪異，則外物移動，未嘗與心無關。亦可謂此等同屬心理現象，不必偏向物質上探求。但亦非專屬心理學，須心理、物理混爲一體求之，庶可得解。

又具此特異功能者，皆出幼童，多在四、五歲至七、八歲之間，又多在女性。男性亦有之，與女性相比，約在四與六，或三與七之比。年漸長，則此能漸失。又試驗時不能有多人在場，最多不得超十人，儻圍觀人多，卽不驗。又有時須無旁觀，由一人爲之測驗。每一測驗，此童必倍感疲勞，故其父母亦深不願多所試。

觀此，知此等乃人心之本有功能，亦可謂是人心之自然功能。及其漸長，多在人事上歷練，則此等功能漸失去。但經特殊訓練，年長後，仍保有此功能者，亦可有之。此等事，中國社會常見不鮮。余少時在鄉間，曾見一畫辰州符者，肩挑一擔。來一農，病腿腫，求治。彼在簷下壁上畫一形，持刀

割劃，鮮血從壁上淋漓直流。後乃知此血從腫腿者身上來，污血流盡，腿腫亦消，所病霍然而愈。腿

上血如何可從壁上流出，此誠一奇，然實有其事，則必有其理。惟其理爲人所不知，卻不得謂之是邪

術。又幼時聞先父言，在蘇州城裏，一人被毒蛇咬，倒斃路上。來一畫辰州符者，環屍劃一圈，遍插

剪刀數十枝，刀鋒向地，開口而揷。彼念符後，蛇從各處來，皆從剪刀縫下鑽入，以其口按之斃者傷

口，大小不符，乃退，從原刀縫下離場而去。如是來者十許蛇，後一蛇，始係咬死此人者。以口接死

者傷口，吸其血中毒既盡，仍從其原刀縫下離去，刀縫忽合，蛇身兩斷，即死。而路斃者已漸蘇，能

坐起立矣。此實神乎其技矣。

　辰州符能令離鄉死屍步行回家，始再倒斃。此事流布極廣，幾乎國人皆知。據聞對日抗戰時，有

兩美國人在湘西親覯其事，曾邀兩術者同赴美國實驗，俾科學家探討，許以鉅金爲酬。兩術者拒之，

謂：拜師受術時，曾立誓不爲牟利。如獲巨金，恐所受術卽不靈。凡屬中國社會此一類奇異功能，皆

出秘傳，皆不爲牟利，此又是心理學上一大問題。苟爲牟利，卽不傳，得傳亦不靈。最近又聞美國有

一三十以上人，亦擅身體上之奇異功能，惟須得美金一百五十元卽一試，此亦美國文化顯然與中國文

化之相異處。

　或謂中國人遇事每不問其所以然，苟見其然，卽試加應用。今大陸卽如此，如令幼童具此等奇異

功能者，在醫院看視病人身體內情況，較之愛克司光尤靈。又警察人員更知重視利用，因幼童具此異

能者，能從犯人身上看得其既往之一切。如竊盜罪，兇殺罪等，描繪罪狀，鉅細畢眞，令犯者無可隱

遁，則豈不此等幼童當前即見有大用。但在此上又另有問題。

在中國社會上，此等事既所屢見，即讀二十五史之五行志，所載各事，類如此等奇異者，已甚繁夥。如司馬遷史記，即載扁鵲能隔牆見物。果能分類整理，已可彙成大觀。其他雜見於筆記小說中者，亦甚多。即如王安石傷仲永一文，仲永在幼童時已能詩，不經學而吟詠成章。年漸長，而盡忘之。因其事關文學，故荊公特爲文傷之。其他事涉神異，中國古人不加重視。爲人有道，每一人各有其前途，不當因其有特異表現而遽盡量加以利用，豈不轉毀其人之前途，乃可惜非可喜。如令幼童在醫院中診視人體，則此童乃成爲一架機器，再無其他前途可言，可惜大矣。孟子曰：「人皆可以爲堯舜。」此乃人生之大前途，故教之孝悌，教之忠信，行有餘力，則教以學文。診視病體，自可運用各種醫術及儀器，豈得犧牲此幼童之前途而全爲此職。此即有違於此幼童之全生命，而此特異功能亦遂消失而不存。

又如死在異鄉，自可移棺歸葬。使習辰州符術，能令死者步行回鄉，較之移棺歸葬事若輕便，而習此術者，終身乃無更好前途，豈不更可惜。仁者所不忍，故其術終僅流傳於一地，未有人特加提倡，使廣行於全國。亦有中國文化大傳統人文大道在後作主，豈僅加忽視而已。

又此等異狀，今在大陸發現者亦有在窮鄉僻壤中，更多在附郊生聚較密處，如昆明，如重慶，如北京，如上海，所在多有，並爲數甚不少。此亦一奇異現象。竊意雖其表現多在幼童身上，而心理淵源恐當溯之其父母家庭，並推廣之於全社會。大陸當前社會風習轉變，禍亂之深，變化之大，實爲中

國有史以來所少遇。無衣無食，其物質生活簡儉之極，已到無可再簡，不能更儉之地位。而其內心所存，則平淡寧靜，無可欲，無可爲，不思前，不想後，一味順應，不作主張，心空無有，此乃近於中國道家之人生修養標準。而當前大陸無知無識之匹夫匹婦，不求而至，在此大環境之共同心理下，乃有此種功能之呈露。當前大陸人生之多壽，亦其一例。其所生子女之多具心理上之特殊功能，或亦與此有關。此等特殊功能之發現，在中國社會較多於其他社會，而在最近則幾於到處可遇。此等事態，宜當仍據中國文化傳統與其理想與觀念來加以研究。惜不在大陸，無可細加審察。而此等現象乃一時之特有，可加以探索與討論者，或不久即消失，實亦無可作詳究。

抑且人爲萬物之靈，遠自原始穴居人以來，有巢氏、燧人氏、庖犧氏、神農氏，人文演進，綿延不斷，以迄於今，莫非出於人體功能。所謂天所命，人之性，大通正常，此乃人道日新之大本大原。至於幼童偶有特殊表現，如今大陸之所顯，亦可謂如天上之有彗星，有冰雹，爲怪不爲常，爲奇不爲正，特出非可通。逮及成年，遂爾消散。一時驚然，謂可利用，欲加培養，使其常然，乃失性命之正，亦違道之大。即就其個人論，亦成爲一奇怪特殊之人，非正常大通之人。拘於一曲，傷其大方，亦可惜非可羨矣。

莊子內篇養生主有言：「生也有涯，而知也無涯，以有涯隨無涯，殆已。已而爲知者，殆而已矣。」人之生，微小短暫。而宇宙自然，則廣大無垠，悠久不已。以微小短暫之生命，追隨此悠久廣

大之宇宙以求知，則所得幾何。西方社會重知，所謂自然科學，遠起希臘，迄於近代，凡所發明，無大無小，豈能以千萬計。西方人之所自傲，舉世之所共仰，無逾於此。然卽以今日中國大陸人身各種特殊功能之呈露，幾乎西方自然科學各門各科之知識乃無可解釋。抑且與其已有之知識若處於相反之場面。今既事實具在，不得以不科學迷信一語輕加評斥。則今日西方已有之所謂自然科學，非改變其規律，轉換其觀點，有難以並存而互容者，則知識之可恃而不可恃，卽此一例，亦可謂信而有徵矣。

老子亦言：「古之善爲道者，非以明民，將以愚之。民之難治，以其智多。故以智治國，國之賊。不以智治國，國之福。」今人讀此，必以老子主愚民政治譏之。然卽就近代論，第一次第二次世界大戰接踵而起，但皆起於歐洲，知識遠超於他邦，而所受災難亦最甚。此非老子之言亦信有明徵乎？兩次大戰，創鉅痛深，而西方受此刺激，不加反省，各方知識反加速邁進，至今不四十年，已稱爲知識爆炸時期。而第三次大戰之兇兆，亦隨而呈現。苟非有大轉機，則其勢已不可免。其他並世諸邦，皆從兩次大戰中解放，而西方知識亦隨以進入，乃其民之難治，亦獲得相似之進步。今日全世界已陷入一大動亂之局面中，果問何以致此，則知識之增進實當爲最大之主因。何以息此動，平此亂，則仍賴知識。試問美國最新成功之太空梭，其可平息此世界之動亂否？莊子曰：「已而爲知者，殆而已矣。」果賴太空梭來平治天下，不嘗爲天下增危殆，而核子武器則猶甚。

儒家言與道家稍不同。儒家以智、仁、勇爲三達德，然儒家言「智」與道家言「知」有不同。

孔子曰：「智者樂水，仁者樂山。智者動，仁者靜。智者樂，仁者壽。」孔子言智，乃一種流動之知，當隨時代以俱變，非可奉一時代之所知以為萬世之規律，故孟子稱孔子為「聖之時」。時間變，則空間亦隨之變。孔子言「百世可知」，乃指時間，不指空間。而西方知識重空間，又於空間多加分別，或專治天文，或專治生物，互不相顧。一天文學家，長夜不離望遠鏡，積數年數十年之勤，忽發現一新星，其在恒河沙數之太空星羣中，曾滄海一粟之不如，然不得謂非一新發現。一生物學家，竭其畢生精力，專治一洋老鼠，或一微生蟲，亦不得謂其無新發現。然與宇宙之廣大悠久，竟何關？與人生之禍福治亂，又何關？然而盡人之精力，則都從此等處費去，誰復來顧及人類當前共通之大問題所在？

即就西方近代傳授知識之大學言，分科分系，門類厖雜，而又日加增添。如文學院有文學、史學、哲學諸科系，治文學可以不通史學，治史學亦可不通文學。治文史可以不通哲學，治哲學亦可不通史學、文學，各自專門，分疆割席，互不相通。法學院則有政治、社會、經濟、外交、法律諸科系。進法學院可以不理會文學院諸科，進政治系可以不通文、史、哲，亦可不通社會、經濟、外交、法律諸科。其他各科亦然。尤可異者，在大學階段中，又增設有警政一門。當一政治家僅須大學四年即可畢業，當一警務人員亦同須大學四年畢業。又如商學院，增設有廣告學系，須四年畢業。但經濟系、商學系亦同於四年畢業。而在理工學院內，則分科分系更屬厖雜多端。今日西方人競稱自由、平等、獨立諸口號，其實在其知識領域內，即屬自由平等獨立，無本末，無先後，無巨細，無深淺，無

等級，無次序，無系統，無組織，要而言之，則可謂之不明大體，各趨小節。知識領域已亂，更何論

於人事。

試舉最近一小事論之。如雷根之遇刺。雷根乃美國新當選之大總統，美國號稱民主政體，一切重

法治。雷根上任不久，在政治上未有大缺失違於民意。刺之者，亦非於雷根有私怨，僅爲戀愛一電影

女明星尚在大學肄業者，其行刺乃以表示其對此女之愛情。可謂不倫不類，胡作妄行。雷根當據美國

總統地位明斥其非，嚴懲其罪，以尊重法治之大義，昭告於美國之大眾。奈何乃以不念私仇，卻求此

刺者早得恢復其情緒之安定。此亦可謂不識大體，於總統之位爲失職，乃亦竟無一美國人能議其

失者。

雷根遇刺後不久，又有羅馬教廷教宗之遇刺。教宗方屢言墮胎非法。若謂墮胎有傷人道，則行刺

又豈人道所許。且雷根遇刺卽在不久之前，教宗爲宣揚耶穌大道，自當明斥行刺之非道尤甚於墮胎，

藉以昭示全世界教徒，當引以爲深戒。而教宗亦未一言一辭及之，亦如雷根，僅如一平民，只以不念

私仇，若可提高其一己之地位。此亦可謂之不明大體。以一美國大總統，以一羅馬教廷之教宗，其地

位身分同在全世界普通人之上，而其遇事發言有如此，則試問此下行刺之風大行，又豈不爲世界動亂

增一不可遏制之先兆乎？若依中國人規矩，則弑父弑君，皆爲大逆不道。今國人方慕尚西化，必譏此

爲帝王專制，又鄙之曰封建頭腦。而雷根與教宗，亦當爲國人崇奉西化者所稱道。要之，文化不同，

觀念不同，孰是孰非，孰得孰失，仍當另有標準來加衡定，未可謂西方卽是，中國則非，如此一概以

判也。

中國以農爲主，工業副之，商業更在工業之下。故凡人生直接所需，食衣住行，皆由農工各業直接產生。西方則商業爲主，工業副之，農則被視爲奴。故凡人生直接所需，食衣住行，皆由農工各業直接產生。西方則商業爲主，工業副之，農則被視爲奴。賴商業利潤獲取財富，則一切所需皆可由財富求得。故中國人生乃直接的，而西方人生則可謂是間接的。知識類型亦有此別。中國知識皆由人之共通內部生出，而西方知識亦由分別的各向外面索覓。西方知識亦如資本財富，據此來再求人生之滿足。故中國知識如農工之耕稼製造，可以直接享用。西方知識如哲學、科學、宗教，皆分別尋向於外，而在己則空無所有。猶憶五十年前一女友，自天津來北平，去協和醫院診療眼疾。先赴眼科，據稱無病，囑赴其他諸科。一週來一次，借宿余家，輾轉五六次，積兩月以上，不得其病所在。歸途在一小藥舖偶購中國土製眼藥一小瓶，點眼，霍然而癒。凡中國藥物，所謂神農嘗百草，皆由直接經驗積累而來。自西方醫學視之，皆屬無理論，不科學，而亦能治病。西方醫學則主要在人體解剖，先對人身分別有明確知識，建立理論，然後製造藥物，以爲對治。故其藥物亦全屬無機的，非自然的，由人工特製而成。其視人體亦如一架機器，其藥物亦同是一架機器，以機器治機器，於眞實人生則可謂是間接的。而中國醫藥則以生命治生命，可謂是直接的，直接有驗，中國人加以信受，亦自成一套理論，主要則在一「氣」字上。而此氣字，則在人體中乃一玄通的，抽象的，不分別，不具體。西方知識決不以此爲憑。然中國醫藥知識實得之於自然，既實在，又直接，並有驗，不待組織成爲一套理論。故在中國知識類型中，乃無西方哲學科學各體系之分

別成立。卽如最近大陸所發現之各項人體特殊功能，雖亦自然而具體，然依中國傳統意態，則此等事象雖亦屢有發現，但因其與人生修齊治平之大道非有直接關係，遂置之一旁不加理會。朱子大學格物補傳曾謂：「卽凡天下之物而格」，又曰：「因其已知之理而益窮之」，則必於傳統之共同性上用心，而奇聞異見有所不顧。自西方之求知意態言，則每一事項同屬知識範圍，同須研求。因此中國知識界每重「通識」「常識」，易於和合，而不尚新異。西方知識界則分別離散，不能集中。正如西方資本主義之人生，各擁財富，相互爭衡。一反其弊，則有共產主義之崛起，要求盡廢私財，而統歸於一。而在中國人生中，則並無此等分裂之發生。在和合中當然有分別，而在分別中又必求其和合。人生然，知識亦然。

孔子曰：「知之爲知之，不知爲不知，是知也。」老子亦言：「知不知，上。」是中國人言「知」，必同時承認有「不知」，乃始爲知。抑且不知常多於所知，故曰：「我有知乎？無知也。」中國人所重則在「行」。人不能盡其知，但必當盡其行。中國古人言：「知之匪艱，行之維艱。」此爲「知易行難」說。王陽明主「知行合一」，近代孫中山先生言「知難行易」，三說各不同，然言知必及行，則一也。故曰：「言顧行，行顧言。」所言卽其所知。故中國人之「知」與「行」，亦必求和合爲一。西方則知、行亦加分別。如言自由、平等、獨立，多指行，少言知。科學家亦多信宗教，亦卽知、行分別之一例。故中國人好言「道」，而西方人好言「眞理」。道者，人之所行。而眞理則在外，屬知識，乃西方哲學家、科學家所探究。非若中國人言人道，乃人人所奉行，貴於人人反己求之，躬行實踐，

不貴外此而多知。

孔子曰：「五十而知天命。」人受天地之氣以生，天之命於我者是謂「天性」。天命亦稱「天賦」，天之所賦，即人之所稟。天賦此性於我，斯天即稟於我之身，故曰「天人合一」。性之可見則爲心。孟子曰：「盡心知性，盡性知天。」其所知於天者，則仍是人所稟賦之性。故中國儒家則最重心性之學。道家不言性，而言氣。不言心，而言自然。實皆天之所賦。其屬天，則曰「道」。其稟賦而在己，則曰「德」。此則儒、道之所同。老子曰：「同謂之玄，玄之又玄，眾妙之門。」萬物若相異相反，而同出此玄，順此大同，無可違逆。惟道家「原其始」，而儒家則尤能「要其終」。故中國道家可稱爲一門精深之自然科學，而儒家則可稱爲中國一門宏大之人文哲學。而此科學與哲學之兩門，在中國又能會通而爲一，和合而無間，此誠中國文化學術史上一特異傑出之表現。西方所謂自然科學，不僅向身外求，並亦反自然。一切科學發明，莫非違反自然，以供一時之利用。其所謂人文科學，則亦反人性，以求一時之利用而止。此之謂功利主義，與中國人之道德主義大不同。

故中國人言道，必曰「大道」，又曰「同德」。其「大」其「同」，則胥於己之一心日常體驗得之，不煩外求。大之至，同之極，則達於一天人，合內外，亦兼天地萬物而一之。寧有知行而不涉於外者？然知行必內本於一心。此心何自來，則來自外，來自天，亦可謂來自自然，而可操於己之內在。此可謂乃此心之「全體大用」，而眾物

中國人言道，必曰「順」，而西方人則言「爭」。見之人事，顯然自判。

之表裏精粗亦無逃於此矣。故「大道」「同德」，盡在此心，亦稱曰「常心」，或「日常心」。一日一刹那，乃至千萬世之心，此體恒常而無變。西方人則知行分，心物分，內外分，每專據一事一物之知以爲推。互不相通，則啓爭。如天文學發明了地球繞日，非日繞地球之新理論，一時爭議大起，發明人至陷於死地。但此說來中國，中國人卽加接受，無爭議，於中國人所理想之大傳統亦無變。又如生物學發明了人自禽獸變來，禽獸又自微生物變來。但此說傳來中國，中國人卽加接受，亦不起爭議。西方此說新起，亦啟大爭論，至今尙未獲一肯定之解決。但此說傳來中國，中國人卽加接受，亦不起爭議。而於中國自己大傳統亦可無大變。但如最近大陸發現此種種人體特殊功能，與西方自然科學之理論大相違悖，進加研究，則不能不於西方之知識傳統有改變，其所影響當甚大。今日國人方競言求變求通，西方人所稱之知識眞理，非變則不能通。知識眞理如此，則人生行爲亦如此。舊者不可守，新者又無所知，則惟日在求變求通，而謂之爲進步。則最近自一次二次大戰後，又接踵將來三次大戰，豈亦人類之進步所在乎？中西文化大不同處正在此，是宜深加研討者。

又如紡織業，中國積古相傳，歷四五千年。綢緞錦繡，精益加精，非有大變。自倫敦創爲紡織機，一機一日所成，可超百人晨夕之勤，大量來中國銷售，中國乃淪爲次殖民地。而英國人又濟之以海輪運輸之便，槍砲擊殺之利，所謂資本主義帝國主義，皆由此建基，本非有高見卓識，深謀遠慮，創爲此等主義，以爲英國謀前途無窮之福利。而一兩種機器之創新，乃使資本主義帝國主義積漸成立，世界爲之變色。而一次二次大戰，英倫亦自受其禍。往前盛況，勢難復有。其盛其衰，恐皆非英

國人事先所能想及。遇可則進，遇不可又不能退，今日世界形勢，乃全爲科學機器所操縱有如此。又如馬克斯，百年前旅寓倫敦，目覩當時工廠情況，發爲資本家剝奪勞工利潤之說，不可謂非一種持平之論。而必由此推演創爲唯物史觀、階級鬥爭之新論，則遠非世界人類文化演進之眞理所在。演變至今，共產主義與資本主義對立，三次大戰危機，咇咇可待。此豈馬克斯當年所想像及預料之所及。全部西洋史，亦可憑此一例，推闡說之。

中國人求知態度，以通常有關大體者爲貴，不據特殊僅占部分者爲憑。求知態度既不同，持行方針亦自別。西漢時代即有鹽鐵政策之推行，則資本主義決不會在中國成立。而唯物史觀階級鬥爭之理論，亦決不會在中國學術中產生。如今日大陸已三十餘年，飽受馬、恩、列、史之苦果，乃轉向美國資本主義路線，又決非福國利民之圖。如何爲國家民族自尋出路，此乃大陸中國知識分子所應擔負之惟一大問題。然而遇見幼童身上發現了許多特殊功能之狀況，則羣情轟動，專家學者學校師長，乃及政府官吏，莫不注意及此，認爲當前之一大發現。此亦如西方三次大戰危機將臨，然而知識界之分門別類，有興趣注意者，依然層出不窮，誰來在核子戰爭之前因後果上去用心？仍惟分門別類，知識分散，興趣分散，力量分散，而大變之情勢，則不能亦隨之分散。此誠一無可奈何之事實也。言念及此，感慨何極。

朱子教人即凡天下之物而格，非教人專格一物。王陽明格庭前竹子，已失朱子之本意。西方人如牛頓，乃專格蘋果落地，而發明其萬有引力之說。但爲所畜大小二貓，在書齋牆下分闢大小二洞。不

知一大洞，大小二貓皆可通。牛頓於此事未格，乃如一愚人。牛頓亦信耶穌說上帝，既爲一科學家，仍爲一宗教信徒。達爾文亦然，既爲一生物學專家，仍爲一宗教信徒。

故西方之學雖各成專家，而仍可有其共同相通處。此誠西方心理學上一深值研討之問題。

又如中國人好共通觀，率好言西方人。不知如英、法、如德、意、如荷、比、葡、西，如其他各國，皆各別異視。貴獨立，亦貴中立，而互不相通。又如猶太人，亦不當列西方。然如耶穌言上帝，西方人乃羣加信奉，成爲東方，不同視爲西方。又如近代西方人，率排除蘇維埃，分別之爲東方，皆各別異視，貴獨立，亦貴中立，而互不相通。又如佛洛伊德，認爲父母子女之互愛，有男女異性戀愛之變態心理病態心理之存在，西方人亦有讀中國書治漢學者，乃一專門學問。

馬克斯言社會經濟，唱唯物史觀階級鬥爭之說，西方人亦未以其爲猶太人所言而排之。又如佛洛伊德，認爲父母子女之互愛，對佛洛伊德加以反駁，西方人亦加接受，一

中國人言慈孝，乃天命之性，與佛洛伊德說大不同。西方人亦流傳共信，成爲一時轟動。是西方人不僅能接受猶太人言，亦能接受印度人言，卽如古埃及金字塔之類，西方人亦加深羨，則西方人實非專己自守。獨近代中國人則一信西方，猶過於西方人之自尊自信。依近代中國人觀念，猶太人、印度人，豈能與西方人相比。然此實乃近代中國人一心理狀態。一切學術異同，人事異同，實莫不有人類心理寓乎其間，此非深值研尋一問題乎？

今西化已遍布全世界，各民族，各國人無不自尊自信，曰自由，曰平等，互不相下。如阿剌伯人，如猶太人，如印度人，如非洲黑人，如美洲紅印度人，莫不然。惟中國人乃獨尊西方，自卑自

謙，西方則屬新而可信，中國則舊而可鄙。此亦中西雙方心理學上異同相較一大值研討之問題。中國古人言：「非我族類，其心必異。」或此語亦當鄙斥。要之，如宗教，如科學，如哲學，其間莫不寓有心理學問題。則誠如朱子所言，當「即凡天下之物而格，而後眾物之表裏精粗無不到，吾心之全體大用無不明」。至少此亦是朱子個人一番心理學。凡治心理學者，宜亦有以善闡之。而凡治宗教信仰與治哲學科學者，亦所不當忽。其然，豈其然乎？

略論中國史學 一

一

中國思想之偉大處，在其能抱有「正反合一」觀。如言死生、存亡、成敗、得失、利害、禍福、是非、曲直，莫不兼舉正反兩端，合爲一體。其大者則如言天地、動靜、陰陽、終始皆是。

今言前後。空間有前後，時間亦有前後。依空間言，眼前面前謂之前，一切行動必向前。儻須向後，則須轉身，仍向前。但時間則過去謂之前，未來謂之後。人之一生，自幼到老，乃從未來向過去，始謂之向前。今謂人自幼童向青年，向中年老年，則成爲從過去向未來，乃退後，非前進。成爲由生到死，過一日則少一日，漸近死，漸離生，豈不成爲人生之倒轉。

人生貴有「積」有「成」。生日積，則幼童成爲青年，又由青年積成爲中年老年，此之謂「壽」，此之謂「福」。人生須多壽多福，待其死則此生已畢，非爲由生進到死，乃爲其生已盡，變而爲死。但生

死正反可合，實爲一體。在我之前，早已有生。父母即我之前生。由父母生我，我乃父母之新生，父母乃我之舊生。亦可謂父母乃我之前生，我乃父母之後生。使無父母之前之舊，又何來有我之後之新。新舊有如前後，亦正反相合。中國人好言「水源木本」，木屬有生，未不得離其本。水若無生，逝者如斯，一若其流日離其源以去，實則流卽其源，無源則無流。故自然日新，而實永恒是一舊。人文亦豈得違於自然，則何可捨其舊，而新是謀。

中國乃一宗法社會，一身小生命之上，尚有一家之大生命。我生以前，有父母祖宗。我生以後，有子孫傳世。而舊尤重於新。家則必稱舊家，人則必尊老人。人老家舊，中國人則謂之福。由人生之積而舊，乃有成，乃有史。一人有一人之史，一家有一家之史，一國乃有一國之史。以孔子爲例，孔子一人有其史，其家亦有史。自孔子迄今，已傳七十餘世。自孔子以前，尚可推溯以至於商祖契，當亦有數十世。則孔子一家已歷四千年以上。其實中國每一人每一家皆然，惟孔子可供作標準之一例。而中國亦已歷五千年而長存。

然則人生向前，乃向古老往舊之前，而日積日成。此後未來，胥當向此過去而前進。近人言歷史不可變，人生則胥向此不可變之局而前進。在其過程中，則不斷有新的發現。祖宗乃一家之舊，子孫則此一家之新。一切新則胥向此舊而前進。故曰：「周雖舊邦，其命維新。」儻無新，則其舊將失去，不得仍爲舊。惟中國乃爲舉世其他民族中之最舊者，歷世已五千年以上。卽讀一部中國史，例證顯然矣。

今人乃謂歷史乃由舊向新，實則新在後，舊在前，歷史與人生皆當向前，不當向後。若向後，則成倒退，烏得謂之前進。今惟由未來前向過去，不當由過去倒向未來。因過去在前，已顯已知，已有定有成，乃有意義與價值。未來則尚隱不知，無定無成，乃無意義價值可言。今一世人則羣求鄙棄此已見、已知、有定、有成之有意義與價值者，轉身倒向於尚隱不知，無定、無成、無意義與價值之一途而邁進，遂使此世界落實到今日不知明日之悲局，是誠大可浩歎矣。

人之求知，亦惟知其過去之舊，不能知其未來之新。故孔子曰：「述而不作，信而好古。」苟於其前古一切不信者，亦本於其知於前古者，而推以為知。不好，則自我創造亦惟無把握冒昧危險之一途，他又何言。

故求深切體會中國民族精神與其文化傳統，非治中國史學無以悟入。若如宗教、哲學、文學、科學其他諸端，皆無堪相伯仲，相比擬。

今再以當前淺近處具體言之。今日人生已成為一機械之人生，如電燈自來水種種日常生活，皆賴機械。電腦尤然。非賴機械，人生將無以度日。現在世如此，未來世益然。百年前馬克斯已唱為唯物史觀，此下「唯物」當轉為「唯機械」。如太空飛行，近人乃謂當以征服太空。其實所能征服者，僅地球附近四圍之太空，實亦未能真征服。外此尚有太陽系之太空，尚有不知幾千萬倍以上之整個自然體之太空，豈當前機械所能征服。當前機械之真所征服者，實乃當前之人生，亦即當前之人心。而人心終有所不甘。人心儻肯甘受機械征服，則核武器之發展當使人類不再有戰爭。今則一反其道，戰爭

危機更逼前來。今人乃謂未來世向現在世挑戰，實則仍是現在世在領導未來世。而舉世人心於此終不悟，此因人心已受機械之奴役，人心亦已機械化，而不能再自主。則世界末日，乃機械征服人類。人類消滅，機械亦卽告終。莊周言：「指窮於為薪，火傳也，不知其盡也。」但薪之為火，亦一自然。而人之創為機械，迄至於今，實已違背了自然。故中國道家乃並求廢桔槔，謂其啟機心。機心起，則機械自亦隨而起。

馬克斯分當前人類為「有產」「無產」兩階級。實則人生不能無產。惟當前人類則憑機械為產，故人類當同分得此機械。馬克斯之意，亦僅至此而止。但如當前之蘇維埃，擁有更多核子武器，則轉成為人類之災禍。此則馬克斯所不知。就當前論，主殺伐者，如核武器之類當廢。主生產者，如電腦、電燈、自來水之類，則可不廢，但當有所限制，不當求其無限之發展。當追隨於人類之自然生活求發展，不當違反於人類之自然生活求發展。人類生產當求以農工為本，不當以商為本。農工乃係生產，而商業則非生產。故商業乃朝向於農工而前進，非農工朝向於商業而前進。此亦中西雙方歷史演進一分歧處。

孔子「十有五而志於學，三十而立，四十而不惑，五十而知天命」。人類從自然來，仍當重其自然，乃可望舊人類進為新人類。求能立，卽當在此自然，卽立在此過去現在中，而始能與現在之未來，勿使未來之「新」來干擾損害毀滅此過去現在之「舊」。故必先能立，始能不惑。立此舊，始能不惑於一切未來之新。則人類之新，亦以完成此大自然之舊。此之謂「二天人，合內外」。則有因

有革，雖百世而可知矣。

孔子又曰：「富貴不可求，從吾所好。」富貴須求之於外與未來，所好則在己之一心之當前與過去。求之外與未來，中國人謂之「欲」。吾之所好，在己心，在當前，在過去，不求自得，中國人謂之「性」。機械則從欲來，不從好來。人生能從過去世、現在世以直達未來世者，此惟性，性則己之所好。因其性而有革，乃能趨向於更可好者，中國人謂之「化」。一切變，當在化之中。以所欲，變所好，則變而非化。欲而違其性，自毀其舊以求變，變而日新，乃終不見所好，此則人生之悲劇矣。此理甚易見，善讀人類已往歷史，自能知之。西方人不重歷史，此其大失。近代科學日新，電腦核武器一切機械皆起於欲，非所好。中國人言「立」言「達」，立於所好，始能達其更所好，亦惟「從其所好」而已。孔子曰：「我欲仁，斯仁至」，求仁而得仁是也。電腦核武器既非人性所好，非可於此立。非所立，又何所達。核子戰爭又豈人之所欲達。故現世所將達，乃無人能預言，亦且為人心之所懼。

二

中國人言：「人惟求舊，物惟求新。」「人」與「物」，大體乃有生無生、人文與自然之分別所在。

生命時間延續，新生命皆從舊生命中開發成長。物無生命，僅占空間，舊物已成，新物則待另製再造。故生命富「共通性」，而無生物則富「分別性」。中國人重農，日與生命接觸，故中國人觀念亦富共通性，生發性。西方人重商，售貨牟利，貨品多屬無生物，故其觀念乃多傾向分別性與創造性。

抑且物供人用，如電燈助人視，電話助人聽，電腦助人記憶，機器人助人操作，其用處各別，故貴「專」。生命則一體之內各部相通，又貴與體外相通。中國人言：「人爲萬物之靈」，靈即其通之尤者。故其於行爲、思想、知識皆貴「通」。

語言通達人心，但各地方言可各不同，又難長時間綿延不變。西方有希臘語、拉丁語，以及現代諸國語，既無共通性，亦無綿互性，亦如一物，日創日異，分別日增。其文字即代表其語言，西方文化正可據此推論。中國人則於語言之上更創文字，求其更相通，而更可久。而中國文字乃亦如有生命性。一部康熙字典所收字不到五萬，而日常通用字亦不到四千，或可更減至一千字，而通用全國已達三、四千年之久。新增事物，皆可用舊字配合應用，不煩再造新字。如電燈、電話、電腦、機器人等，一切新器物豈不只用幾個舊字即够。現世然，後世亦將仍然。中國之得爲一廣土眾民大一統之民族國家，文字之用亦有其大貢獻。中庸所謂「車同軌，書同文，行同倫」，西方直到現代，僅於物上達到「車同軌」之一階程。書同文，行同倫，皆非其所有。

中國文字應用，尤貴其在人心觀念之相通上。如身、家、國、天下四觀念，中國人沿襲承用已達三千年之久。中國古人已知於「國」之上當有更高一層之搏合，即爲「天下」。當時中國人知識尚不

知一亞洲，更何論於五大洲。但此「天下」一觀念，至今仍可承用。西方人則於國之上並無一天下觀，至今仍僅有一國際觀。

國與國之間，有共通事，有相互事，非列國分別所能解決。如唐虞時代之洪水爲災，此乃列國共通事，乃共同朝向中央政府，積堯、舜、禹三帝之力而得解決。又如虞、芮相互有爭，乃朝向於西伯昌即後世所稱之周文王以求解決，所謂「虞芮質厥成」是也。中國古代於列國諸侯之上有「天子」，其實天子亦如一諸侯，僅治其王畿之內之本國事。惟爲其他諸侯所朝向，乃兼管天下事。惟此一共同所朝向者，亦必歷時而變，故言「朝代」。唐、虞、夏、商、周，或禪讓，或征誅，有朝即有代。秦以下，中國全國僅一中央政府，但如漢代、唐代，皆有代，故中國人言「自古無不亡之國」。惟尙有「天下」在其上，范仲淹「天下觀」「先天下之憂而憂，後天下之樂而樂」，顧亭林言「天下興亡，匹夫有責」是也。實則中國人之「天下觀」，亦如西方人之「社會觀」。惟西方則社會在一國一政府之下，而中國之所謂天下，則猶在國與政府之上。國有別，而天下可無別。故中國人在野尤尊於在朝，而道統則尤尊於政統，此則非西方人所知。

以現代國際形勢論，如舉世一百五六十國，果使共同朝向於美國，蘇維埃亦仍是一國，仍可處理其國內事。惟遇國際共通事，或相互有爭，則由美國爲之平定。倘美國不勝任，舉世改朝向蘇俄，此則另是一代。但美國則仍是一國，仍得處理其國內事。中國古代之封建政治乃如此。苟能爲現世慕效，豈不舉世可得和平。中國古人則稱之爲「大同太平世」。列國分治，則僅得有小康，不得有大同。

故中國於治國之上又有「平天下」一大道。中國之「行同倫」，必達之於天下，即大學所謂「明明德於天下」是矣。

春秋末，孔子、墨子以下，中國士人盡不守國別觀，而均趨於天下觀。百家羣興，歷兩三百年而乃有秦代之統一。西方中古封建時期，有神聖羅馬帝國之理想，庶或相近。但耶穌言「凱撒事凱撒管」，主「政教分」。中國先秦諸子，則主「政教合」。故中國開創有秦漢以後之統一，而西方之神聖羅馬帝國則終成一空想。至如現代各國知識界，則各抱國別觀，均無天下觀。苟使無如中國歷史上戰國一段之演進，則何能由中國唐虞三代之封建政治，走向秦漢以下郡縣之大一統制，乃可舉世有一最高中央來領導，此即中國人所謂平天下之大道，非今人之所能想望矣。

主要病徵，在舉世西化，重物而輕人，喜新而厭舊，不知以現在世來宰制未來世，而都求以未來世來改變現在世，本末顛倒，虛實混淆，人盡待之未來之虛，又於何處用力。抑且中國政治必「尚禮」，禮則本於人之性情。西方政治「重法」，法則必仗權力行使，本於外，非可歸之內，無生命性。故禮亦心，法亦物。西方則為一種重物輕人之器物化、唯物化，進而為機械化，無生命性。故中國文化可謂之乃一種「人本位」之人文化，亦可稱「人倫化」，乃一種富於「生命性」之文化。西方則為一種重物輕人之器物化、唯物化，進而為機械化，無生命性。此則其大異處。詳研雙方史學而可知。

中國史學有所謂「鑒古知今」，亦即一般學問之所謂「溫故而知新」。朱子詩：「舊學商量加邃密，新知涵養轉深沉。」新知即從舊學來，此舊學、新知之一貫相承，即自然科學亦不能例外。亦可

謂學惟求舊，知惟求新。豈有廢棄舊學，乃能開創新知之理。故學必貴有舊傳統，而知乃始有新啟

發，新舊自有其一貫融通處。惟自然科學重在物，史學、人文學重在心。物則重在能分別，心則重在

能會通。非通古人之心，焉能知古代之史。故稱「萬物」，亦稱「一心」。物稱萬，故曰物惟求新。

心貴一，故曰人惟求舊。萬物各別，其會通處則在數學上。人事亦多變，其會通處則在人心之德性

上。中國史學重「人品觀」，即人之「德性觀」，此乃其最精邃處。德性則只分高下，並不能分新舊，

此一層亦當明辨。

（一九八四年春季故宮學術季刊第一卷第三期。）

略論中國史學　二

一

歷史記載人事，人不同，斯事不同。人爲主，事爲副，未有不得其人而能得於其事者。事之不完善，胥由人之不完善，須歷久始見。中國史學重人不重事，可貴乃在此。

事有外形同，而內情必不同。一人不能獨成爲一事，必集眾多人之情志以成，而其事乃更複雜。亦有單獨由一人興起主持其事，其他人乃無情無志而追隨，則其事之意義價值亦只在一二人。要之，事之重要性，常在少數人，不在多數人。中國歷史重人，尤重少數人。此乃中國史學一特色。

管仲相齊桓公，霸諸侯。桓公爲君，管仲爲之臣。然孔子則僅稱管仲，曰：「微管仲，吾其披髮左衽矣。」此爲中國史學精神，最值深研。如孔子開門授徒，弟子賢者三十許人，論語載其事。孔子之教各不同，諸弟子之學亦各不同，細讀論語而可知。孔子爲中國一大教育家，亦中國歷史上一最大

人物，而論語亦不啻爲中國一最有價值之史書。孔子之教，與西方古希臘蘇格拉底不同，知此，斯知中西人事不同，而主要則在人不同。今人稱孔子與蘇格拉底同爲一哲學家，斯失之矣。

中國正式第一大史學家，當首推漢代之司馬遷。其爲史記，乃自稱上學孔子之春秋。其中有深義，當加闡申。最重要者，乃爲其重「人」更重於「事」。其書自五帝三代起，春秋戰國，其往事僅撮其大要，不詳記載。如管晏列傳，有關齊國大事均略，而獨敍管晏二人遺聞軼事三數節，非以詳其事，乃以見其人。凡其人之事業，則胥從此等小節瑣事上樹立基礎。此正中國文化傳統大道精義之所在。孔子曰：「吾無行而不與二三子。」諸葛武侯言：「先帝知臣謹慎，故臨終寄臣以大任。」中國人認爲，細行能愼，始能負天下之大任。馬遷此一篇管晏列傳，近似文學小品，實涵哲學大義。爲中國一史學家，又豈止於記載往事而已！

又如戰國時，遷書記孟嘗、信陵、平原、春申四公子故事，均不見於戰國策。而如孟嘗君門下之馮煖，信陵君門下之侯嬴，平原君門下之毛遂，此皆三公子三千食客中所希遭難得之傑出人才，然世人亦僅知有孟嘗、信陵、平原，而已。自經遷書之詳載，乃知孟嘗、信陵、平原，其背後乃大有人在。此乃一番絕大提示。使處親貴之位，而欲有所作爲，當先知其所用心，而豈廣攬賓客，饜其飲食羣居之所欲，而卽能有所成就。

遷書所詳，乃在漢初開國以後。其先劉項相爭數年，軍事勝敗，寥寥幾行字卽盡。然於項王沛公之爲人，性情隱微，則鈎劃如見其肺腑。而於兩人之部下，則敍述尤備。項王部下，僅范增一人而不

能用。沛公部下，則有如張良、蕭何、韓信，又其次如陳平、曹參、樊噲，更其次以至黥布、彭越、陸賈、叔孫通等，開國功臣，遷書詳者，不下二十人。其各人之性情才智行爲功業，可謂備矣。當知漢祖開國，非漢祖一人之事，乃其一集團二、三十人之事。至於開國之大業已成，分封功臣，不再詳載。西方晚近始有史書，僅只記事。中國史起源甚早，又必詳其事之成敗所由。其所由則盡在人。一事之成乃有不盡於一人者。並有無其事，而許其人，則猶見中國史學之深義。

即如秦始皇帝，其削平六國，統一天下，其事亦不在秦始皇帝一人，抑且亦不始於秦始皇之時，而尚遠在其前。細讀馬遷書亦可知。今人則誤謂秦祚始於秦皇一人，漢祚始於漢祖一人，則秦皇漢祖，宜可專制全國而有餘。此亦不細讀史書之誤。漢祖之得天下，一曰不嗜殺人，又一曰善用人。而遷書之傳項王，則有三大事，一曰邯鄲之戰，一曰鴻門之宴，又一曰垓下之圍，以及烏江之自刎。項王爲人可愛處，故一部良史，同時必是一部好文學。不通人生，則無以讀中國之文史。能通文史，始乃得爲中國之通人。中國文學善於寫人，實多於沛公。此又見中國史取人之宏，與其教人之深。而遷書此等處，遂成爲千古妙文。秦漢以下中國之學，即謂之乃文史之學，亦無不可。而司馬遷之大功不可沒矣。

又秦末羣雄競起，論其事，則陳勝、吳廣最先發難。然遷書未加重視，亦非以成敗論人。田橫身敗流亡海上，應漢祖召，驛站自刎，在漢初開國史上可謂無影響。其隨亡者五百人，則更無姓名可考。秦末漢初之際，死者千千萬萬，遷書乃獨詳田橫及其賓客五百人，成爲千古文學嘉話。此下一部

中國二十五史，類此者不絕。若果以今人之史學眼光加以衡量，則此等無關歷史大局之記載，豈不認

為繁文瑣節，濫充篇幅乎！

繼馬遷，有班固作漢書。「斷代」為史，又中國史學一大進步。自古無不亡之王朝。後一代起，

為前一代作史，蓋棺論定，語無忌諱。而歷代新王，亦許其如此，是亦心知其子孫之不得永有其國

矣。此亦中國史學一特有精神所在。班書有李廣蘇建傳，實為李陵、蘇武合傳，上承馬遷魏其武安等

諸合傳來。同一時同一事，而參加之人不同，人與人之相比，是非高下，最易從此等處顯。李陵以八

千步卒當匈奴五萬騎，可謂不世出之將才矣。蘇武北海牧羊，事若平易。孔門以回、賜相比，又以

賜、商相比。彼人也，我亦人也，彼能是，我何為不能是。以事論，則海上牧羊與兩軍抗衡難易不能

相比。以人論，則李陵之與蘇武，一相比而確見其為兩人。中國史學偉大，亦正在此等處。

自唐杜佑作通典，於斷代史之外，又有「通史」。此又為中國史學一大進步。通典為書，即從馬、

班之「書」、「志」來，取材相同，用意大別。朝代易，而制度相承，此亦馬遷所謂「通古今之變」

也。孔子言：「如有用我者，吾其為東周乎。」又言三代因革，而曰：「其或繼周者，雖百世可知。」

孔子此意，為後代史學家所承襲。故治儒家言，必讀論語，又必讀馬、班、杜氏書。否則無以為通

儒，亦無以治史學。

南宋鄭樵繼杜佑作通志，擴大為二十略。又為中國史學一大進步。馬班之書重人，杜氏之書則重

事，然亦非一般人之所謂事。至鄭樵，則不啻欲為一部「文化史」，盡包一切人文而通之。然傳統重

人不重事之見解，固猶保守無失，亦可謂大而化之矣。清初顧炎武有日知錄，其書包容廣大，亦即史學。非寫史，乃論史，而亦寓有鄭樵意。「天下興亡，匹夫有責。」日知錄一書，亦足為天下興亡負責。亦可謂馬、班、杜、鄭之書，亦莫不為天下興亡負責。能知此意，乃能知中國之史學。施耐菴水滸傳，亦可謂師法馬遷。忠義堂一百零八位好漢，尤其是三十六天罡，性情各別，才智互異，而宋江獨不見有奇才異能之表現。其高踞忠義堂之首席，乃為沛公型，非項王型。一百八人外，先之以王進一人，神龍見首不見尾，亦遷書七十列傳以伯夷為首之遺意。但就中國人傳統心情言，讀其書，雖亦情節動人，終嫌其事出虛構，不真實。中國人喜腳踏實地，在實情實節上下工夫，此即中庸之所謂「誠」，孟子之所謂「有諸己之謂信」。空議論，假故事，中國人向不重視。金聖歎力讚此書，與莊周、屈原、司馬遷、杜甫之著作同稱為才子書。然莊、屈、馬、杜終不得僅目其人為才子。水滸傳亦終不列入為中國文學之正統。西廂記則僅兒女私情，更不能與水滸忠義堂相比，不待論。而聖歎之言，亦終不為此下學人所共認。此乃有關民族性情大綱，「自誠明，自明誠」，主要先在一「誠」字。而誠又須「合內外」。耐菴此書，縱謂其亦誠於心，但不能誠於事，所以亦終成為小說家言。

抑且耐菴此書，縱謂其能教亂世，但終亦不能教治世。傳之江湖山林，不能傳之廊廟官署。感於草莽，不能同感之於衣冠。其書成於元明之際，而明祚一統，其書終見不適。於是羅貫中卽繼之有三國演義之問世。全本三國實事，然為通俗，求取大眾愛好，則情節不得不有委曲。如曹操，兼擅政

治、軍事、文學，爲一時代傑出人物。而廣攬人才，尤爲難能。其善待關羽，更可見。荀或至晚年始離異。操之立意欲爲周文王，必待其子始受漢禪。但終諡爲武帝，其子丕乃諡文帝。即此小節，可見中國亂世亦與其他民族之亂世有不同，故廣土眾民，得緜延五千年不絕。試讀曹操之述志令，此亦見吾民族之傳統性情，惟誠僞有辨而已。杜甫詩「將軍魏武之子孫」，則操之爲人，唐代猶見尊。司馬光資治通鑑，亦仍以正統歸之魏。朱子通鑑綱目，始有魏蜀正統之爭。然朱子書法，自謂乃慕效曹操，則操之爲人，即就理學大儒言，亦尚不深嫉。三國演義出，曹操乃成一不足掛齒之亂世奸雄，一無是處，則又何以處曹操手下之羣才？諸葛亮一生謹愼，而演義中之諸葛，則綸巾羽扇，儼是神仙人物。其於魯肅、周瑜，又盡失其眞。當時三國之所以得成爲三國者，演義書中皆失之。而關羽則以演義一書出，社會羣尊爲武聖，其地位尚在岳武穆之上。然論三國眞史迹，關羽不能遵諸葛「東和吳、北拒魏」之外交大政方針，三國形勢起了大變動。此皆演義一書無當史實之大者。其實演義一書，亦承朱子爭魏蜀正統一意見來，與水滸傳同爲教忠教義之書，無失儒家大傳統。然中國人爲學，最貴在通。演義違背史實，亦終爲小說家言，宜亦不得列入文學之正統。

史學明與文學有別。然如司馬遷、班固、陳壽、范曄之書，中國治文學者所必誦習。曾國藩乃姚鼐古文辭類纂後，編爲經史百家雜鈔，則中國之經史百家，盡皆文學也。其爲聖哲畫像記，雖寥寥一短篇，然所列聖哲，則已盡包容了經史百家之學。而更要者，爲學必志於聖哲。曾國藩乃一文學家，其人則亦如曹操之政治、軍事、文學皆所兼擅。與諸葛亮、王守仁亦相類似。而曹操爲人與此三人

比，則判若天壤，絕不可以相提而並論。則中國史學之重人不重事，即此亦見其大義之所在。

子貢曰：「紂之不善，不如是之甚也。是以君子惡居下流，天下之惡皆歸焉。」此非爲紂申冤，乃重其上、下流之辨。故中國人之爲人爲學，主要在辨其高下，辨其誠僞，辨其流，亦必明其統。如讀水滸傳、三國演義，讀者之心亦每易趨於下流，不易登入上流，故亦終不得爲文學之正統。曹操爲人，亦易教人趨於下流，是以亦眾惡皆歸之。故中國人之爲人爲學，史學重事，文學則重在其能通俗大眾化，故小說戲劇乃成文學正統，而不知其弊。

今人則據西方人意見，史學爲一文學家，則可盡擯經史百家於不顧，鄙聖哲而不爲。人之爲學，雖固爲己，亦當爲人，爲後世，而豈僅逞其一人情趣之所好，而又爭惟此一人情趣之所好，而又爭惟此乃始爲正統？不以事論，而以心論，心即其爲人之主。中國人之爲人爲學，自亦有未可厚非之處矣。國人其以忠恕之道平心而思之。

然而中國史學，此下終當有所變。惟求變而當不失其大統。人才眾起，列傳一體勢難網羅，此一也。事態複雜，端緒繁，曲折多，馬班之書與志，杜佑之通典，鄭樵之二十略，皆難詳盡，此二也。已無朝代之更迭，寫史何始何終。是則中國舊史體例已不能守，如何成新史，此須有明天人之際，通古今之變，成一家之言者，創爲新例，有如司馬遷其人者出。或有三數人出，分工合作，以共創此新體，而已非一人之力之所能爲。此皆非當前之所能預知。然當會通羣學以創成爲新史學，仍當重人，又當重其人之性情，則舊史學之大統所在，宜當善守之而弗失。此則仍當揭舉以爲新史學之綱領與宗主，可無疑義。姑懸余言，企以望之。

二

余曾謂歷史記載人事，而事必出於人，故中國史重人尤重於其事。一美國史學家當面質詢，果使其人不爲歷史人物，則其事又豈得見於史？余答，此乃中西雙方歷史一大不同處。中國史籍中，更多非歷史人物，有超出於歷史人物之上者。此非細讀中國史，無以知之。

今姑舉一例，如近代平劇中有韓玉娘其人，乃載入明史及新元史，然實爲一不知姓名之女性。近人造爲平劇，乃姑以稱之爲韓玉娘而已。此人之不得爲歷史人物卽可見。中國史學此一端，當値深論。

卽如中國古史中之有巢氏、燧人氏，其人姓名，乃從無知者。西方史學稱石器時代、鐵器時代，誰始用石用鐵，則可不論，惟知其時代之爲石器時代、鐵器時代則已。中國人則不稱巢居時代、火食時代，而必特舉一人以爲此時代之創始，此卽中國史學重人尤更重於事之一證。

中國人論人，則必分好壞、善惡，卽「君子」「小人」賢奸之辨。善人君子賢人固得見於史，而小人奸惡亦得入史。如夏、商兩代，禹、湯固必詳，而桀、紂亦必及。其他帝王，或僅存其名，或並其名而不載。近代人重多數，其實一部美國史，開國以來兩百年，總統五十人皆有其名，其他姓字不

詳者何啻億萬倍。是西方史學亦重少數，惟賢奸之辨，西方人似不以爲意。

人分賢奸，斯事有褒貶。「褒貶」乃成中國史學之要綱。未有不分賢奸，不加褒貶之史學。史之褒貶，亦不始於孔子之作春秋。齊崔杼弒其君，齊史臣執筆直書，而見誅。其弟承襲史官位，又續書，又見誅。第三弟再續書，乃免。有史臣在野者，聞其事而來，則史筆已定矣。當時列國史官，由西周中央政府派任，其職世襲。周之東遷，天子聲威掃地以盡，而史官守職，執筆直書，置身家死生於度外，有如齊史之所爲者。其實齊君亦非崔杼親殺，而終必正其名曰「崔杼弒其君」。此乃中國傳統史學精神，亦可名之曰中國傳統民族精神。然當時史臣之具此精神者，已不多見，故孔子作春秋而曰「此天子之事也」。孔子非任史職，乃因魯舊史作爲春秋，褒則褒，貶則貶，游、夏不能贊一辭。此可謂由孔子之春秋而見中國之史學精神民族精神矣。但此亦孔子「述而不作，信而好古」之一端，而豈孔子之自我創造乎！

今試捨春秋而讀左傳，此乃集合當時兩百四十年列國中不知姓名之作者所記載，而彙以成書。而其人物之賢奸，人事之褒貶，亦已至詳具備矣。孔子當亦對此等材料，信而好之，承而述之而已。繼左傳又有國語，有戰國策，此等書皆不知出於誰何人之手而已。然而所載人物多無職無位，而賢奸褒貶，則既詳且備。其事則亦多無關於君國之大，此皆中國史學精神民族精神之隨時隨人而流露，爲並世其他民族所無有。近代國人讀之，則曰此乃封建社會事。如讀崔杼弒其君，則謂此乃專制政治下尊君觀念之表現。則試問何以在封建社會之上猶得有專制政治。近人必以西

方史學來治中國史，則恐終難理解矣。

西漢司馬遷作爲史記，乃取法於孔子之春秋，其記事多採之左傳、國語、國策諸書，而有取捨，又有增益，茲不論。姑論其載楚漢之際，乃及西漢開國後事，則所略而不備者多矣，而乃特載田橫其人與其事，此亦特見中國之史學精神民族精神處。至於漢之立國，是否爲一帝國，漢之爲政，是否爲帝王專制，此皆可據遷書而論定。今人則必依據西方史學觀念與成語來加之中國史，則遷書亦可束高閣矣。

余於中國史學重人物，既多論列，然猶有不盡於是者，試再加申論。

中國人死，骨肉埋於土，立一木爲神主，期死者魂氣之常駐。祭之拜之，孔子曰：「愼終追遠，民德歸厚矣。」木偶陪葬，孔子則曰：「始作俑者，其無後乎！」惡其薄生人以爲死人也。古埃及爲木乃伊，藏金字塔中，重得復生與否可不論，其屍其塔則歷千古而常在。希臘人雕石爲女形，藏之大建築雕刻長存，斯止矣。人生之安與其美則似轉不深求。中國之詩則曰：「窈窕淑女。」窈窕安於幽居，斯美矣，不在其體貌與宅第。此即中國重人、西方重事之又一證。

戰國策蘇代告孟嘗君，有土偶人、木偶人之喻。史記、說苑皆載之。堆土爲人，無傷土質，雨淋仍爲土，亦仍得堆爲人。雕木梗爲人，已傷木質，或遭打擊焚燒流蕩，此木梗將失所歸，亦將失其爲木梗。以歷史言，中國史如一土偶人，西洋史則如一木偶人。唐、虞、夏、商、周下及宋、元、明、清，朝代興亡，中國則仍爲一中國，中國人亦仍爲一中國人，故中國歷史乃有其「共同性」。西洋史

則惟見「分別性」，希臘各城邦，即各自分別。雅典人、斯巴達人即互不同。羅馬繼起，更有別於希臘人。現代國家興起，又更有異於羅馬人。尤如英、法、德、意，大小各國，亦各相異。中國史同為一塊泥土，西洋史則各別各成一條木梗。

中國人重在人羣中做人，再由人來做事。西洋人則在做事上來做人，在人羣中乃看重個人主義。孔子曰：「十室之邑，必有忠信如丘者焉，不如丘之好學也。」又曰：「若聖與仁則吾豈敢。」「我學不厭，而教不倦也。」學則學於人，教亦教於人。而所學所教，則即此人羣中相互共同所應有之忠信之德。老子亦曰：「既以為人己愈有，既以與人己愈多。」在人羣中做人，為人與人，而仍能己愈有己愈多，亦即見羣己之一體。西洋人重事，而他人則為之工具，為之奴役，或為之犧牲。工商業之發展，寧非如此？

即如宗教，教徒與教外人別，新舊教牧師與神父亦有別。政治嚴權位之別，社會嚴貧富之別。故西方有宗教戰爭，有民主革命，有有產階級與無產階級之分裂鬥爭。即如學術，科學、哲學、文學、美學，事業分，人亦別。牛頓與康德遠相異，莎士比亞與貝多芬大不同，人為事縛，乃不見有人類德性之大同。

至輓近世，學術益分益細，而史學與政治學兩項乃終不佔西方學術中之重要地位。政治家多從人事出，絕少從其專治政治學來。而史學則僅記往事，又若與當前實際人事無關。在中國學術界，則政治學史學正為一切學問中心主要兩項目。孔子即為其代表。中國人言學以成家，乃指其上有師承，下

有傳人，如一家之相承，仍指其共通性，與西方之個人各業別各成一專家大不同。故中國經、史、子、集四部之學，乃可由一人兼而通之。如北宋歐陽修，即其例。經史則其學，子集則以教，而治平大道則爲其總目標。故中國學與西方異，人則亦異，而史亦異。欲治中國史，不通其人其學，則一堆往事尚何意義價值之有。

人從天來，今從古來，故司馬遷作爲史記乃曰：「明天人之際，通古今之變。」西方宗教、科學、哲學亦若爲求通天人，西方社會學、法律學、經濟學、軍事學則亦若求通古今之變，但豈能囊括而無遺。故中國之史學乃爲「集大成」之學，而「人」爲之本。聖賢豪傑，亦即集爲人之大成。

中國人重爲人。惟有人，始有事。不成人，何成事。故中國人於事，每主退不主進。如孔子，甚爲魯哀公季孫氏所重視，苟能相與，和衷共濟，於魯國當時之政，必當有所成。但孔子之爲人則必將由此而有損，則其所成亦不能大。孔子退而去魯，遂完成孔子之爲人，而其影響及於後世，則有勝於歷史人物皆然，惟有其正反損益廣狹久暫之不同而已。讀西洋史，則當從其一事一事論，不得從一人論。亦可謂非知孔子，則無以知中國史。非知中國史，亦無以知孔子。其他堯、舜、文王、周公之上者。亦可謂非知孔子，則無以知中國史。周公起，孔子繼生繼起，此爲人。人存政舉，人亡政熄。亦可謂其人存其史舉，其人亡其史熄。惟治中國史，乃能明其義。近代國人羣慕西方事，盡鄙中國人。不幸而世界第三次大戰續發，核子武器逞威，一部中國史庶可獲我國人之重加反省，此誠無可奈何之事矣。

略論中國史學　三

一

易繫辭言：「夫易，開物成務，冒天下之道，如斯而已者也。」朱子註大學：「物，猶事也。」中國人每「事物」連言，物上必有事，事中必有物。如人生食、衣、住、行，食則五穀百蔬，雞魚豬羊。衣則蠶桑絲織，麻布棉裘。住則洞幕巢宅。行則車馬桴筏。豈不皆因物見事。卽至近代，電燈、電話、電腦，凡屬科學發明皆然。此卽易之所謂「開物成務」也。近代國人羣尊易爲一部哲學書，但易書中亦多言及科學。中國學術傳統，本無哲學、科學之分，卽易之一書而可見。

易繫辭又言：「是興神物，以前民用。」「神物」連言，天地亦神亦物，亦以供民用。是西方宗教，以易書言，亦與哲學、科學融成一體。繫辭又言：「見乃謂之象。形乃謂之器。制而用之謂之法。利用出入，民咸用之，謂之神。」神屬宗教信仰，然如易言，則電燈、電話、電腦皆可謂之神，則科

學豈不與宗教相通。《繫辭》又言：「形而上者謂之道，形而下者謂之器。」「道器」並言，亦屬一體。形

上、形下爲兩端，而形爲之中心。所謂「執其兩端，用其中於民」。捨其形，又何以見形而上之道。形

故言事則必言物，言器則必言道。猶之言天則必言地，言德則必言業。形上、形下，則必通而言之，

以見其爲一體，則哲學、科學豈不亦相通。近代國人乃以「形而上」三字譯西方之哲學。但如牛頓之

萬有引力，此乃西方科學上一大發明，亦卽形而下。萬有引力卽由形而下見形而

上。無此「萬有」，卽不見此「引力」。故引力卽屬形而上者，屬神。自中國人觀念言，亦科學、哲學、宗

教同可會通合一之一例。故在中國學術傳統中，無此三者之分門而別類。

近人又分自然與人文。子貢言：「夫子之文章，可得而聞也。夫子之言性與天道，不可得而聞。」

是孔子只言人文，不及自然。《論語》又言：「子不語怪力亂神。」神亦爲孔子所不言，是孔子亦不言及

宗教信仰。莊周道家喜言自然。《易》之爲書，則兼儒、道以爲言。莊周言：「指窮於爲薪，火傳也，不

知其盡也。」薪乃一物，屬形而下。天地萬物，變化無窮，卽在此無窮變化中見

道。火只是一燃燒，一作用，一業。薪能爲火，乃薪之性。則莊周此番話，可演繹成宗教、哲學、科

學三方面，而莊周則會通言之。

《繫辭》又言：「神以知來，知以藏往。」又以「神知」連言。但此「神」字，已非孔子所不語之神。

今人慕效西方，競言知識，實則知識僅以「藏往」。往乃已然之物。卽如電燈、電話、電腦，皆就已

然物中發現其性能，而加以利用，則科學知識亦僅藏往而已。人類使用電燈、電話、電腦後，其所影

響於人生者，則科學家亦不詳加計及。如核武器可以大量殺人，當前是否將有美蘇核武器大戰，則其事豈不亦爲美蘇人所不知。果使有核武器大戰，共產主義、資本主義究竟孰存孰毀，抑兩者俱滅，豈不仍爲全世界人類所不知。孔子曰：「其或繼周者，雖百世可知。」是孔子乃易繫辭所謂「知來」之神矣。

易繫辭又言：「蓍之德圓而神，卦之德方以知。」方靜而圓動。六十四卦，三百八十四爻，皆有形象。蓍則運用數字之變以爲占。數無定形，又易變，故蓍屬圓，卦屬方。中國人言「天圓地方」，然天地和合成爲一體。蓍動卦靜，非有卦，則蓍亦無所用，故「蓍」與「卦」亦和合成一體，則「神」與「知」亦當和成一體。非「藏往」之知，亦無以見「知來」之神。今亦可謂西方科學方以知，宗教則圓而神。苟以易道言，則宗教、科學豈不仍可和合成爲一體。而西方則此二者顯相分別，形成對立。

西方人重具體現實，故重於知，而忽於神。科學勿論，卽其哲學亦重知，不言神。所謂經驗主義，固重藏往。卽所謂理想主義，亦只在具體現實上提出一理想來求改造，而於其將來之演變，則仍所忽。故西方人重空間向外之擴大，不重時間向後之緜延。中國人言世界，「世」乃時間，「界」則空間，時、空和合爲一體。近代西方始有四度空間之說。卽言宗教，上帝、天堂、靈魂，實皆言空間，並不涵時間義，亦卽無變動義，只此一靜定之具體存在而已。故其宗教信仰，亦只是一種「方以知」，而非中國人所謂之「圓而神」。

西方哲學，古代柏拉圖言理想國，乃就當時現實情況加進其一番理想之改革。但此理想國實現，則當永遠是此一理想國，再不有變。近世如馬克斯之共產主義，亦就當前提出一理想。但此下亦永遠是一共產世界，再不有變。可見西方人之哲學思想，實一靜定性，不涵時間性。一如宗教上之上帝天堂，永只如此。

中國孔、孟、莊、老言道則必有「變」，但變中又必有「常」，有時間性之緜延乃可聯貫而成爲一傳統。中庸易傳則會通儒道而更有變，但仍不失其傳統。易繫辭所謂「化而裁之謂之變」，天地萬物只是一「化」，於此一化中加以裁割，乃見爲變。如人之自幼而老，同是一生命之化，加以裁割，乃見爲幼年、中年、老年。而西方人則謂幼年人、中年人、老年人，過份重視其分別性，不再注意其聯貫性、融通性、共同性，則有變而無化。故西方之宗教、科學、哲學，雖分別爲三大項，但有一共同精神，即各顧當前，不計將來。凡其觀念苟有成立，皆求不變。如上帝天堂，永是此上帝天堂。如柏拉圖思想，則永是一套柏拉圖思想。僅有變，則如亞里斯多德所謂「我愛吾師我尤愛眞理」。故亞里斯多德則另有一套思想，而不再是柏拉圖思想。當前科學發明如電腦、機器人、核子武器，各是一套。僅別有發明，則又是另一套。故西方科學、哲學雖多變，實亦一如宗教，皆求其不變。換言之，即不存有時間觀。即如文學中之小說戲劇，藝術中之雕刻繪畫，亦莫不然。每一成立，即是一永恒，即是一無變。故西方人好言變，即因其不知變。西方人言變，則必是另一套，無中國人之所謂化。化則同一存在，而有時間性。變則在同一存在中各自相異，其相互間無和

合無聯貫、無時間性。故西方獨無史學。西方史學之起，乃近代事。因史學最富時間性，雖歷變而仍

有其聯貫性，依然是一體。而西方人則缺此一觀念。中國史學之興起乃甚早，並最盛行。

易繫辭又言：

古者包犧氏之王天下也，仰則觀象於天，俯則觀法於地，觀鳥獸之文，與地之宜，近取諸身，

遠取諸物，於是始作八卦，以通神明之德，以類萬物之情。作結繩而爲罔罟，以佃以漁，蓋取

諸離。包犧氏沒，神農氏作。斷木爲耜，揉木爲耒，耒耨之利，以教天下，蓋取諸益。日中爲

市，致天下之民，聚天下之貨，交易而退，各得其所，蓋取諸噬嗑。神農氏沒，黃帝堯舜氏

作。通其變，使民不倦。神而化之，使民宜之。易窮則變，變則通，通則久。是以自天祐之，

吉無不利。黃帝堯舜垂衣裳而天下治，蓋取諸乾、坤。刳木爲舟，剡木爲楫，舟楫之利，以濟

不通，致遠以利天下，蓋取諸渙。服牛乘馬，引重致遠，以利天下，蓋取諸隨。重門擊柝，以

待暴客，蓋取諸豫。斷木爲杵，掘地爲臼，臼杵之利，萬民以濟，蓋取諸小過。弦木爲弧，剡

木爲矢，弧矢之利，以威天下，蓋取諸睽。上古穴居而野處。後世聖人易之以宮室，上棟下

宇，以待風雨，蓋取諸大壯。古之葬者，厚衣之以薪，葬之中野，不封不樹，喪期無數，後世

聖人易之以棺槨，蓋取諸大過。上古結繩而治，後世聖人易之以書契，百官以治，萬民以察，

蓋取諸夬。

繫辭此章，在論史學，而有甚深妙意，有待闡申。易繫言中國史始於包犧氏。而包犧氏之所得，即一套哲學，即今人之所謂「宇宙論」，而極近於宗教，又兼包科學。融通此哲學、宗教、科學三者，而開始有人類史。人類即處天地萬物中，不通於天地萬物，又何得有人類及其歷史。而自包犧氏以下，述中國歷史演進，又更偏重於科學一面，即上引所謂「開物成務，冒天下之道」也。而捨卻物與器，捨卻人生各事務，又何有所謂道。捨卻道，又何有歷史之演進。而述及黃帝、堯、舜，中國史已形成，有其不敗之基礎。而易繫所述，則依然仍在一套哲學觀念上。而此一套哲學觀念，又依然上通宗教，下通科學。此下述及其他之變，又依然詳於開物成務之科學方面。

二

其實先於易繫，已有戰國時之陰陽家言。陰陽家亦會通儒道兩家以為言。主「五德終始」，以堯舜三代歷史演進配合金、木、水、火、土五德之運行。此又中國古人會通宗教、哲學、科學三項以成其歷史觀念之一證。

下及西漢，司馬遷遂為中國此下史學所宗。其著史之意，自稱乃求「明天人之際，通古今之變」。

此兩語，亦可謂囊括中國史學大義而得其要矣。有「人道」，有「天道」。但人道不能違逆於天道，否則無以長存於天地間。人道乃自天道演出，明天人之際，即求明自然與人文、天道與人道之異同分際也。明天人之分際，乃可以通古今之變。縱有變，而仍有其不變者存，故曰「鑒古知今」。此爲中國史學之大綱領所在。

司馬遷史記，除本紀、世家、列傳及諸表外，尚有禮、樂、律、曆、天官、封禪、河渠、平準等八書。首爲禮書，「禮」即中國人會通天地萬物與人類和合爲一之一種具體表現，亦即宗教、科學、哲學之會通，而見之人生，融爲一體。大學一篇言格物、致知、誠意、正心、修身、齊家、治國、平天下八項目，其書亦收入小戴禮記中。此下凡史書無不言及禮。直至清代，有秦蕙田之五禮通考。此下治禮有得者，直至清末，不絕其人，故不通禮，無以明中國之文化，亦無以治中國史。但今國人慕效西化，言及中國古禮，不斥爲迷信，則歸之專制政治與封建社會之兩項。而傳統之禮，在今全國上下亦將掃地以盡。今日國人好言「大同」，此兩字見小戴禮記之禮運篇。非禮之運行，又何道得臻於大同。今日國人之所謂大同，乃指中國之全盤西化，盡廢中國史，以追隨西洋史，乃所謂「以進大同」也。然即觀當前世界形勢，其離大同之境，豈不過爲遼絕乎？

次爲樂書。中國「禮樂」合言。今日國人則謂禮以拘束人，樂則供人娛樂。則中國傳統乃以供人娛樂者來拘束人，其中涵義亦值深究。

次曰律書。樂必有律，五聲十二律是也。法律之律，即從此引伸而來。若禮即爲法，則中國法律

即從禮樂引伸而來。此一涵義,亦值深究。

次曰曆書。四時運行有其律,即曆也。政府注意明曆,本為民間農事,故曰「授民以時」。中國人之重時觀念,即為農業民族一特徵。而中國歷史上之一統,即表現在歷法之所謂「奉正朔」。有夏曆、殷曆、周曆,孔子曰:「行夏之時。」而孟子則尊孔子為「聖之時者」。孔子既言行夏之時,又言「乘殷之輅,服周之冕」,是孔子雖曰「述而不作,信而好古」,而古亦有變,所信所好亦有選擇。易繫言:「形而上者謂之道,形而下者謂之器。」輅與冕皆形而下之器。曆法既定,與人共知,此亦形而下。孔子又言:夏禮、殷禮、周禮各有損益可知,「其或繼周者,雖百世可知」。禮既定,使人共遵,此亦形而下,亦即器矣。惟器必在道之中,道亦必在器之中。同時即有其形而上,司馬遷所謂「明天人之道」也。故中國史學有其形而下,器、物、禮、法皆是。易繫所謂「開物成務,冒天下之際,通古今之變」則是矣。而孔子實已先之。司馬作史記,即承孔子作春秋來。而孔子作春秋,亦即承周公之制禮作樂來。治史即所以治道,明史亦即以明道,豈徒誦往事之謂史乎。

「時」之一字,極融通,極規律。治曆學必先通數學。易書有兩要項,一曰「象」,一曰「數」。繫辭所謂「蓍之德圓而神,卦之德方以知」,即象、數之別也。西方科學以數學為本。幾何學則為象,宋儒周濂溪易通書、太極圖說,偏重象。邵康節治易偏重數,乃以其數學來考定古史年代。其流如推背圖等,不得謂非夾雜以許多迷信,但數學與時間觀,其在中國文化傳統及史學中,極佔重要地位,此亦一證。

又次爲天官書。掌曆亦天官。政府中設天官，則宗教、科學豈不盡納入行政範圍內。史官亦屬天

官下。以中國古代行政機構，較之同時其他民族，誠可謂大巫之與小巫矣。

次則封禪。如登泰山，祭天地，則由天以及地，爲一國之大禮，即政治大統所在。此等制度，亦

有其用意。

又次爲河渠書。中國以農立國，故治水爲民族一大業。自大禹以來，歷代奉爲一大政。清初胡渭

之禹貢錐指，特舉其要略而已。此可見科學在中國行政系統中之地位。

最後曰平準書，則專關經濟。中國人非不知經濟之重要，而司馬遷列之八書之末，而以禮爲之

始，其義深長矣。

班固漢書易史記「八書」爲「十志」，曰曆法，曰禮樂，曰刑法，曰食貨，曰郊祀，曰天文，曰

五行，曰地理，曰溝洫，曰藝文。大意一本之史遷，而以曆法爲先，禮樂爲次。又改律書爲刑法，又

以食貨爲第四位，其皆不如遷書之寓義深遠。惟增地理、藝文兩志，則極爲重要，後世莫能廢。

此下二十五史有志與書，不詳論。而南宋鄭樵通志有二十略，則更爲詳備，尤見傑出。首爲氏族

略。中國乃一氏族社會，氏族觀念爲中國人生之大系統，文化之大本源，亦並世諸民族中最特異最傑

出之一端。近代國人惟慕西化，氏族觀念淪胥已盡，而五千年社會習俗，則仍有留存。求變求新，其

難如是，亦足深慨矣。

次曰六書略。中國文字與語言分歧。中國民族之可大可久，其文字亦有功。漢初以論語、孝經、

爾雅三書為小學必讀書。孝為氏族之本，爾雅為識字之要。東漢許慎為說文一書，其學術地位乃與鄭玄之括囊羣經相抗衡。鄭樵二十略，首舉氏族、六書兩略，可見其史識之深遠。今人又以西化為尚，重語言，輕文字，提倡白話，甚至唱廢止漢字，改為羅馬拼音，為不科學。然中國文字終亦仍存。鑒古可以知今，此乃中國史學中一絕大意義，五千年傳統，又豈能一旦廢絕。則誠中國一甚大悲劇矣。

第三略曰七音。余嘗謂中國科學藝術化，又謂道德亦藝術化。而「音」之一門，尤為中國藝術中之最上乘。鄭樵以七音繼氏族、六書為二十略中之最先三略，其史識深遠，更難闡尋。

其次為天文、地理、都邑，又次為禮為諡為器服，又次為樂。鄭樵以禮樂次天文、地理之後，與史遷用意又別。而禮之中有「器服」，則科學製造亦為禮，亦為道。又添「諡」之一目，更見中國禮之深意。孝乃私德，死而有諡，則為公道。諡「成」、「康」，或諡「幽」、「厲」，非繼統承嗣之君所能主。禮之有諡，即孔子春秋之有褒貶。韓愈言「誅奸諛於既死，發潛德之幽光」。史豈僅記載人事，亦即此可知。

其次為職官、選舉、刑法、食貨，皆政事之大者。更次則為藝文、校讎、圖譜、金石，皆為班氏藝文一志之展擴。北宋歐陽修為一史學大家，早於此三略特加注意。清儒之學，尤於此三略有發明。而圖譜一略，更屬重要。即如「家譜」一項，亦為中國史學一大流。次為災祥，承班氏五行志而來。天之變有其義，應其變亦有道。變屬天，應變屬人。即如當前有空氣污染、水污染，乃人文社會事，

豈專屬科學家事。而中國五行家言之屬於史學，則遠始戰國以來。若譏之爲迷信，則近代科學之發明核子武器，豈不更屬迷信之大乎？

最後爲昆蟲草木略。詩三百爲三千年前中國文學鼻祖，孔子亦言，讀詩可「多識鳥獸草木之名」。三千年來之中國文學，無不涉及鳥獸草木。鄭樵以此略爲二十略之殿，則中國史學之兼含並包天地萬物爲一體之義，亦於此見矣。西方則一蟲一草，皆由生物學家專精研究。晚清人提倡「中學爲體，西學爲用」，此亦有一番用意。果能以中學爲體，則如核子武器之類，當必歸入災祥一略。而科學亦當歸屬於中國之史學，亦卽可知。

中國人言「明體達用」，又曰「全體大用」。凡學皆以明其體而達之用。西方則凡學皆各自分裂以求用，故用與用必相爭，而還以傷其體。如史學則僅記往事，不見有大用，故不得與宗教、科學、哲學、文學諸項並列，最屬後起，又居次要。中西學術相異，史學則益顯。

自太史公河渠書之後，遂有如酈道元水經注之類。自班孟堅地理志之後，遂有郡縣志、寰宇記、各省、各縣志，乃至如無錫之梅里志之類。於是名山有志，如廬山志。古刹有志，如洛陽伽藍記及西林寺志之類。又名園有志，古墓有志，要塞軍衝有志，書院學校有志。以朝代分，則自然附見於人文。以方輿分，則人文附見於自然。至如史記世家之後有家譜、族譜。列傳之後有年譜。於時令則有荊楚歲時記之類。要之，中國歷史記載，於時間、空間、社會、人物四要項，分別以述，而無不可會通以求。操筆者非能人人抱有一套歷史哲學，而實有一套共同的歷史哲學，於不知不覺中流露。何以得

此，誠中國傳統文化之精妙所在，所當心領而神會者。

孟子言「知人論世」，中國人又常言「世道人心」。當知世道即本於人心，而人心亦必通於世道。

今人每以孔子與古希臘之蘇格拉底相比。希臘本未成一國，蘇格拉底僅居雅典一城市中，其心恐亦僅存一雅典。孔子生魯之曲阜，其時魯之立國則已歷五六百年之久。曲阜外，至少尚有費、郈、成三都。魯之外，尚有列國。孔子曾至齊，其後又去衛，又周遊陳、楚諸國。是則孔子心中，實有當時一天下，又存有堯、舜、禹、湯、文、武、周公、唐、虞、三代文化相承歷時兩千年一傳統。此兩人又烏得相比。或又以孔子與耶穌相比。然耶穌爲猶太人，猶太人之流離播遷則有年矣，其時則受羅馬之統治。耶穌生海濱一村落中，相與往來，漁夫牧人爲多，又豈得與孔子相擬。宋代理學家言「道體」。孔子當時，唐虞以來之中國，是卽一道體。孔子則生此道體中。若謂蘇格拉底與耶穌亦各自生於一道體中，又豈得與孔子所生之道體相比。所謂歷史哲學，卽在認識此道體，與此道體中所有之種種變。若謂蘇格拉底與耶穌亦各自生於一道體中，又豈得與孔子所生之道體相比。所謂歷史哲學，卽在認識此道體，與此道體中所有之種種變。

孔子之學，與此下中國之史學皆是。若依西方之所謂歷史哲學來尋究討論中國史，則宜其失之遠矣。

略論中國史學　四

一

歷史傳統中必有不斷之現代化，每一現代化亦必有其歷史傳統之存在。惟當前之現代化，則由西方傳統來。若依中國傳統，則不致有今日之現代化。今日國人乃謂中國傳統為舊，當前之現代化為新，羣相喜新而厭舊。不知中國歷史中已早多現代之新。如國民兵役制，西方起於近代之普魯士，而中國則自古已然。秦漢統一，依然不變。唐代之府兵制，明代之衛所制，皆由此來。故國民兵役，西方乃一新，而在中國則一舊。

又如自由工商業演成資本主義，在西方現代是一新。而西漢時代之鹽鐵政策，則為抑制此一發展而起。或以比之西方近代普魯士之國家經濟政策，則豈不又是西方一新，乃為中國之一舊。

又如共產主義，亦西方現代之一新，但在中國古代有井田制，農民由公家授田，老而還之公家。

百工皆由公家授廩，商人亦然。則中國古代早以無產階級奉行公產制度。較之西方，乃若新而又新。

又如民主選舉，乃西方現代之一新。但中國西漢已有賢良方正孝廉之選，東漢加以考試，魏晉以下仍有九品中正司其選，隋唐以下乃定爲科舉考試。孫中山先生欲用傳統之考試權代替西方之選舉，是選舉在西方爲一新，在中國又爲一舊。

又如科學。戰國初，墨翟爲木鳶飛空，三日不返。三國時，諸葛亮創爲木牛流馬。豈不又是西方之新，乃爲中國之舊。又如屍體解剖，新莽時代已有之。道家有鉛汞之術，流爲西方之化學。亦皆西方之新，乃中國之舊之一例。又若火藥砲彈，在中國宋代已先有之。其他之例，見於現代英國李約瑟所著中國科學史一書中者，不勝舉。

又如遠洋交通。明代中國人到非洲，尚在西方人之前。或傳中國僧人到美洲新大陸，則更在前期，則並不知有國。故中國之舊，有禮有法。西方之新，則僅有法而無禮。中國之舊，有仁、義、禮、智、信五常。西方之新，則僅有宗教之信。亦有禮，僅對上帝。中國人之信與禮，則對全社會，全人類。西方人對國際，無信而有禮，但其禮則爲軍禮。中國對國際交往，則仍爲衣冠拜跪日常人生之禮。

又西方人言自由？國人羣認爲乃一大可喜之新。然中國之舊，「將在外，君命有所不受」，豈非一大自由，麥克阿瑟統軍在韓，奉總統命不得派飛機炸鴨綠江大橋，卒以總統命以一老兵退回美國，而

板門店和約遂定。又中國「有斷頭將軍，無降將軍」，豈可謂中國軍人一大不自由。西方軍隊可以數十萬人集體投降。拿破崙一世之雄，乃亦兩次投降。又豈得謂西方軍人一大自由。孰榮孰辱，孰高孰下，則必有明辨之者。

以上聊舉數例，以見中國舊歷史，乃有更新於當前之現代化者，可見新舊觀念之不可拘泥。昨日之新，乃成今日之舊。嬰孩之新，乃成耄老之舊。則是先有新，乃有舊。中國人言「原始反終」。「始」是過去，是一舊。「終」是後來，是一新。但終必隨其始，乃成其為終。新必依於舊，乃成其為新。苟無始，何有終？苟非舊，何來新？惟始終一貫，新舊一體，故曰：「原始反終」。往前則必原其始，後顧則必反其終，此之謂相反而相成。抑又有終在先而始在後者，故原秦、漢之始，必反之戰國之終。原當前美、蘇對立之始，必反於往年英、法鼎盛之終。豈不新必由舊來，而仍必成為舊。此之謂「循環往復」。死生存亡，亦卽其例。今國人一意喜新厭舊，則是厭其生而喜其死，厭其存而喜其亡矣。此豈人情之常乎？有明日之未來，始見今日之可喜。有耄老之未來，乃見嬰孩之可喜。惟能立有舊，始有新可達。當前之現代化，則僅知求變求新，究不知明日之將為何日，則又何今日之可喜。

中國人言史，鑒古而知今。能掌握有傳統，始能有現代化。緜亙五千年，其為一廣土眾民大一統之民族國家，乃由其有不斷之現代化而來。如唐、虞、三代之化為秦、漢、隋、唐以迄今是已。西方史，希臘變而為羅馬，又變而為中古時期，又變而為現代國家，而有英、法之鼎盛，又變而成當前

美、蘇之對立。以無傳統爲傳統，有新而無舊，則明日又烏得有此美、蘇之常相對立。鑒於西方之古，可知今日西方之新之不可常。可喜抑可厭？惟其可厭，乃不可常。

今人又言，歷史不可變。則西方此下當常爲一部可厭之歷史。中國此下當仍爲一部可喜的歷史。

余之對中國前途抱樂觀，對當前世局抱悲觀者，亦在此。中國史可喜何在？西方史可厭何在？則在讀其史而知。再言之，就中國人立場，當由中國之舊傳統而現代化，不應廢棄舊傳統，而慕效爲西方之現代化。不當喜新厭舊，而當由己之舊而達於新，乃始得之。司馬遷言：「明天人之際，通古今之變，成一家之言。」此當會通政治、制度、社會、經濟、文教、武備、科學、藝術一切以「明變」，又當會通宗教、哲學、天文、地理、史學、生物諸端以「求通」。此非專家一人之爲家，乃有古今承襲得其傳統以生以長之爲家。中國之史學正在此。而豈僅載既往，得卽成爲史學乎！

當前而求現代化，則當安於弱小，不爭強大。德國第一次大戰失敗，舉國好讀老子書。使眞能遵老子，不出有希特勒，歐洲其他各國相互間仍當有爭，仍可有第二次大戰，而德國或可避其衝，不作禍害之首，轉臻強大之運。當前強大者，儻盡能以七十年來之德國爲戒，則世界亦宜可漸趨於和平。

國如此，人亦然。莊周爲宋漆園吏，其友惠施爲梁相。楚亦聘莊周爲相。莊周言，龜骨藏於宗廟爲國寶，不如生而曳尾於塗中。遂拒不赴。但既得爲龜，生雖曳塗中，歷千年而死，其骨仍必藏宗廟爲國寶。莊周至今豈不仍爲中國一國寶乎？老子更沉淪，並其身世而不詳，但至今亦爲一國寶。莊、老之道，中國人雖未認爲乃人生之至道，僅爲人生處亂世之道，而其道則常存。故中國人尊孔、

孟，亦尊莊、老。西方無孔、孟，亦無莊、老，故治必終於亂，亂則不能復返於治。比讀中西史自知。故欲保全中國舊傳統，而求其現代化，不能遵孔、孟，亦當遵莊、老。則國必求弱小，人必求隱退，以暫避現代之亂，期待再一現代之來臨。此即中國人所謂之「樂天而知命」。命可轉，天不可轉。

天有常，而命則無常。故惟中國史，乃能昭示天命天運，而與人以共知。西方史則凱撒事凱撒管，非上帝所得問。故一部中國史，乃由人代天。而一部西洋史，乃以人爭天。此其異。

茲舉一小節言之，西方人愛狗，中國人則重羊。馬、牛、羊、雞、犬、豕稱六畜，羊在上列之三，而中國人尤重馬。乾象龍，坤象馬，中國以龍馬並稱。治禮、軍禮、祭禮皆重馬，不稱其力。中國人歷代養馬，可寫一長篇考證文。牛更耕稼所需，而羊則一無用之畜。然中國文字，美字、善字、義字、祥字皆從羊。犬則在下列之二，猶次於雞。如言雞鳴犬吠，鷄犬不寧，鷄必在前。

詩云：「風雨如晦，雞鳴不已。」祖逖有聞雞起舞之故事。雞司晨，從睡夢中喚醒人，不啻師教之木鐸。犬雖多能，能守門戶，能助狩獵，但供使用，故中國人重雞尤更重於犬。俗則豬狗連稱，如豬狗眾生，豬狗不如，狗更在豬後。中國「羣」字從羊，「獨」字從犬。羊能羣，犬則否。即此一別，更見中國國民性愛好之所注。

至於飛禽走獸，中國人好鳳凰麒麟。至如山中獅虎，天上鷹隼，則非愛好所及。中國人主言性，性乃天地萬物之一種自然動向，觀其所愛，亦可見其性之所向矣。

尤如草木植物，中國人愛梅、蘭、竹、菊，又好松、柏、梧桐，皆可見性。更如院庭布置，林園

部署，一水一石，一樹一草，薈異爲同，集眾成一，更見中國人之政治長才與處羣特優之天性。凡此諸小節，皆有傳統。今日國人則一變故常，小之如家家知養狗，大之如經營觀光區與開闢公園動物園，皆追步西化模式，不知傳統情義所在。然積數千年之習性，豈能一旦驟變。其心不見內在所愛好，則亦無安樂可言矣。

又如賭博。中國流行麻雀牌，西方則有撲克牌。玩麻雀牌只求手中持牌得和即勝。撲克牌則不問手中所持，專尚出奇制勝。此尤中西雙方人性不同一顯例。豈得謂麻雀乃落後，撲克始前進，必使國人盡廢麻雀改玩撲克，始爲中國之現代化。此屬小節，宜可置之不論。即如今日國人各種運動，已盡趨西化，然猶尚有舞龍、舞獅、走高蹻與踢毽子、放風箏等流行。惟以此較之西方，一則可資比賽，一則僅供娛樂，此亦雙方心性傳統之異。乃吾國人心胸寬大，不再一一加以苛責。嚴其大，恕其小，斯又吾國人美好心習之一傳統也。又豈必盡求其現代化。往古舊習，能保則保，國人賢達，固早知之矣。今亦當謂「好古念舊」之心，亦人皆有之。無他，達之而已矣。前途希望其亦在此乎，其不在此乎？余日望之矣。

孟子曰惻隱、羞惡、辭讓、是非之心，人皆有之。

近代國人好言現代化，卻似不好言傳統。因現代化實指西化，而傳統則仍陷在守舊中。惟西方人亦未嘗不尊傳統。

二

姑以民族情感言，民族即一大傳統。美國人多自英倫三島移來，積兩百年之久，激於賦稅問題，奮起獨立，不復認英倫爲祖國。然美國門羅主義，僅求南北美和平相安，不願問外面世界事，避不與英帝國有衝突，此即其深存有民族情感之一種表現。及第一次世界大戰，本屬西歐德、意與英、法相抗，美國儘可處身事外，但法國巴黎淪沒，國將不國，而英國亦岌岌可危，美國拔刀相助，雖其與德國亦有幾許爭端可言，其實是沉深之民族情感，乃爲其投入戰場之主因。

及戰事勝利，凡爾塞和談，英、法仍以主人自居。美總統威爾遜離席歸來，西歐事一任英、法主張，置而不問。不久第二次大戰繼起。美國在太平洋已因珍珠港偷襲與日本興起大戰，歐西戰役大可不再挿手。然而巴黎陷落，英倫告急，美國終於派兵前去。艾森豪所負責任，若更重於麥克阿瑟。此抗，美、英間一分深厚之民族情感，不致有此。

及戰事平息，美國人對西歐繼續經濟援助，亦巨大驚人。可知美國人在其內心深處，實永不忘其

祖先之來自英倫。親英，遂亦連帶親及西歐。西歐之在美國人心中，世界其他各地乃遠不能相比。此無他，惟民族情感一念可作解釋。卽英國人之對美國，亦何獨不然。最近十幾年來蘇俄海空軍及核子力量急起直追，已將凌駕美國之上，而國際間美、蘇爭端，英必站在美之一邊，亦惟民族情感一辭可作最恰當最深入之解釋。

此所謂民族情感，不僅英、美，不僅西歐有之。卽如猶太人，分散各地，從未建立一國家，直至第二次大戰後，西歐人始爲建立一以色列。此幾十年來，全世界猶太人乃無不奉之爲祖國，愛護無微不至。美國有猶太人三百六十萬，其來美國，多在以色列建國前，有三四百年之久。有足跡未履以色列國土一步者。乃其身在美國，心向以色列。憑其財力可以影響總統選舉，美國人不得不重視。於是美國遂爲以色列一不叛不變之盟友。除英國外，以色列常在美國人心中，不易捨棄。此亦惟猶太人之民族情感一語可解釋之。

阿拉伯人亦何嘗不有其傳統民族心情，惟局勢不利，乃若隱若現，不甚顯著。今突以石油力量，而其民族情感乃趨發揚。卽如兩伊戰爭，伊朗乃波斯後裔，伊拉克乃突厥後裔，亦有民族間之潛在界線。然則全世界一切紛爭，一切事變，民族情感爲之作主要原動力，逐時逐地，可資舉例，不煩詳及。而民族情感則顯爲各民族一大傳統，則更無疑義。故傳統可以現代化，而現代化則終不能脫離傳統，此乃事實，可資深論，卻無可否認。

民族傳統之外，又有語言傳統，可以連帶述及。歐洲文化，最先必溯源於希臘。羅馬人起，希臘

人轉爲奴，但羅馬人仍多奉之爲師。惟拉丁語代希臘語而起。語言傳統同時卽代表民族傳統，此亦極自然而又無可奈何之事。北方蠻族入侵，羅馬帝國覆亡，語言乃亦隨而變。雖同奉耶教，各地羣以自己方言翻譯其經典，於是德、意、法、英各國語，遂代替了拉丁語。今日歐洲之不能融和凝成爲一國，則語言紛歧爲其一主因。語言又非歷史一大傳統而何？

但民族傳統，終偏在自然方面。語言傳統亦然。不出數百里之遠，數百年之久，而語言必變。但語言乃由人文化成，故語言屬自然，亦屬人文。西方文字追隨語言，未能超然而獨立，故其文化之里程亦短而暫。獨中國文字其人文化之里程乃特遠，故中國民族乃能廣大悠久，日進無疆。論其傳統，乃與西方特異。近人謂中國人重傳統，不知西方亦重傳統，惟其爲自然所限，乃若與中國有異耳。

中國人於語言文字，特重「雅俗」之分。俗卽限於地，限於時。而雅則不爲其所限。西方人好言「變」，時地異則必變。而中國人則好言「常」，必超於時地而有常。非不有變，而其常尤超於變之上。故知常可知變，但僅知變則不定能知常。有變而無常，今日不知明日，此地不知彼地，則人道大同又何由而立。中國人好言「通常」，通於地，通於時，斯知常矣。故通常乃人生之大道，中國人好言「通常日用」，斯見中國人生觀之特爲廣大而悠久矣。

中國古人言：「書不盡言，言不盡意。」斯又見中國文化傳統之特深特異處。西方人則適相反，似乎必求書盡言，言盡意，姑不論其可盡與否。而連帶以起之其他變化，則有需深加討論者。

中國人主書不盡言，言不盡意，故其著之文字，出之語言，僅略道己意而止。其未盡者，則待讀吾書聽吾言者之自加體會。其贊成與反對，亦待其自加判定。即師弟子之間亦然。故言「教」每言「化」，此待聞我教者之自加體會。如陽光甘露，萬物化生。教者則如春風，學者乃如桃李。桃李在春風中自化，非春風能化出桃李來。孔子曰：「學而時習之，不亦悅乎。」此待學者聽我言而自修自習，自問己心悅乎不悅，非孔子所能強。至於何以學而時習能悅，則孔子言所不盡。不如西方人必言盡己意，以強人之信。於是乃若言者為至上，聽者為至下。聞師言而不盡信，則惟有曰「我愛吾師，我尤愛真理」矣。在言者，一若真理已盡，無可疑，無可辨。在聽者，惟有自求一新。哲學思想乃亦務於變，務於創，而無傳統可言。在中國則言不盡意，書不盡言。尚待他人以及後生之續加思討，續加論辨，而遂成一傳統。此在西方為「個人主義」，而在中國則為「大羣主義」，即此一端已可見。

然如柏拉圖理想國一書所主張，後代歐洲人雖絕未接受，但亦有其傳統可尋。一曰重職業。二曰重商重軍，「富強」二字，為立國之大本。此兩者，豈不為西方之思想傳統。

中國文化傳統中有「士」，而西方無之。中國之士曰「志於道」，不志於業。而西方哲學家如柏拉圖乃可謂其志於政，乃有「哲人王」之想。但非凡哲學家皆盡然。耶教後起，乃始離於政而傳道。然教士亦仍是一職業。西方有大學，肇於教會。大學初興分四科，一曰神學，二曰辯證學，不信者則仗辯證說服之。三曰法律，四曰醫學，律師、醫生亦各自一職業，惟為己亦以為人。此下大學變而有文學院、理學院等。大學教授盡成一職業。西方政教分，大學教授亦鮮有志於政人。

治，理亂不問，黜陟不知，職業在此，生活亦在此，而文化大傳統亦只在此各人之職業與生活上。

政治、宗教、科學，各成職業。惟謀生要途則在商，立國大本則賴軍。西方文化傳統，大體言之，乃

如是。

中國士人志於道，故曰：「恥惡衣惡食者，未足與議也。」故雖亦志於政，而有進有退，有出有

處，有仕有隱。不爲君而爲師，而師道猶在君道之上，道統則猶在政統之上。此爲西方觀念之所無。

老子曰：「太上不知有之，其次親而譽之，其次畏之，其次侮之。」老子言政治乃如此。豈如柏拉圖

理想國，縷舉詳陳，連篇累牘之所指。老子又曰：「信不足，有不信。猶兮其貴言。」爲政者高高在

上，而在下又有不信，豈言辭之所能爲功乎。中國人看重對方地位，不以言辭強人必信，不僅政治如

此，卽教育亦如此。故孔子曰：「學而時習之，不亦悅乎。」自述己意止此，其另一半則待他人自加

體驗，自加判定。故次之曰：「有朋自遠方來，不亦樂乎。」我心所存，獲得他人同驗同認，此誠一

大樂事。然曰諸朋，則師弟子乃屬平等。自遠方來，非強之來，故曰：「有來學，無往教。」然來者

亦未必盡體認如我，則曰：「人不知而不慍，不亦君子乎。」老子則曰：「知我者稀，斯在我者貴。」

豈強人以必知。

中國人「書不盡言，言不盡意」之要旨乃在此。孔子曰：「自古皆有死，民無信不立。」上一句

「自古皆有死」五字已足，不煩如西方人之三段論法，必曰：「人必有死，蘇格拉底是人，蘇格拉底

亦當死。」下兩語之意，其實已在上一語中。人有不信，則亦任之，以徐待其信，何必要增此下兩語，

以強人之必信。至於孔子「民無信不立」五字，此中儘有深義，儘待發揮，然孔子亦僅五字自述己意即已。孔子曰：「後生可畏，焉知來者之不如今。」亦當知對方可畏，焉知聽吾言者之決不如我，而必喋喋以盡言，視對方如一至愚乎。如是則轉不易使聽者親之譽之，轉而畏之侮之，則奈何。爲教然，爲政尤然。中國政治上，言者在下，讀歷朝名臣奏議可見。在上則少言，讀歷朝帝皇詔令可見。爲政治最高領袖最戒多言。近代西方民主政治，總統競選，奔走道路，有如是之多言，豈不轉使人侮之。

中國人言商，則曰「貨眞價實」，「童叟無欺」。又曰「信義通四海」。信不信在購者。在己則當在貨上價上，求眞求實，求信求義，何待廣告，何待宣傳，跡似欺人。今之爲政亦務廣告宣傳，所謂民主，亦商業化，則又何信之立。

政治如此，學術亦然，宗教信仰亦然。若果此宇宙間眞有一上帝，老子言「太上不知有之」，中國人若不知有上帝，斯爲最高最善矣。耶教之上帝，使人親之譽之。回教亦有上帝，乃使人畏之。穆罕默德一手持可蘭經，一手持刀，不信者死，豈不使人畏之。回教流傳，終不如耶教之廣。耶穌上十字架，而轉增耶教之流傳，但豈如中國之「不知有之」乎！

以中華民族較之西方，顯見爲中華民族乃一和平柔順之民族。蘇格拉底在雅典下獄死，耶穌在羅馬十字架上釘死，此兩人講學傳道，亦惟少數人相從，未見有犯法違紀之事，然皆陷死於死。故爭取思想自由，乃成西方一傳統。在中國則絕無此等事。周武王伐紂，伯夷叔齊叩馬而諫，周武王謂其乃義

士而釋之。周有天下，而伯夷叔齊恥食周粟，餓死首陽之山。此乃伯夷叔齊之自由，非周王室逼之如此。而孔子尊之爲「仁」，孟子尊之爲「聖」。孔、孟亦尚在周代，不聞其反周武王，而尊伯夷、叔齊有如此。後世亦永尊之，亦可謂乃尊二人思想行爲之獲得其高度之自由而已。

孔子在魯以一平民擢用爲大司寇，在政府中踞高位，僅次於三家。然孔子棄官而去之他國，周遊天下，備受崇敬。其欲殺之者，惟宋司馬桓魋一人。實則如衞、如陳、如楚，皆非能用孔子，而敬禮之不衰。孔子周遊不得志，而魯之君臣終敬禮迎歸，老死於魯。果使孔子而生於雅典、羅馬，其得罪獲辜，恐當不亞於蘇格拉底與耶穌。一尚禮，一尚法，此又中西政治傳統相異之一徵。

秦始皇焚書，如伏生之徒，皆得歸隱。坑士乃坑方士，然後世永詈秦始皇爲暴君。漢廷儒臣勸漢帝當讓位被殺，然繼起言者不已，漢終讓位於王莽。此可證思想自由之在中國，早有傳統，但不盡如西方之言自由而已。

西方人好爭成功，但成功之後，卽繼之以失敗。全部西洋史盡如此。中國人不爭成功，但求不失敗。爭成功必裏聚羣力，而被裏聚者喪其自由，故爭自由乃爲西方一大傳統。卽如商業，勞工裏聚始成資本主義。勞工被裏聚則起而爭集體罷工，成爲近代西方一大潮流。中國人求不失敗，但家國天下不能無盛衰興亡，乃先求個人之不失敗。伯夷、叔齊之餓死首陽山，此非失敗，乃成功。孔子稱之曰「求仁而得仁」，求之而得，非成功乎！孔子曰：「道之不行，已知之矣。不仕無義。」孔子周遊求仕，乃孔子之自由，亦卽孔子之成功。道不行，則非孔子之失敗，故曰「殺身成仁，捨生取義」。殺身捨

生非失敗，成仁取義則其成功。全部中國史，乃一部成功史，在個人則成聖成賢，爲孝子，爲忠臣。在大羣則五千年來成爲一廣土眾民大一統之民族國家，至今而仍屹立在天壤間，舉世無與匹。此即其成功矣。

楚、漢相爭，項王兵敗於垓下，單騎突圍至烏江亭下。亭長艤船待，促速渡。項王曰：我率江東八千子弟渡江而西，今一人回，何以見江東父老。聞漢軍懸賞得我頭，今以贈君，可持往取賞，遂自刎。項王年尚壯，渡江東回，焉知不能負隅再起。然項王求成功之心，終不勝其媿慚失敗之心爲大。持我頭往領獎，臨終慷慨，此情此義，亦可長在天地間，獲後世之同情矣。此亦一成功，非失敗。

田橫亡齊，流落海島，從者五百人。漢祖召之，曰，橫來非王卽侯，不來當派兵圍剿。橫應召至洛陽漢王所在前一驛，告其隨客兩人，曰：我與漢祖同起兵爲王，何面目以一荒島亡人往見。遂自刎，命兩人持頭往。島上五百人聞之，皆自刎。田橫英名乃垂百世，長爲吾中華民族一人物。此亦一成功，非失敗。

諸葛亮高臥隆中，苟全性命於亂世，不求聞達於諸侯。及劉先主草廬三顧，遂許以馳驅。及輔後主，鞠躬盡瘁，死而後已。以視曹操、司馬懿、魏、晉開國，其榮何啻百倍。此亦一成功，非失敗。故知中華民族不爭成功，而常能於失敗中得大成功。史籍昭彰，難以縷舉。卽如關、岳，尊爲武聖，豈不俱在失敗中得大成功。失敗在一時一事，成功則在此心此道，可以歷萬刼而長存，經百世而益彰。故似西方歷史多成功人物，中國歷史多失敗人物。然成功則終歸於失敗，失敗乃常保其成功。此

又雙方歷史傳統一大不同之點。

惟其求成功，故常務進取。務進取者必犧牲當前，以企圖將來。將來復將來，犧牲又犧牲，乃永不見有成功，此乃一種「功利觀」使然。能勿失敗，保之益謹，守之益堅，只辨是非，不論得失，則為一種「道義觀」。故尚進取則每蔑古，尚退守則每尊古。蔑古則使後亦尊今，尊古則使後亦尊今。蔑其前，斯求變。尊其舊，斯求守。即如今美國，建國僅兩百年，其先十三州，今至五十州。其先尚以門羅主義自守，今則一躍而為世界之元首，舉世事無不聞問。富益求富，強益求強。進取愈進取，如駿馬千里，乃不知稅駕之所在。中國則如一匹駑馬，五千年治亂相乘，乃已不啻十駕，而尚得緩步向前。各有其傳統，亦各有其得失，而豈有是非之可定。

今日國人好言現代化，憎言傳統。所謂現代化，乃指西化言。其實西方亦自有其傳統，而中國歷史亦各有其現代化。孔子曰：「殷因於夏禮，所損益可知也。周因於殷禮，所損益可知也。其或繼周者，雖百世可知也。」其言「因」言「繼」，即言其「傳統」。其言「損益」，即其當時之「現代化」。孔子已早知必有繼周而起者，但又知其仍必因於周，而亦不能無損益，何嘗非當時之現代化。所「因」多，則「傳統」強，而能常。如兩漢、如唐、如宋、如明是也。其間如五胡、如北魏、如遼、如金、如元、如清，「因」於中國者多，則能有常。「因」於中國者，雖「因」少，則「傳統」弱，而不能常。如秦、如新、如三國、魏晉以下如隋、如五代，皆是也。所「因」於中國

者少，則無常。至其所損益，亦一依其所因之當否而定其得失高下。善治史者，自能知之。

至言學術思想，孔子亦有所因，有損益。故孟子曰：「孔子聖之時者也。」孔子乃上承周公而現代化。孟子曰：「乃吾所願，則學孔子。」孟子亦上承孔子而現代化。荀子亦然。而孟子與荀子之所損益於孔子者則各不同，而孟、荀之高下得失亦於是判。兩漢以下，中國全部儒學史，無不如此。同因於孔子，同有其損益而現代化。故吾中華民族綿延五千年來之歷史，乃所謂人文化成。或可謂神農、黃帝、堯、舜、禹、湯、文、武、周公、孔子創之，而吾五千年之國人則因而損益之。今則欲盡棄故常，一掃而空以爲損，一因西方以爲益。則西方傳統縱其盡善盡美，亦恐無以益於此一空之我矣。其然，豈不然乎？

（以上四篇，原題名中國史學略論刊一九八四年春季故宮學術季刊第一卷第三期。）

略論中國考古學

一

近代國人率以「好古守舊」自譴，認爲乃吾民族一大病痛。然知古始能好，保舊始能守，不知不保，又何好何守？乃自來中國學問中，獨無「考古學」一門。論語人人必讀，孔林則可到可不到。西化東漸，始知西方有考古學，有考古專家。一時驚動欣羨，於是近代中國乃有考古學之崛起。

中國人觀念，「古今」一體。苟無古，何有今。今已來，而古未去，仍在今中。好古實即爲好今。「新舊」亦然。如人之暮年，幼齡之生仍未去，幼齡仍在暮年中。人之老，懷念其幼生而好之，此亦人生之好古守舊，又何責備之有。愛其暮年遂亦愛其幼齡，愛其幼齡亦將愛其暮年。果謂幼齡已失，暮年已到，此語膚淺，未切實情。中國人重生命，重時間，古今新舊一體視之，不嚴加分別。西方人則重空間，重外物，生命無常，轉不如外物之可久。如古埃及之金字塔，迄今歷三千年無變。而埃及

人之生命，則可謂已經百變而非舊。故在埃及，實非埃及人之可貴，乃此金字塔之可貴。其他各地亦

然。故西方人重物不重人，考古之學亦僅考其物，非考其人。人則求新求變，無古之足貴。即如埃及

之木乃伊，亦謂人死，其靈魂他年當重歸此身復活，故設法保留此身，使能不腐。則無怪西方人重其

身，乃更過於其人之生命矣。

中國人則不然。堯讓天下於舜而死，舜未嘗爲堯築大墓傳萬世，蓋堯之生命猶有不死者在，即其

生前之「讓德」是矣。舜心不能忘堯，亦讓天下於禹，斯亦舜之好古守舊。禹得舜禪，亦不欲傳位其

子，而讓之益。然天下民眾則記念禹之治水大德不能忘，乃擁戴其子啟居天子位。依中國人觀念，其

父死其生命則仍傳之子，愛戴其子，即猶愛戴其父。然則堯之死，天下民眾何以不愛戴堯之子，而愛

戴舜。蓋其時洪水未平，堯之用舜，即用以治水，舜又能用禹以治水，則愛舜即猶愛堯，亦即以愛天

下民眾之生命。堯、舜之爲大聖，有此讓德，亦惟其愛天下民眾之生命，乃遠勝於其子之獲爲天子，

乃以成其讓。故明其心，斯可明其人與事之內情矣。

埃及金字塔耗費多少人力，經歷多少歲月。塔之成，而埃及則隨之以衰亡。堯、舜、禹三代，耗

費人力亦甚鉅，經歷歲月則有限。而中國人從此遂得安其居，樂其生，逾四千年以迄於今。堯、舜、

禹功德之大，而其墳墓則不傳。然則中國人所好之古，所守之舊，則在其人之大德。自尙書迄於司馬

遷之史記，以及先秦諸子百家之言及其事者，亦可謂既詳且備，此即中國之考古學。惟所考，重人不

重物，則與西方有不同，如是而已。

堯、舜、禹三人所重，只一事，曰治水。而其事則永傳千古。後世不斷有治水，試讀清儒胡渭所著禹貢錐指一書，可知其略矣。乃晚清之季，康有為始創託古改制之論，謂堯、舜、禹古代之事，皆孔子儒家託古偽造，以便於求改當時之政制。於是顧頡剛繼之有古史辨，謂禹乃一大蟲，其事盡屬神話。一時轟傳，是為中國新起之考古學。然而治水一事，則後世有之，不得謂古人無有。今人力主求變求新，惟治水乃古人已有之事，後世皆有水患，不得謂堯、舜、禹之治水一事，眼前昭彰。豈李冰父子之治水，乃變乃新，無古可考？則中國人實另有一套考古學，亦即此可見矣。

中國近代考古學之盛起，則莫過於安陽殷契龜甲文之發掘。一時羣認非治龜甲，即無以治古史。然經王國維考訂，則湯以前商代歷世君主其名字已具詳於司馬遷之史記。以殷契發掘所得校之，遷史缺一兩代。然則殷墟新發掘，可以補遷書之缺，但亦可以證遷書之有據而可信。今欲考殷商一代治亂興亡之大業，則惟有見於遷書，而無以考於龜甲。故中國古人讀史即以考古，而中國史學之可貴，亦由此而益見矣。

王國維又為殷周制度論一篇，備論王位傳弟傳子之先後演變。然其論乃根據史記，非根據龜甲。又國維告其來學，欲治龜甲，當先通說文。文字然，歷史事蹟更然。亦可謂非通戰國，即無以通春秋。非通春秋，即無以通西周。非通西周，亦無以通商代。古今一體，非通其人之成年以後，又何以

考論其幼童期之所爲。亦如不知後代之埃及，又何憑以論其金字塔與木乃伊之意義與價值。

抑且許氏說文解字一書，其所收字體本屬大篆小篆，後又變而爲隸書楷書。龜甲文則爲古舊字體，已遭廢棄，不再使用。正足見中國民族亦一求變求新，日趨進步之民族。否則中國當永留有巢氏、燧人氏之時代，何得有此下之庖犧氏、神農氏，以及黃帝、堯、舜之出現。近人則益求變，益求新，欲改造爲簡體字，又欲廢止漢字創爲羅馬字拼音。幸而毛澤東爲之，國人乃相戒而不爲，否則又誰來唱導保存漢字之理論。

又有進者，中央研究院爲近代中國一最高學術研究機構，有關中國舊學方面者，則爲中國歷史語言研究所。其中最主要者，一爲考古與龜甲文研究，一爲語言學。語言學一門，亦來自西方。在西方則語言重於文字，在中國則文字當重於語言。欲通中國史學，非先通文字不可。欲治龜甲文，亦非先通後代之文字不可。中庸言：「書同文」，此爲中國歷史一大進步。試問研究龜甲文，以及研究各地白話方言，又與治中國史具何關係？治龜甲文過於舊，治語言學又過於新，新舊相衝突，惟俱是模仿西方，則不知覺。

中央研究院歷史語言研究所外，同時代表一代之新風氣者，則爲白語新文學。古詩三百首，傳誦百世。果使近人所爲白話詩，亦得傳遞久長，則一如許氏說文，代龜甲文而興。龜甲文不受國人反對，古詩三百首，宜亦不必反對，亦何必嚴加新舊之分，又必謂舊文學乃死文學。無奈今之白話詩人自創造，自名家，無宗師，無後學。過一世三十年，則其人姓名已不在後人記憶中，則惟求變求新，

可謂無生命，又無成。其成則只在一二十年內，已爲有其知名度，此非斯文之掃地而何？白話文亦

然。有風氣，無學問，能識字，能操筆，即得爲之。舊不變，新不起，而不再有一時間觀。果謂有時

間，又暫而非久。乃又提倡考古之學，此誠中國近世一可悲事矣。

抑更有進者。龜甲文本殷代卜筮之辭，而卜筮之術，至周已變。不再燒炙龜甲牛骨，以著草數字

占八卦，其辭則載在周易。下至秦末漢初，周易乃列爲五經，後世傳誦不衰。然周易本爲卜筮書，則

上自孔子，下迄朱子，皆言之。今人又尊周易爲中國一部至高無上之哲學書。若謂中國在卜筮中亦能

涵有哲學深義，豈不爲中國學問增高其地位與價值。但近人必一依西方觀念，謂周易乃一部哲學書，

則其地位自高，謂周易乃一部卜筮書，則其地位自低。故必主其爲一部哲學書，而不再肯認其爲一部

卜筮書。則何不再下一番考古工夫，以資認定。乃竟有人主張治孔子哲學則當治周易，不當讀論語。

其人亦本治西方哲學，國人遂不復反對，並羣加尊重。如此風氣，又何以言學問？學必學於舊，問必

問之舊。今人之盡務新學，其實亦乃西方之舊。故今日之言求變求新，則亦惟一務西化而已。以彼之

舊，易我之舊，變則然矣。

中國堯、舜、禹三帝，後世皆無明確墳墓可尋。下至商湯、周文王、武王，其死後，其子其臣，

皆不爲大興墳墓。然中國人事乃有大堪驚詫者。若謂好古守舊，乃孔子首唱其說。然孔子之死，其門

人弟子乃爲特建一孔林，其規模殆已爲前世帝皇之所無。而當時如魯哀公及季孫氏，亦一任其門人所

爲，不加禁止。孔子歿後，百家競興，未聞其有如孔林同樣之興造。此姑不論，孔子門人及其儒林後

起，卒亦未有身後墳墓有如孔林之規模者。然則所謂中國人好古守舊，可知當別作解說，不得謂凡古皆好，凡舊皆守矣。

抑且後代帝皇墳墓，其規模，其形勢，豈遂不如孔林？然而自秦以下，迄於明代，帝皇陵寢，皆隨其朝代而荒破。僅明、清兩代，年歷尚短，諸帝陵寢，尚得保留。然亦卒未有如孔林之獲有全國之崇仰與瞻拜，歷兩千五百年而不變。此可見中國人之好古守舊，乃中國歷代後人之事，非古人所能安排其如此。埃及人亦幸而及早衰亡，否則金字塔連續興建，迨今將無埃及人生存之餘地。雅典人亦幸而及早衰亡，否則雅典一小城，又何得常有新建築興起。西方人既不計後起之必有繼，乃求變求新。

中國人必主後起有繼，故曰「創業垂統」。有統可傳，則其新其變自有限。既尊孔子為至聖先師，後起者遂皆不敢自居為聖。其為師，亦惟傳孔子之道而已，此謂之好古守舊。亦豈論語以後，遂無百代儒林之不斷著作之繼續興起乎？孔子歿後，而中國儒林日臻繁盛，但亦終不有如孔林之再度出現，則古舊之可好可守，亦宜知其所在矣。

自共產黨占據大陸，古舊人文，盡歸掃蕩。而考古一業，則特見發皇。一則古物之不涉人事，二則古器物亦屬財富。既可肆其專制，又可增其財富。而尤著者，則為秦始皇帝墓之發掘。秦始皇帝開始以郡縣政治統一中國，創自古未有之宏業，然而二世即亡。鑑古知今，乃中國史學一大理想，大貢獻。而司馬遷史記則已盡其職責，勝任而愉快。後世歷代帝王再不敢復效秦始皇帝之所為，豈非考古之功乎？近人則謂中國自秦以下兩千年帝皇專制，此可謂不考古之尤矣。毛澤東亦受其影響，乃欲效

秦始皇之專制。文化大革命則較之焚書坑儒遠爲暴烈。輕蔑古人，自受其禍，吾國人宜亦知所自警矣。

秦始皇帝集當時六國宮殿建築之大成，造爲阿房宮，雄偉壯麗，卓絕前古。項王入關，付之一炬。乃後代中國人，未聞有加以惋惜者。直至唐代文學家作爲阿房宮賦，亦以重申警惕，非以追溯懷想，則古有絕不可好，舊有絕不可守者，中國人反復之詳矣。至於秦始皇帝墓，或在秦始皇生前已有計畫，或全出秦始皇死後營造，此皆不足深論。要之，秦祚之不得其久，則司馬遷書已詳列之，而阿房宮非其要端，更何論其身後之墳墓。今之發掘，亦僅供觀光遊覽，亦爲政府添一筆收入，而舉國喧傳，若可爲舉世人增一番知識，爲吾民族增一番光榮，是誠淺見薄識之尤矣。

余在五十多年前，即寫有先秦諸子繫年一書，根據竹書紀年遺文，考訂司馬遷史記六國年表之誤。亦根據地下發掘，自謂較之近人根據殷墟龜甲所貢獻於中國史學者更大。地下發掘，亦有其意義價值之所在，而豈地下發掘之盡爲無上寶藏乎？諸子繫年已成書，又續爲周初地理考一文，距今亦五十年。考定當年姬周氏族，乃自晉遷陝，非自陝東來。此一論，乃發前人所未發。然所考各地，皆余當年足跡未親履，僅據古籍文字記載，錯綜配搭，會通成之。最近旅美學人許倬雲告余，彼最近根據近年大陸考古發掘所得各種古代銘文二百餘件，逐一研討，乃知余往年周初地理考所辨，皆獲證明，可資論定。然則地下發掘，仍必會通於地上之所流傳，乃始知其意義價值之所在。故好古守舊，亦仍必會通於今之新，乃始知其可好可守之眞實所在，而豈惟古之是好舊之是守乎？而亦豈凡屬古舊則必

盡不可好盡不可守乎？若惟以專門家言爲貴，則中國傳統素尚通學，宜可一概加以鄙棄矣。其然，豈其然乎？

今再言「觀光」。此又近代一新名詞，爲中國古代所無。中國山川勝地，多資學人以考古之需。如登泰山，歷代政事學業，有關國家民族治亂興亡之大，皆足參考。豈一登日觀峯，一覩海上日出，即爲泰山之觀光乎？果爲無知識無學問之多數羣眾言，斯則是矣。然又何必登泰山，乃始有日可觀。又如蘆溝橋，此亦中國近代一名勝。唐代都長安，則有灞橋。非通中國之科舉制，驛站制，則不知其爲名勝之由來。唐代則稱灞橋，清代則稱蘆溝橋，同一好古守舊，其間亦有變有新。而會通和合，則仍有其一貫相承處。不論名山，即論橋樑，常見之詩文稱道者，全中國亦當得三四十處。日本東侵，蘆溝橋事變乃膾炙人口，於是蘆溝橋亦遂成近代國人一觀光勝地，羣眾慕向，而其他歷代有名諸橋樑則盡置遺忘。此亦日變日新之一例。但豈吾民族之文化大傳統，亦隨以隱淪消滅於無形中？此見有變有不變，有新有仍舊，未可盡變盡新，一如今日吾國人之所求矣。是必知好古守舊者，始能善保其舊，而使來遊者發思古之幽情於不知不覺中。然則縱是發展觀光事業一小節，亦待通人之籌劃，而豈考古專家之所能勝任而愉快。即小斯可以喻大，願吾國人其亦深思之。

二

中國人重經驗，西方人重成績。中國人之經驗，一言一行，詳細記下，成爲歷史。西方則並不重歷史，其成績全在物質製造與其建築上。中國人之經驗，一言一行，詳細記下，成爲歷史。西方則並不重歷史，其成績全在物質製造與其建築上。如古希臘，除其古代建築與其他器物製造外，若論人生經驗，則永是一城邦分裂，無足詳者，故無歷史記載。即其後代有歷史，亦如此。法國革命，亦西方歷史中一大變，可謂乃西方人文一大變，而西方人則重其在自然方面之變，於人文之變則似所忽視。即如拿破崙，有此一人，亦如自然中一物。有巴黎凱旋門，則拿破崙其人其事已成器物化，更可與人共賞。而拿破崙其人其事之影響及於後世之法國，乃及全歐洲者，其是非得失又如何，則可不深究。大英帝國之創建亦然，亦如一大建築。有西敏寺，有白金漢宮，有唐寧街十號，豈不迄今仍爲英國人共同所瞻仰。然埃及金字塔至今猶存，而大英帝國則迄今已煙消雲散。則人事創新，其重要性向不如物質建造。要之，西方人僅重物質事務，而不重人類內在之心性，故其經驗所重，常在外，不在內，讀史遠不如觀光，治史書遠不如考古。亦可謂「物惟求舊，人惟求新」，與中國人言「物惟求新，人惟求舊」正相反。故史學乃西方晚起之學，不如考古早先於其史學，而更得西方人之性好。

中國人所謂之經驗，國家民族大羣之盛衰治亂興亡，人之賢奸邪正，禍福憂喜苦樂，鑒古知今，

為法為戒，所謂「明天人之際，通古今之變」者是矣。今乃謂英國人重經驗主義，此指哲學思想言，不指人文史學言。若英國人亦重人文史學之經驗，則最近福克蘭羣島之戰事當不再起。福克蘭羣島，在英國人心中，亦屬外面一物，必爭為我有。人類歷史，古今惟「一爭」。惟今人有大艦隊大機羣，古人無之，有此成績，此之謂進步。經驗已屬過去，今人當爭有新經驗，如是而已。亦如牛津、劍橋古舊建築，五六百年，慎守不變。至其教授講學，則日新月異，而歲不同，惟當開新，不當守舊，豈得與校舍建築有同等不變之價值。

如言商業。所謂成績，在其積有之資本。所謂經驗，如不斷之商情。商情隨時有變，資本則必固守其舊，再求增加。經驗則在內心，而資本則為外物。西方人之輕於心重於物，有如此。換言之，即重於「人對物」，不重於「人對人」。故其史學亦重考古，仍重其對物，不重其對人。今人一意慕西化，乃亦以發掘考古為治史要端，斯則失之遠矣。若以中國固有觀念言，史學貴於能上通古人之「心」，不在能上通古人之「物」。治西方歷史，亦可仗我心之經驗，以通之西方之人心，而豈徒求之於西方之物質。此庶得之。

略論中國教育學　一

「教育」爲文化體系中主要一項目，而中西教育卽有其大相異處。西方教育重在傳授知識，知識對象重在向外之事物。故必分門別類，互不相通，而又各分割成各階層。故西方學校必有分科分年制，又分小學、中學、大學，均限年畢業。其上尚有研究所，亦限年畢業。獲得博士最高學位，卽爲學終止。分科則範圍狹小，分年則爲時短暫。要之，現代學校教育乃爲青年人傳授知識乃及研究學問之一項共同項目，當僅爲中年以後繼續進修作一基礎，並不占人生中「行爲」與「學問」兩方面之極重要地位。教者必先使學者明得此意，方可無弊。

西方又稱小學爲國民教育。人生不限爲一「國民」，其意義價值，有超乎爲一國民之外之上者。儻僅以一國民地位，向其政府來爭取人權，此亦爲人權之至狹者。又其大學教育分院分系分班授課，內容狹，爲時暫，卽獲最高學位亦僅爲一「專家」，不爲一「通人」。故其所教育，最低則使爲一國民，最高則成爲一專家，皆把人生意義地位約束了。

要之，爲一國民，則僅爲其所生一國之用。爲一專家，則僅爲其向外一事一物之用。教育意義僅

為功利。但人生不應僅為功利，此一層實大值商討。

中國教育則在教人學為人。天生人，乃一「自然人」。人類自有理想，乃教人求為一「文化人」、「理想人」。孔子曰：「弟子入則孝，出則弟，謹而信，泛愛眾，而親仁。」此始為一文化理想人。中國家庭、學校、國家、社會，教人主要皆在此。受教者當終身奉行，此之謂「人生教育」，亦可稱「德性教育」。孔子又曰：「行有餘力，則以學文。」此始為識字教育，讀書教育，亦可謂是知識教育。但亦只占教育中之一部分。知識乃後天之事，由後天獲得，供人生部分之用。德性乃占人生之全部分，並由先天傳來。故德性教育必求共同普及，知識教育乃可分別授受。今人競言自由、平等、獨立，惟德性乃自由，又平等，能獨立。知識則無自由平等獨立可言。

中國之知識教育必以德性教育為基本，亦以德性教育為歸宿。孔門四科，德行為首。言語乃國際外交，政事如治軍理財，此兩科皆為政治用。最後文學一科，則不必為當世用，致意在歷史典章之傳統上，於後世有大用。是則中國教育非不主用，惟由其各自一己性之所近志之所向來作貢獻。而四科實以德行為主，雖若分，而實通，未有違於德性而能完成其此下三科之學者。此乃中西教育意義之大相分別處。

故中國人言知識，亦從各人之內在德性上，隨時隨地為實際需要之應用，而分展出各種支流派別來，而不先為知識上作分門別類之規定。亦可謂西方人重其師所授之學，而其師則為一分門知識之專家。中國則重其師所傳之道，而其師則應為一具有德性之通才。亞里斯多德從柏拉圖學哲學，求眞

理，而自有所得，乃曰：「我愛吾師，我尤愛眞理。」孟子曰：「乃我所願，則學孔子。」不得謂孟子在學孔子之專門知識，或史學，或哲學，或政治學等，乃在學孔子之爲人與爲學。其他先秦諸子百家師弟子相從講學大體亦然。而孔子、墨子兩人則最爲其著者，故儒、墨乃爲當時之顯學。

孔子言：「始作俑者，其無後乎。」又曰：「人而不仁如禮何，如樂何。」孔子之重人類同情有如此。孔子非分門別類，或科學，或哲學，或文學，或宗教信仰以爲教，乃教人以其德性，卽其自己所能有之一種情感意境，而爲實際人生之主宰所在者。西方之教，乃不重此。如造爲銅像，屹立街頭，日曬雨淋，常此暴露，更無遮蔽，以供人之瞻仰，而瞻仰者亦不爲此動心。又如耶穌像，必在十字架上，血滴淋漓。豈耶穌之足以感動人心者僅在此？西方之人情冷酷，亦可由此而見。卽如近代國際迎賓大典，必鳴大砲行軍禮，則亦無怪國際間之兵爭不息矣。中國人言禮教、風教，亦可謂之「情意教」。中國傳統之教育精神則正在此。

中國人之爲師，其教育與其所著作又當分別論。孔子曰：「有朋自遠方來。」其視來學者乃平等如朋友。又曰：「吾無行而不與二三子。」則孔子乃以身教，以行教，以己之爲人教。其與來學者相處亦親切如父也。又曰：「吾與回言終日，不違如愚。」則其終日相親又不啻過其家人矣。又曰：「回也視予猶父也，予不得視猶子也。」則師弟子之親，乃亦有踰於父子者。孔子卒，來學者盧墓心喪三年。故來學者之於其師，自稱門人弟子。其傳師說，乃稱家言。而爲師者非著書立說以爲教，乃一如家人之日常相處以爲教。其相與語亦卽日常相處語，而深意存焉。如讀論語可知。論語乃孔子弟子記

其師說，不僅見孔子之學，乃更見孔子其人。孔子作春秋，筆則筆，削則削，游、夏之徒不能贊一辭，則與師弟子之日常講學爲異矣。但孔子曰：「春秋，天子之事。」則孔子之作春秋，亦僅以天子命史官之職任自任，與其無行而不與二三子者異矣。故教育乃見師之爲人之全，而著作則僅見師之爲學之偏，其輕重可見矣。

戰國時，墨子繼起，其弟子乃於墨子講學有著作。道家則不聚徒講學而自有著作。莊子內篇七篇，乃莊子閉門自著爲書。老子上下篇，尤其是精心結撰。此皆著作，非教育。後世重莊、老道家，乃更重其引退避世，實亦重其人更過於其書與學。荀子亦一儒，亦廣授弟子，但亦自著書，與孔、孟異。中國後世亦不以荀子爲一教育家。蓋其主性惡，其教育人自亦與孔、孟異，乃自著書，而與其師荀子已有別。李斯則不遑著作，而其助秦爲治者，乃與荀子義有大背。故中國後世視荀卿，乃更不如視莊、老。則中國文化傳統重其人更過於重其學，而分門別類。其弟子如韓非，亦自著書，而教育精神亦可於此見矣。

西漢始立太學，博士司其教，雖通諸經，必分經而授。學者受一經，一年即畢業。此因五經皆講周公、孔子之道，爲師者僅導其先路，學者得門而入，可以終身依之，是仍重在教以周公、孔子之爲人，與先秦傳統無大相異。故太學中雖同時有諸博士，而來學者必擇從其一，此即所以親師。「親」乃知「尊」，「尊師」乃所以「重道」。若重知識，則不僅當兼諸經，亦當兼及先秦百家。而西漢之太學生，則仍重博士爲師者之所傳道，亦可知。

逮及東漢，各地私人講學者羣起，然皆一人講授，與太學制度無大相異。鄭玄遍謁全國各地名師，歸而網羅羣言，囊括大典，則其時風氣似已偏重學而較輕師。此下乃有經師人師之別。儒林轉而爲經師，則儒道以衰。三國以下，莊、老道家乃又代興。然老子言：「絕學無憂。」道家之弊在輕學，乃不尊師。於是又尊印度東來之佛教。竺道生主「一闡提亦得成佛」，乃同於孟子「人皆可以爲堯舜」之義，則仍不失中國重其學乃重其爲人之舊傳統。下迄唐代禪宗，不識字，不誦經典，亦得成佛。五祖教六祖，僅舉心經「應無所住而生其心」一語。是較西漢太學之僅治一經，其爲易簡更甚矣。

唐代太學有五經正義，於注外更加疏，於是使學者偏重在文字書本上，而轉輕師教。乃轉使經義不受重視，而至於以詩取士。陳子昂詩：「前不見古人，後不見來者，念天地之悠悠，獨愴然而涕下。」建安以來，曹氏父子倡爲新文體，除陶淵明等極少幾人外，文中可不見有作者其人，亦無可傳。陳子昂所深悲，非謂不見有詩，不見有辭賦之文，而其人則非矣。子昂之愴然涕下者在此。李白、杜甫繼起，乃有唐代之詩。韓、柳繼之，乃有唐代之文。乃求於詩文中再見有其人。韓愈言：「好古之文好古之道也。」愈又言：「並世無孔子，不當在弟子之列。」又以孟子自比，又著師說，以師道自任。其時惟釋、道始有師，而儒者已無師，即柳宗元亦不敢當。愈之言曰：「師者，所以傳道授業解惑也。」師所傳之道，即爲人之道。愈在當時以闢佛自任，即當時爲人之道也。其爲古文乃其業，授業即以傳道，而豈徒爲一文人而已乎！解惑者，乃解當時信崇釋、道之惑，精熟文選徒工辭賦

之惑。則韓愈之爲後世師者，實亦韓愈其人，非僅其文矣。

唐代又有書院，家藏有書而可供外人閱覽，非學校，亦無師。及至北宋，始於書院講學。睢陽書院爲之首，而胡瑗之蘇湖講學則尤爲後世稱重。胡瑗分書院爲經義齋、治事齋。漢代五經已增爲九，豈胡瑗一人所盡通？一國之事如曆法、水利，皆須專家，項目繁多，又豈胡瑗一人所盡知？而胡瑗獨一人爲師，明體達用，綜其大綱，令來學者分類羣習，而胡瑗爲之折衷指導，仍不失孔門四科設教之精神，亦即西漢儒林之所謂「通經致用」。韓愈有言：「弟子不必不如師，師不必賢於弟子。聞道有先後，術業有專攻。」在中國傳統教育中，師弟子實如同學。小戴禮記言「敬業樂羣」，師弟子共成一羣，共治一業，以敬以樂，情意教育之實際生活乃如此。

胡瑗掌教太學，出題曰：「顏子所好何學論」。時程伊川亦在太學受教，胡瑗欣賞其文，拔擢爲助教，今此文猶傳。顏子所好何學，正學孔子之所教，即教顏子以爲人。周濂溪教二程尋孔顏樂處，正樂此學，亦樂此道，即樂孔、顏之爲人。倘有羣共學則更樂矣。顏淵死，孔子哭之慟，曰：「天喪予，天喪予。」共此學，即共此情，共此生命，即如共此生命。故顏淵死，而孔子哭之謂「天喪予」也。鐘子期死，伯牙終身不復鼓琴。中國藝術亦一種人生藝術，即情意藝術，故與中國之傳統教育精神亦相通。惟教育終亦與藝術有不同，故顏淵、子路死，孔子皆曰「天喪予」，而孔子之教不厭則如故。惟孔子爲至聖先師，爲中國教育史上最高之師。而顏子爲亞聖，爲中國教育史上最高一弟子、一學生。顏淵年過四十即夭，生平僅爲一學生。周濂溪言學顏子之所學，此則猶之教孔子

之所教矣。「教」與「學」平等，共一業。「師」與「弟子」亦平等，共一生命。而上下二千五百年來，有一學生弟子之最高榜樣，爲人敬愛不已，如顏淵，則惟中國有之。舉世其他民族，上下古今，亦曾有學生榜樣如顏淵其人之受百世愛敬乎？

周張二程理學家起，亦可謂中國傳統教育大道乃再興。但濂溪、橫渠猶偏用心在著作上。惟二程下逮朱子，乃更偏重在教育上。二程之教，詳載於其弟子之語錄。而朱子尤然。其上百弟子所記之語類，多至一百三十卷。著作等身，而主要精力所在，乃在其四書與諸經之注釋。但朱子生平，特未有自創一說，自傳一道之著作。乃爲中國後代一大儒，又最爲一大教育家。其風直迄元、明、清三代而不衰。

周、張、程、朱之爲教，無學校，無課程，無年限，無羣眾集合之講會。僅師弟子三數人偶聚相談。惟朱子同時陸象山聚會講學，其風略異。元代蒙古人主，中國士人多在野爲師不爲臣。書院講學之風乃特盛。明代承之，王陽明尤爲一代大師。其最流傳者，爲傳習錄一書，則仍是程、朱爲教之舊傳統。王學末流，尤喜集會講學，乃成爲一種社會教育，跡近釋、道，近似宗教傳播。此可謂乃象山，爲理學家教育一別支。東林書院講學，則爲朋友相聚，乃學會，非以前之書院，亦非學校。可謂又一變。

下逮清世，書院講學之風依然傳遞不絕。然仍皆是一師掌教，羣弟子受學，不立課程，不定年限，仍此一舊傳統。道、咸之際，有曾國藩，家書家訓，乃以書信親教其弟與子，此乃一種家庭教

育。<u>曾國藩</u>不以理學名，自居為一古文家。然其為聖哲畫像記，又有繼<u>姚鼐</u>古文辭類纂為經史百家雜

鈔，則其所治文學之範圍，已顯見為擴大會通，可謂亦<u>中國</u>一大教育家。其在軍中，幕府兵僚，皆其
教育範圍，乃與<u>王陽明</u>主贛政時特相似。下及清末，<u>朱次琦在粵，俞樾</u>在<u>浙</u>，皆以書院講學，仍屬舊
傳統。其及門者，<u>粵有康有為，浙有章炳麟</u>，則以其變法與革命一事一業為教，又特多著作，故此兩
人可謂乃當時一思想家，但不得謂乃一教育家，已非<u>中國</u>傳統之所謂師，蓋其時風氣已變矣。

新學校興起，則皆承西化來。皆重知識傳授，大學更然。一校之師，不下數百人。師不親，亦不
尊，則在校學生自亦不見尊。所尊僅在知識，不在人。人不尊，則轉而尊器物。最近如電腦，如機器
人，如核子武器，其見尊則遠在人之上。人之為學，則惟學於器物，而技能乃更尊於知識。此今日之
教育風氣則然。

<u>西方</u>「教育學」一名，本屬後起。如<u>希臘</u>時代之<u>柏拉圖</u>、<u>亞里斯多德</u>，雖亦廣招門徒，然其學盡
見於其著作，而其著作內則不見有人。此乃<u>西方</u>之哲學家，非教育家。<u>耶穌</u>自稱為上帝獨生子，以上
帝之言為教，非自立言以教。故信其教者，惟當信上帝。除其上十字架外，<u>耶穌</u>其人，即不見其有
教。後世教皇教宗，亦惟以<u>耶穌</u>之所言上帝者為教。苟非有教會組織，與<u>梵諦岡</u>建築，則其人之尊
嚴，足以主一世之教者又何在？故<u>中國</u>教育，乃在<u>西方</u>「信仰」與「著作」兩者之外，而即以為師
者之親身為教，此乃謂之「師教」。則為師亦難矣。<u>孟子</u>曰：「人之患在好為人師。」<u>孟子</u>鼓勵人皆可
以為<u>堯</u>、<u>舜</u>，乃戒人以好為人師。故<u>中國</u>後世乃教人以尊師，不教人以為師自尊，其旨義深遠矣。故

孔子教不倦，及門者多達七十餘人。孟子弟子後世知名者僅公孫丑、萬章三數人而已。故中國之教育，非人生中一事一業，乃教者學者在其全人生中交融爲一之一種生命表現，始得謂之是教育。故在中國有師道，而無教育家之稱。此亦中西雙方文化傳統一大相異處。

西方大學本創始於教會，西方政教分，亦政學分，故大學亦可外於政府而獨立。美國大學校長，其職任在籌募經費。校內所重，則仍在教授。吾國近代學校皆重國立，大學亦然。而宗教在國內終不盛行。學校統治於政府，校長由教育部派任，不啻以政治凌駕於學術之上，此亦是一種政教合，政學合。但不僅與西方相背，乃亦與中國舊傳統中之所謂政教合，政學合者有大相違背處。中國文化舊傳統，「道統」猶在「政統」之上，即爲君亦必尊師。如西漢太學，無校長。博士爲師，皆有其客觀規定之資格，非可由政府隨意任命。課程有爭議，皆由博士主之，朝廷卿相可得預會參加意見，如是而已。今則在大學中，爲師者其任命其罷休，皆有法律規定，皆聽命於校長。而校長之任命罷休，則聽命於部長。部長又有所聽命。而爲師者之地位，則顯居其下。如此則又何復言中國文化傳統「尊師重道」之教育精神之所在乎？今儻斟酌中西，配合時代，則在學校制度上，則亦當有一番改進。則非抱有中國傳統教育之一番認識與情意者，亦無以勝其任。前不見古人，後不見來者，念天地之悠悠，惟愴然而涕下矣。

　　繼此又當別論者，中國乃一氏族社會，農工百業皆世襲。生於此家，父業此，祖亦業此，己之一生亦業此，其子其孫亦同業此，則情在此，意在此，己之生命即在此。故在中國工業中，莫不有生命

性之甚深貫注而流露。故其工業皆富藝術性，亦富道德性。由工而轉商，其事晚起。至戰國而商業始盛。下及漢代，如鹽如鐵，全國所需，大利所在，政府特定鹽鐵政策，使商業不趨於資本主義，而商人則居四民之下。則全社會百業皆融入一人生大道中，而全社會全人生皆納入於傳統教育化，政治亦不得自外。惟道統乃高出於其上。故可謂中國傳統文化乃一人生之「藝術化」，「道義化」，而最富「教育性」。故曰：「天地君親師」，而中國教育精神，亦於此而更顯。又豈西方教育之所得同類相擬乎！

略論中國教育學 二

天地生人，大同而小異。異者在其「身」，同者在其「心」。異者在其「欲」，同者在其「性」。欲偏對物，性偏對人。大羣人生，如一溪之水，順流而下，其事易。逆流而上，其事難。「縱欲」如下流，「養性」似上流。縱欲則於人異。如饑欲食，但僅飽己腹。寒欲衣，亦僅暖己身。性不從己一人有，亦不在己一人成，必求通於人而見。故縱欲則爲「小人」，以其分別專在一身上，其範圍小。養性則爲「大人」，以其必在與人和合相處中，可擴至國，擴至天下，擴至後世千萬年，其規模大。故中國人以下流爲小人，上流爲君子大人，乃有人之「流品觀」。

色、聲、嗅、味、食、衣、住、行在身，爲欲。孝、悌、忠、信、仁、義、禮、智在心，爲性。欲偏對人，性則於人同，孝悌則家與家可同，忠信則鄉與鄉、國與國可同，通天下亦可同。性不從己一人有，亦不在己一人成，必求通於人而見。故縱欲則爲「小人」。

「情」則在性與欲之間，故稱性情，亦稱情欲，又稱天性、人情、物欲。欲必向於物，能推己及人，己有饑，知人亦有饑；己有寒，知人亦有寒。己所不欲，勿施於人，是恕道，即是對人有同情。消極爲「恕」，積極爲「忠」，視人之饑溺，如己之饑溺，於是能先天下之憂而憂，後天下之樂而樂。

能使一己之欲向上流，乃見人情，乃見天道。天道即本於人之天性。自天性向下流，則有人情，又有物欲。

故物欲亦在天性中，但非天性即盡在物欲中。性則公，欲則私，有上下流之別。

心統性情。故曰心性，又曰心情，但不能曰心欲，只曰欲心。嚴格言之，欲不得謂之心。故中國人又另造一慾字。目欲視，耳欲聽，聲色之欲則在耳目，在身，而不在心。在心者，則僅有視聽之理，有所當視，有所不當視，此在理在性，亦在心。聲與色則屬物，視聽屬身，又限於己身，故屬欲，無情，亦可謂對物有情，而對人無情，故亦不得謂之心。老子曰：「五色令人目盲，五聲令人耳聾，五味令人口爽，馳騁畋獵令人心發狂。」目之視色，青、黃、紅、白、黑皆能視，謂儘求視，求青、求黃、求紅、求白、求黑，儘向外求，則如目之視色，馳騁畋獵令人心發狂。」故內不見情見性，失其理，則如目盲耳聾矣。故孟子樂，所樂亦在外，則此心狂妄放肆，盡在物上，亦不見情見性，見理見道，如目盲耳聾矣。故孟子曰：「養心莫善於寡欲。」

其實物欲亦最易得，最易足。如飽食暖衣，事並不難。天下總少餓死人、凍死人。而人之求於衣食者，不只在飽暖上。求飽暖，亦可謂之情與性。所求超於飽暖，斯始謂之欲。人心何以易有欲，此須另講究。不食馬肝，不爲不知味。以其求食之易，五味已盡嘗之，乃求一嘗馬肝。故曰：「飽暖思淫欲。」欲之過，稱爲淫。欲求嘗馬肝，即淫欲也。布衣暖，菜根香，讀書之味長。布衣菜根即够温飽矣，而又暖又香更復何求。惟讀書之味，則長於衣食之香暖，故中國教人大道，更在教人讀書爲學上。

讀書爲學，主要在教人把此心放在性情上去。若仍把此心放在衣食聲色上，則味短且淺矣。《中庸》言：「人莫不飲食，鮮能知味。」其實此味最佳乃在人情上，不在物欲上，故中國人稱「情味」。中國人言飲食，飲更在食上。喜飲酒，但又多在禮中飲，一酬一酢，皆見人情味。孔子飲酒無量，不及亂，亂卽失禮也。陶淵明之飲酒，乃在能忘去身外一切欲。身無欲，斯人生益多其情味矣。故醉猶美於夢，夢中尚有欲，醉中則無欲。人若能醉而不亂，則醉亦何害。中國人飲酒外，又有飲茶。飲茶亦有兩樂，一則閒居獨飲，亦可忘去一切。一則對客同飲，亦備感情味。只求此心放在一事上，忘去其他一切事，茶亦可，酒亦可，獨飲亦可，對飲聚飲無不可。雅俗共賞，此乃中國人一種大眾化之人文修養。

一心只放在一事上，則此一事亦卽如無事。如中國人之飲茶飲酒是矣。如一心只放在好色上，一心只放在好貨上，則又必牽連及其他事上去，此就最大要不得。中國人又好博弈。如圍棋只求自己活，但須保有兩眼始是活。活的地面大卽勝。千變萬化，只此一道，卽中國人所稱自得自足之道。孔子曰：「不有博弈者乎，爲之猶賢乎已。」孔子所戒在「飽食終日無所用心」，人貴能用其心。用在圍棋上，與人無他爭，只爭自得自足，較近道，故曰猶勝於無所用心也。但今人又每好舉行圍棋名人賽等，則亦如其他運動會比賽，爭取冠軍，求名求利，其所用心，則亦不如其已矣。至如用心於好色好貨上，則更在其下，無足論。

象棋較圍棋爲簡單，而轉見爲複雜。共分將、相、士、車、馬、砲、兵七種，每一種必有其應守

之職，應行之道。將爲主，位最尊，若最無能。相與士位次之，於將爲最親，亦較無能，其所行之道亦各有限。此三者只守於內，不得攻於外。車馬砲位又次，始向外，能進能退，而其道各不同。兵之位最下，最居前，亦最居多數，乃有進無退。中國社會組織，各色才能，象棋中七品可作其代表。故象棋亦不啻教人以立身處世之道。可見中國雖一小藝，亦寓教育意義。惟象棋則必置對方於死地，而圍棋則惟求自活，其品格乃較高。

近世有麻將牌，則流爲賭博，宜不足道。然四人一桌，只求自己十三張牌和，即算勝，略與圍棋相似。以人生原理論，每一人只求內部生活和，已立於不敗之地。此乃中國文化傳統最高教訓，而賭博之道亦無違此準則，此誠大值體會也。

中國教育主要在教人如何好好做一人。而尤要在教其「心」，從「性情」方面做起。男女老幼同此心，同此性情，同樣要做一人，亦有其同樣要到達之境地。故中國教育最要者，乃爲社會教育。小而家庭教育，大而國家教育，亦同屬社會教育之一部分。而學校教育則稍異。家庭、國家、社會教育，主要在性情上。學校教育則在教其性情外，又需教其各人之才智。中國人所謂小學，主要在家庭、社會。大學則在國家，在學校。私塾乃小學階段，書院則爲大學階段。此又與近代教育源自西方者大異。

亦可謂小學乃屬一種「自然教育」，天地君親皆師也。大學則是「人文教育」，必當別有師。即君親亦當受教，亦當有師。深一層言之，可謂天地之教亦在師。中國人言尊師重道。天地亦有道，但

無師，則其道無以明，亦何由尊？中庸言：「致中和，天地位焉，萬物育焉。」「中和」即是道，亦即是人之性情。師教立，人之性情達於中和，而天地始得其中和，則不僅萬物失其育，即天地亦失其位矣。此非天地萬物位育之道亦待師教乎？張橫渠言：「爲天地立心，爲生民立命，爲往聖繼絕學，爲萬世開太平。」亦此意。然而天地萬物之與人羣，之與人羣中之聖賢之足爲人師者，則相互和通會合，仍屬一體。故聖賢大師之爲教，亦本於天地萬物人羣以爲教。中國人所謂「通天人，合內外」，亦可謂即是「自然」與「人文」之會合。此則中國文化最高深意之所在。

孟子曰：「堯、舜性之也，湯、武反之也。」堯、舜爲先聖，爲「自然之聖」，本於天命之性以爲聖。湯、武爲後聖，爲「人文之聖」，就於先聖之所表現而反之己之心性而自得，乃有以繼之。堯、舜性之，乃有所「立」。湯、武反之，乃有所「達」。人文日進，乃立而進於達，則「反之」亦同於「性之」。而湯、武之所達，實即堯、舜之所達。自然與人文一貫相承有如此。中庸言：「天命之謂性，率性之謂道，修道之謂教。」「率性」即堯、舜之「性之」，「修道」則湯、武之「反之」。孔子之爲至聖先師，而曰：「十有五而志於學，三十而立」，又曰：「七十而從心所欲不踰矩。」是孔子三十而能立，七十而達之至矣。孔子又曰：「學不厭，教不倦。」孔子之學，即孔子之反之。故曰：「述而不作，信而好古。」故孔子乃爲人文之師之尤至者。其門人稱曰：「孔子賢於堯、舜遠矣。」是中國古人重視人文師，尤過於自然師。孟子曰：「人皆可以爲堯、舜」，但不曰皆可以爲孔子，是人文

之更進於自然。亦可謂聖人更過於天地。蓋天地亦僅爲自然師，不得爲人文師。爲人文師者，必待於人中之「聖」。

中庸又言：「自誠明謂之性，自明誠謂之教。」天地生人亦猶水之下流，人而希聖，聖而希天，則猶溯流而上，以求達其源。故性則人人具有，而教則非聖莫屬。中國人重學，更過於重教，「禮有來學無往教」是也。孔子無常師，又曰：「三人行必有吾師，擇其善者而從之，其不善者而改之。」則人盡吾師矣。孔子下學而上達，其所下學皆學於眾，無常師。其所上達，乃人不知而不慍。故可謂孔子乃受當時之社會教育。其實孔子以下，亦無不然。惟周公與武王，其父文王，則兄弟皆以其父大聖爲師，可謂乃卽家庭教育，而亦已是大學教育。周公不爲王，孔子慕周公，乃求不居王位而亦以修道明教，故孔子遂爲「至聖先師」。

孔子之教其子伯魚則曰：「學詩乎？學禮乎？」學詩學禮，卽爲人之學。「詩」與「禮」定於周公，乃王者之教，但亦卽當時之社會教育，卽小學，卽大學矣。孔子以小學之道教其子，能自立志，自向上達，則大學之道亦卽在是矣。捨小學，又烏得有所謂大學？師之爲教則如鐘，大叩則大鳴，小叩則小鳴。鳴斯隨之，不叩而鳴，此爲不得已。孟子語曹交曰：「子歸而求之有餘師。」能求之詩，求之禮，又能反而求之己之心、己之性情，自能尋向上去，自能好好爲一人。而大學之道則又不盡於此，故孟子曰：「乃吾所願，則學孔子。」如此乃始爲大人之學。

後世學孔子，尤必學顏子。濂溪通書所謂「學顏子之學」是矣。孟子常在教，顏子則始終於學。

中國人從來皆稱「學者」，能學斯爲至上矣，而不以師自居。惟唐代之韓愈作師說，乃以師道自居。今之俗在愈之當時，亦有其不得已。但曰：「弟子不必不如師，師不必賢於弟子。」則其旨深遠矣。自此乃爲人則大變，自小學至大學，年未三十卽已畢業。是孔子而立之年，而今人則學業已畢矣。其人不當稱學者，當稱教者。能師，直至六七十，又必依法退休。實則亦可謂僅有教業，而無學業。其人不當稱學者，當稱教者。能於教者中得一學者，則成爲一不尋常之事。教又限其年歲，不許其教不倦。蓋今世之教，則亦僅爲謀生之一職業耳。不知中國古人惟有學業，無教業，終其身惟有一大事業斯曰「學」，而謀生有所不顧。

故孔子曰：「士志於道，而恥惡衣惡食者，未足與議也。」

近代學校又如一百貨商店，分院、分系、分科，教師數百人，各以所能爲教，一俟來學者之選課。故每一學者可得師數十人，而每一師則僅教來學者所需之一部分。蓋近代之學重在求知，知必向外求。如治生物學，或求之蠅，或求之蟻。爲師者則或知蠅，或知蟻，以待學者之求。此非一百貨商店爲何？中國之學則重在學做一人，爲師者卽其所學之典型與榜樣，學者卽學其師之爲人爲學，而知識則僅爲學之一部分而已。孔子曰：「吾無行而不與二三子者，是丘也。」是孔子之所以與人，卽孔子生平爲人爲學之全，而豈一項專門知識之謂乎？今大學課程中又特設「教育學」一門，人之無學乃專以教人爲學。中西文化傳統其意義之大相違異亦卽此而見矣。

然則中國傳統之所謂學與教，豈不有近於西方之宗教。是又不同。宗教重在教人以信仰，非教人以學，此又與孔子之學不厭教不倦不同。故中國之學與教，既非宗教，又非爲謀生之職業。而與人之

為人，即人生之全部，又得密切相配合。此則又中國社會之特異於西方社會處。今社會變，斯則教育之傳統又不得不隨而變。學僅以求知，教僅以謀生，但不能有如西方之宗教。宗教乃在西方社會中特補其所缺。牽一髮動全身，求變求新，當前之中國社會又豈可於西方之宗教獨無求！

《中庸》又言：「尊德性而道問學。」若如本篇上文所分析，則「尊德性」實乃一種羣眾教育，即家庭教育、社會教育，實亦即小學。「道問學」乃始是大人之大學，然大學必栽根於小學，以成全其開花結果之終極目標。孔子之教，其主要亦終於教人以為人之學而止。而人則有「小人」「大人」之別，學亦有「小學」「大學」之別。故大學言：「自天子至於庶人，一是皆以修身為本。」而天子則應是一大人，其學不止於修身，必上達於治國平天下。而大學八條目則以格物致知為先，格物致知即道問學。則求知之學，又為中國大學中主要一條目。在其本末先後之間，與其一貫會通之處，意之誠待於知之致，即凡天下之物，莫不因其已知之理，而益窮之，以求至乎其極。知之致而後意誠而心正，故格物致知乃亦為大人之學。豈不仍待於學，而教則僅以發其志，引其端而止。故孔子曰：「不憤不啟，不悱不發。」此因治平大道仍是一種性情之學。憤與悱，而其志始立，乃可從事於所謂學，又豈得人人而謂之能立志好學乎！

今人則又謂孔子生兩千五百年前，烏得預知兩千五百年後事而教我。不知孔子亦僅教其及門七十子而已。孔子曰：「後生可畏，焉知來者之不如今。」孔子非自任於教後生，今之後生志不立，不好學，不憤不悱。使孔子又重生於今世，亦惟不知其所以教，而默爾以息耳。於孔子又何尤！

中國人言「明體達用」，「明體」近靜一邊，「達用」近動一邊，但動靜一體，體用一源。苟無體，何來用。苟有用，即見體。體屬內，乃和合性。用屬外，乃分別性。中國人偏重明體，西方人偏重達用。用必隨時、隨地、隨事、隨物而變，故用於希臘，不適用於羅馬，而羅馬人必自創新用。中古時期以及歐洲現代國家皆然。當前美、蘇對立，仍當別創新用。故全部歐洲史，不易見其會通和合之一體。

中國人則不然。中國與中國人，古謂之諸夏，乃會通和合成為一體。堯、舜禪讓，湯、武征誅，此皆中國人之建成此一中國之大用所在。中國古人會通和合，明其為一體。武王伐紂，伯夷、叔齊叩馬而諫，恥食周粟，餓死首陽之山，中國古人又會通和合之，而認其為一體。此下秦、漢郡縣制與唐、虞、三代之封建制，顯有分別，而中國人仍會通和合為一體。漢、唐、宋、明，朝代不同，甚至五胡南北朝、遼、金、西夏，以至蒙古、滿清入主，中國之為中國，中國人之為中國人，古今五千年間，仍能會通和合以為一體。經、史、子、集，歷代著書，論道講學，皆屬一體。此可謂之明體之

學，明其體而達之用。其分別處，在中國人觀念中，認屬次要。一切人事作爲，必歸本之於「心性」。

心性乃其體，一切作爲乃其用。而「心性」又分體用，「性」屬體，「心」屬用。故中國人論心，必

求其體，是卽性。性乃天賦，一和合。心附於身，乃一分別。心之同然始見性，故心之會通和合乃爲

性。中國人又謂萬物亦各有性，亦會通和合於天。惟心則爲人類所獨有，故曰「人爲萬物之靈」，

「明心而見性」，則人而上通於天。此之謂「通天人，合內外」。

「用」較具體，易見。「體」則抽象，難知。孔子曰：「知之爲知之，不知爲不知，是知也。」則

知與不知，亦會通和合，知其不知，斯爲知矣。天不易知，中國人不強不知以爲知。西方宗教科學之

言天，豈得謂之誠知天。顏淵曰：「夫子步亦步，夫子趨亦趨」，「既竭吾才，如有所立卓爾，雖欲從

之，末由也矣。」一步一趨，孔子之行與用，其事易知。所立卓爾者，乃孔子大聖之體，惟顏淵知其

不易知不易從，斯顏淵乃爲孔門弟子中知之最高者，是卽孔子謂「不知爲不知」之知也。

中國人每連言「道德」。「道」屬用，見於外，尚易知。「德」屬體，存於內，不易知。孔子曰：

「天生德於予。」此卽其所立卓爾者。孔門弟子日常接觸孔子之言行，卽孔子之道。能接觸孔子內存之

德者，顏子其庶幾矣。中國人之教，則重在教其所不知。如堯、舜禪讓，湯、武征誅，皆有事功，有

用可見。伯夷、叔齊之事功則不可見，乃若其無用，而其德則與堯、舜、湯、武同。孔子曰：「伯夷、

叔齊古之仁人也，求仁而得仁。」斯言其德，亦伯夷、叔齊之所立卓爾者。叔孫豹分立德、立功、立

言爲三不朽，功與言皆具體，皆有用而易見。德則抽象，乃至無用可見，然有大用，更超於功與言之

上。抑且德存於內，轉易得。功與言見於外，非可常有。中國人之教育宗旨與其教育精神，其主要乃在此「德」字上。

孔子又言：「殷有三仁焉。微子去之，箕子為之奴，比干諫而死。」是孔子贊殷周之際仁者五，伯夷、叔齊與殷之三仁，言行各不同，各無大作用，皆無救於殷之亡。中國人所重，亦可於此五仁而見矣。西方人重「知」，皆求其有用。中國人重「德」，乃為人之體，而未必有可見之用。孔子言仁必兼知，或兼及禮。知與禮皆有其用，而孔子言之，則皆在仁之下。又孔門四子言志，子路、冉有、公西華皆志在用，獨曾點無用世之志，子曰：「吾與點也。」後世類是者多矣。故中國人之教育宗旨教育精神，主要乃為一「全人」教育，首在培養其內心之德。苟其有德，則其對人羣自必有其貢獻與作用。天地生人，本不為供他人之用。但人之為用與物之為用大不同。物之為用，在其機能。人之為用，則在其德性。近代如電腦機器人之類，論其機能之用，則遠甚於人矣，但無德性可言。其創造各種機械者，亦惟尚才智，不本德性。人類苟無德性，則缺了最大一部分之用，而且並有害。此乃今一時代之風氣，儻自後一時代人視之，又不知當作何評價。中國人言「經師不如人師」，「言教不如身教」。今人又謂西方教育重啟發式，中國教育重填鴨式。以上引二語證之，亦可謂適得其反矣。惟一崇西化，以彼所知，強吾所不知，則非填鴨不可，而更何啟發可言？

略論中國政治學　一

政治學是近代西方傳來一門新學問，大學法學院必設政治系。青年初進大學，何從識得政治？或進研究院，獲得碩士博士學位，尚未入仕，對實際政治毫無經驗，但已是一政治學專家。試問近代西方各國政治人物，又幾人曾讀過大學政治系？

中國文化傳統極重政治。欲研討中國文化，孔子自爲其中心主要一人物。但研討孔子，一爲兩千五百年前之孔子，一爲兩千五百年來之孔子，此兩者，不可缺一，否則不足以見孔子之全貌。兩千五百年前之孔子，主要見在論語一書。但孔子卒，墨翟卽起反對。繼之有楊朱，又反墨翟。

孟子繼起，曰：「乃吾所願，則學孔子。」又曰：「能言距楊墨者，皆聖人之徒。」然孟子七篇中言論，已顯與孔子有不同。舉其一顯著，子貢言：「夫子之言性與天道不可得聞。」今見論語者，言性惟「性相近，習相遠」一語。而孟子道性善，則爲其立論一要端。今可謂，論語所言乃孔子當年之本意，孟子七篇則論語之引伸義，由本義加以發揮，而益使之充實光輝。孟子語不啻猶如孔子語，惟時代先後有變而已。

莊周與孟子略同時，既反孔，又反墨，別創道家言。老子書繼之，其他尚有百家競起。而荀子獨宗孔，爲非十二子篇，則其較孟子之距楊墨，乃益見複雜而多端。然荀子亦反孟子之性善論，而主性惡論，乃成儒學中兩大對立。後儒多尊孟，少尊荀。但除此性論一端外，孟、荀要爲戰國時代儒學兩大柱，其於宏揚孔子同有功，不得謂荀子語非承孔子來。

秦代焚書，儒學大衰。然焚書之議起於李斯。李斯乃荀子門人，而其書乃爲秦始皇所愛好，則荀子之主性惡，其流弊尚小，而荀子之主法後王，則其弊更大。孔門之學分四科，孟子直承德行科，亦可謂之「心性學」。荀子乃偏在政事文學科。孔子晚年自知道不行，故其教後進門人特重文學一科，顏子所謂「博我以文」。不得行道於當世，亦當傳道於後世。荀子在政事、文學兩科，似更勝於孟子。至於言語，則不僅國際外交，如孟子之好辯，荀子之持正論，皆可以當之。

秦代有兩大儒書出，一曰易傳，一曰中庸。此兩書皆特言言天道，乃兼採道家言。同時又有大學一篇，列舉格物、致知、誠意、正心、修身、齊家、治國、平天下爲八條目。下至宋代，以大學與中庸並重，並與論語、孟子同稱四書。可見中國孔子儒家之學以心性爲基本，治平爲標的，一切學問必以政治治平大道爲歸宿。故曰：「學而優則仕，仕而優則學。」「仕」與「學」兼重並進。未有學而不能從政，仕而不經由學者。此一傳統，乃爲兩千五百年來孔子儒學之大傳統。但中國向來無政治學一名稱。

西方自始卽有哲學、科學、文學諸別，但自初亦無政治學一門。凡從政，皆尚術不尚學。至晚近

世，西方學問，分門別類，益增益多，乃有政治學之出現。然豈可捨卻其他各門學問，而可以專門有一項政治學？又豈在大學四年過程中，以一青年初學，即可從事此項學問，而可以有其獨立之成就？中國之學，彌傳而彌廣大，乃益見其會通。西方之學，愈後而愈分裂，乃互見其衝突。此亦一例。

此則與兩千五百年來中國孔子儒學之大傳統大相違背。亦可謂，依中國觀念言，乃無說以通者。中國教育分小學、大學兩階層，亦可謂修身、齊家乃小學，大眾之學。治國、平天下，則為大學，大人之學。治平大道，當先通經史。經學尚在孔子前，孔子春秋是經學中最後一書。司馬遷以下，中國乃正式有史學。治亂興亡，多載實際政務，政治思想政治理論皆本實際政治來。此與經學無大異。故中國經史之學，可謂即中國之政治學。

中國政治最重實際經驗，故仕途必自卑升高，重資格，重履歷，不次拔擢之機會則絕少。中國人稱「四十強而仕」，則其登入仕途，年資已不淺。而宰輔重任，則斷非年少新進所能希。姑以西漢言，經郡國察舉，始得進國立大學肄業，攻讀經學一年後，分發中央或地方政府之基層下部服務，然後得遞升。唐代則先經禮部考試及格後，得為僚吏，再經吏部試，始得正式入仕，但亦盡在政府之下層。亦可謂學校教育已全由民間任之，政府則操有考試權與分發任用權。而政治學之重在實際練習與經驗，亦居可知。

中國之所謂「士」，無不重政治學。中國傳統政府可謂乃一「士人政府」。其考試與分發任用，則全由先進之士操之。而其間乃有一大問題出現。士人在野，早於政治上之傳統大理論，及歷代之治

亂興亡，有相當之知識。目觀當前政治實況，心懷不滿。於是進入政府下層，與政府上層乃時有意見相左。而上層人物又極知看重此層，於是遂特於直言極諫倍加獎勵。實則所謂直言極諫，不只是臣下之對君上，尤其是政府下層之對其上層，即後進之士之對其先進。此乃中國政治一傳統精神，適切配合於中國政府之實際傳統體制，而寓有一番極高明之甚深涵義。

如西漢初之賈誼，其上陳政事疏，此亦一種直言極諫。其對政治學早已具有一番極高造詣可知。文帝甚重之，但終不能驟加拔用。又如東漢有鄭玄，網羅羣言，囊括大典，爲當代經學一最高大師。政府特徵召，而鄭玄終不赴，老死講學於鄉里。此其對當前政治，必有其一番意見，而不願直言者。此兩例，後世不斷有之。故抱有極高政治見解之士，或淪沒下位，或隱逸在野。於是中國之政治學，與實際政治，實常分裂而爲二，此不足以全歸罪於政府。或可謂中國人之政治學，常必有超於實際政治之一種理想之存在。此當爲研究中國學術史者所更值注意之一事。

如北宋，胡瑗專務講學，而王安石則親操政治大權。胡瑗所講，曰經義，曰時務，實皆政治學。當時人評論胡、王兩人，其重胡，後世更然，因政治終必爲實際所限，不能全符理想。則中國之政治學，自深一層言之，其重理想尤更重於經驗，亦斷可知矣。惟中國人之政治理想，仍必本於實際政治來，非憑空發揮爲一套政治哲學之比，此則當明辨。

即如孔子，亦可謂當時一政治學家。孔門四科，曰德行，曰言語，曰政事，曰文學。言語即今之

國際外交，則四科中之二、三兩科，全屬政治。德行一科，乃抱有更高政治理想。用之則行，捨之則藏，非一意於仕進，而更多恬退。其文學一科，則不汲汲於仕進，而更用心在古籍中，熟悉歷代政治往蹟，培養政治理想，主要則仍在政治上。然則孔門四科，其最高目標，豈不全集中在政治上？但謂孔子乃一教育家，更屬近似。謂孔子乃一哲學家，則差失已遠。謂孔子為一政治學家，豈不貽笑大方乎！是則中國學問，最重在政治，而獨不有政治學一名，是誠大值研尋之一問題矣。

墨翟繼孔子而起，其學主要亦為政治學。莊、老道家繼起，反儒、墨，實則其所講，主要亦為一種政治學。惟墨家主進，道家主退，儒家則兼主進退。道家重無為而治，可謂墨家重有為，儒家則兼主有為、無為。後代儒林人物則多兼採道家言，故儒林必重政治，而又多主隱退。至少能退者之地位，則更高於能進者。知進而不知退，則不足掛齒矣。如北宋司馬光，當王安石為相行新政，彼則寧退不進，以十九年精力成資治通鑑一書。名曰「資治」，是亦史學卽政治學之一證。南宋朱子，承其書為通鑑綱目，所爭在「正統」一問題上。是卽政治學必上通史學一明證。有道統，有學統，亦有政統。一代一朝之政治必有統，而又必上通於歷代歷朝之統，此又政治學必上通文化學之一證。此又中國政治最高理想之所寄。朱子為宋代理學集大成，近人以朱子比之西方之康德，此又如以孔子比之希臘之蘇格拉底，皆所謂擬不於倫矣。

中國儒林一意主退者，最多在元、清兩代。如顧亭林，如黃梨洲，如王船山，皆以明遺民在異族政權下決心不出仕。然其治學，則可謂仍以政治為重，此為不失儒林之眞傳。亭林有兩書，一為天下

郡國利病書，一爲日知錄。前書備列明代地方政治利病所在。以近代專門之學言，或治農，或治礦，或治工，或治水利與道路交通，或治刑律，或治兵治商，可以各不相顧。然主持地方行政，此諸事皆當兼通並顧。故以今人讀亭林此書，則鮮不倦而怠矣。或治社會史經濟史者參考及之，然鮮知此書之終爲一政治學要書也。至於日知錄，亦多詳於下層地方政治，通其古今得失。近人則或不以史書視之，而更少認識其乃爲一政治學之書矣。

黃梨洲早年即爲明夷待訪錄一書，備論古今政治史上之大得大失所在。亭林先見此書，故其爲日知錄，乃偏詳下層地方政治。而梨洲晚年，則爲明儒學案，此書亦深具作意，當試闡之。蓋明初太祖廢宰相，成祖以十族罪誅方孝孺，故明儒亦承元儒遺風，以不仕爲高。陽明例外，然謫龍場驛，幸免一死。後爲江西巡撫，乃幾以平宸濠獲罪。其生平講學，亦鮮及於政治。其及門大弟子如王龍溪、王心齋，相率不仕。遺風所播，不免多病。東林起而矯之，謂爲儒則必當有志於從政，此始不失儒學之正統。梨洲師劉蕺山，蕺山一意盛推東林。而梨洲爲明儒學案，則顯有違背師門處。蓋梨洲爲明儒學案，亦顯有提倡不仕之意。其門人萬季野，應召赴京師，參加編修明史工作，猶自稱布衣。其一時師弟子意見，亦從可見矣。

王船山偏居三湘，與中原儒林少交接，然亦終身不仕。但其學則源自東林，亦終生不忘政治。觀其最後著作讀通鑑論、宋論兩書，今人皆以史論目之，不知其乃一部政治學通論，於歷代政治上之大得大失，以及出仕者之大志大節所在，闡發無遺。下及晚清，革命前，梨洲明夷待訪錄及船山此兩

書，經國粹學報重刊，幾乎盡人傳誦，其有助於革命事業者至鉅，此亦治近代史者所宜知也。又明夷待訪錄尚遠在法國盧騷民約論之前，而其原君、原臣、原法諸篇，明確有歷史證據，明確係往聖陳言，明白平允，遠出盧騷民約論之上。則中國傳統政治思想，顯有未可一筆抹殺者。奈何迄今僅七十年，國人已早加鄙棄，求變求新，進步之速，此亦難以理解也。

乾、嘉諸儒之經學，訓詁考據，又立漢學、宋學之分。實則當時諸儒，乃一意反朝廷承襲元、明以朱子四書集注章句為主之科舉功令。先有呂晚村，於朱子書中發揚民族大義，開棺剖屍。乾、嘉諸儒，遂改而貶抑宋儒，與呂晚村貌相反而意實同。此下乃有所謂今文經學。時清政府壓力已衰，而儒生乃重談政治，直迄清末，而有康有為變法維新之主張。

又晚清大儒曾國藩，有聖哲畫像記，羅列各代聖哲，多數與政治有關。其於清代，則舉顧、秦、姚、王。顧、秦乃顧亭林、秦蕙田。蕙田編五禮通考。余嘗謂中國傳統政治重禮治，吉、凶、軍、賓、嘉五禮，關涉政治諸大端，與杜、馬通典、通考備詳制度者分占重要之一部分。乾、嘉諸儒以義理、考據、辭章分學術為三方面，義理專重人生，而獨缺政治。國藩乃以居鄉辦民團，經國濟民，正為治平大道，即政治學，與近人以財貨經濟者大異其趣。而國藩又增經濟一目，經國濟民，平洪、楊之亂。但國藩之自稱，則曰「粗解文章，由姚先生啟之」。是國藩亦自居為一古文家，終不自承為一政治家。從來亦未有以古文名家而不通治平大道者。抑國藩苟非丁憂家居，即無機緣辦團練，成立湘軍。清廷之派兵命將，亦決不之及。故中國自古聖哲，亦絕少以政治家自命，乃亦決不專以政治為學。惟果細

研中國一部儒學史，必知與政治聲息相通，難解難分。而治中國政治史，苟不通儒學，則於歷代制度之因革以及人物之進退，必無可說明。今人則不讀儒書，於傳統政治惟有借用西方術語，一言蔽之曰「君主專制」。以廣土眾民之中國，而君主一人得專制其上，亦當有妙法精義宜加闡說。一筆勾消，明白痛快，而又得多數之同情，但豈得亦謂之政治學。

民國以來，猶有通舊學者，當以梁任公為殿。任公著中國六大政治家一書，惟王安石可入儒林，張居正已非其比，其他四人皆非儒。然安得謂凡主變法卽屬大政治家。抑且全部中國政治史，其變多矣，變而不覺其變，斯為善變。新莽與王安石皆非善變，史蹟昭然。以如此胸襟，如此見識求變，亦淺之乎其言政矣。任公師康有為主張變法，而曰求速求全。清德宗儻能加以任用，則亦必為新莽、王安石之繼矣。其後任公議論漸趨中正通達，創為國風報，知一國有一國之風。則中國之為政，又豈能盡效英、美。其所見識，已超同時提倡新文化運動者之上。又曾親預討袁之役，終爲於政治史上有貢獻。其後又能退身仕途，一意為學，惜其不壽，否則論史論政，世無出其右，其為學終當有得於儒學之傳統矣。要之，晚清若康有為，若章太炎，若梁任公，皆一代傑出人物，惜其涉身政治太早，又以領導政治最高理論自任，而未得優遊潛心完成其學。孔子曰：「加我數年，五十以學，亦可以無大過矣。」孔子自知其不久或當涉身於政治之外，乃更期數年之進學。大聖人之言如是，亦良可謂語重心長矣。故惟超其身於政治之外，乃始得以深入政治之堂奧，以知其利病得失之所在，而有以成其學。

孫中山先生亦略受康、章論政影響，而聰明天賦，乃唱為三民主義、五權憲法。於眾所共崇西方

民主之立法、司法、行政三權分立外，又特加考試、監察兩權，此皆中國傳統政治所固有。惟有考試權，則西方分黨競選之制可變。惟有監察權，則西方國會議院不僅立法，又兼議政之制亦可變。而後採用民主，乃得配合國情，良法美意有因有革，但亦在其隱退滬上積年深思之所得。惜乎國人已無人能知中國政治之舊傳統，此兩權終成虛設。繼自今，吾國家吾民族四五千年來相傳之治平大道，政治大規模，惟有學步西方，作東施之效顰，其他尚復何言。中山先生已早有「知難行易」之歎，又謂中國乃一「次殖民地」，更次於殖民地，亦可謂言之沉痛矣。

西方政教分，政學亦分。其爲學又主分，乃有政治學一專門，其實際政治則尚術不尚學。中國則「學而優則仕，仕而優則學」，必政學相通。尚術則爲人所不齒。惟其尚術故必變。法國戴高樂言：無二十五年不變之外交，亦無二十五年不變之內政。西方民主政治尚多數，多數亦何知，惟大聖、大哲、大賢人、大學者，乃能知多數之所欲知。治平大道，於以建立。中國之通儒達哲，聖之仁者，乃庶能知吾當前國人之所欲知而未能知者，所以謂「先知先覺」，「聖人先得吾心之同然」。即歷代帝王，亦莫不奉孔子爲至聖先師。使必服從多數，則何煩有聖哲。中山先生之知難行易，今國人亦莫之知，莫之從。求能眞實解說一部三民主義者，亦難其人。乃以美國林肯「民有、民治、民享」爲解說，則自然使我國人心悅誠服，無敢再作異辭矣。若有之，則仍必求之國外，如毛澤東之所法馬、列是矣。如是之國家，如是之民族，爲之立心立命者，乃在國外，不在國內，而猶必主張國家之獨立，此非一次殖民地而何？誠可悲之尤矣。

略論中國政治學　二

孔子曰：「道之不行，已知之矣。不仕無義。」則孔子之學不忘出仕。子夏曰：「仕而優則學，學而優則仕。」則「學」與「仕」本屬一道。學以學其道，仕以行其道，則學與仕，義屬一貫。後代中國乃成一士人政府，凡學人多出仕，凡仕者亦多能兼於學。其所重則曰道，乃別無一套政治學。

今姑從中國歷代政治史言之，庖犧、神農、黃帝，邃古不論。試言堯、舜，其時以氏族社會行封建制度，各部落各酋長卽各爲一國之主。堯則爲天下共主，爲天子，然亦僅管理其國內事。洪水爲災，堯非有權力責任，必以治水爲務。而堯使鯀治之，災益屬。堯乃訪用舜，並使攝政。舜改任鯀子禹治水有效。就鯀禹兩人之名推測言之，蓋亦一氏族，以治水爲業。則堯之用鯀，非其罪。舜之用禹，亦非其功。水患既減，堯亦老，其子丹朱亦非有惡名。使堯告其子繼位後仍當任用舜，丹朱非決不聽。而堯竟捨其子而讓位於舜，非出外力所逼，乃堯之內心自願如此。洪水既平，亦舜任用禹之功，舜子商均亦非有罪惡，舜乃亦讓位於禹。此亦非外力所逼，亦出自舜之內心。實則堯、舜之爲君，亦並無其他功績可言，故孔子曰：「蕩蕩乎民無能名焉。」但此「禪讓」一德，則永爲後世尊崇，

其影響於此下四千年中國傳統政治心理者至深且大，難以詳闡。但堯、舜以前，亦非先有此一套政治哲學之提倡，故陸象山言：「堯、舜以前曾讀何書來。」孟子則曰：「堯、舜性之也。」蓋堯、舜此一禪讓之美德，乃純出自堯、舜之內心。而此心則由天所賦，乃人性之本有。縱其為天子，為天下之共主，亦非有一套預定學說可為其作一切行事之大道之張本，亦惟依照其內心天賦，亦可勝其任而得其道矣。政治正其一端。此乃以下中國人羣所信奉之大道，但亦根據於古人往蹟，所謂歷史事實，故孔子曰：「述而不作，信而好古」，而何待有分門別類種種專家之學之競相創造乎！

此下昌言中國傳統政治哲理者，最備於小戴禮記中之大學篇。首謂大道「在明明德，在親民，在止於至善。」此為三綱領。又有八條目曰：「格物、致知、誠意、正心、修身、齊家、治國、平天下。」其實三綱領則只是一綱領，即「明明德」。親民即是明明德，亦即是至善，非有他矣。八條目中，最先「格物」一目，最起爭論。實即易繫辭所謂「開物成務」之「物」。朱子注：「物，猶事也。」此「事」字亦即易繫辭開物成務之「務」。「格」字可有兩義，一為限止義，一為標準義。政治乃人羣中最大一事務，寧有不接觸實際事務之政治。凡事物又變，又烏得有空無一物之事。事物則隨時隨地有變。孟子曰：「堯、舜性之，湯、武反之。」湯、武所接觸，已非堯、舜之舊。只以堯、舜當時居心反之己心，乃知當征誅，不再禪讓。此下事物又變，非實際接觸又何知所以為應。則惟僅舜當時居心反之己心，又必格物致知，而後誠意正心以應，此即所謂明明德。非親民則亦何以明此明德，明德即至善之標準。孔子曰：「子帥以正，孰敢不正。」心正而身修，則齊家、治國、平天下之道一以貫之矣。

心不正，身不修，又烏能齊家，烏能治國平天下。此義孔子已先發之，爲數千年來中國共同所信。故「心性之學」，乃爲一切事之本源，亦爲一切事之中心，乃亦無一切學之分門別類各自發展之可能與必要。後代中國人，則稱此曰「理」。

近代國人崇慕西化，乃以爲國人傳統重心性，偏於主觀，不知有客觀。此又不然。中國人主合內外，內在之心性，必見於外在之事物。格物致知，此知又何嘗非客觀。「形而上者謂之道，形而下者謂之器。」器外在，易見，卽屬客觀。道不易見，不易知，發於內心，屬主觀。惟道卽見於器，器必存有道，主觀客觀，乃和合而爲一。西方科學重物質上之試驗，主客觀。「形而上者謂之道，形而下者謂之器」，無形下學，故分主觀客觀而爲二。中國人謂人心有同然，故心與心相通，有同情。孔子謂此同情心爲「仁」。此同情心之見於事物上，則爲「禮」。孔子重仁亦重禮。但曰：「人而不仁如禮何」，則更重仁。仁在內心，當屬主觀，形而上。禮在外面事物上，爲客觀，形而下。中國人則和合此兩而爲一，而更重其內在者，如是而已。

今姑專就政治一端言。中國古人言：「天生民而立之君。」人羣聚處，則必當有管理統治此羣眾之事而爲之君者，此亦一客觀。希臘人不知有此客觀，乃不知有君，乃亦無國。希臘人之客觀，則惟以個人之經商財貨爲主。可謂僅知形而下，不知有形而上，不知有大道，乃亦不能成大器。「國」之與「君」，則實人羣之「大器」。今人謂西方人重功利，其實中國人重道義，乃功利之尤大者。然則西方乃由內在主觀而定其外在之客觀，故有個人主義。中國則以外在客觀通於內在之主觀，又以內在

主觀爲外在客觀之中心，則心亦猶一物，個人則爲大羣之中心，故主仁，而有禮。仁見於外爲客，主客一體，而有內外之分。西方則反客爲主，身爲主，物爲主，心爲物役，而轉爲之客。則西方所重之客觀，宜與中國之客觀有別矣。

人心又有「理」「欲」之分。欲屬形而下，理屬形而上。欲則附着於外在之事物上，故心爲主，物爲客。理則超脫於事物之上，故心爲主，而物爲客。國之有君，以一人高居萬人之上，有權有勢，人心誰不欲爲君。中國乃以一氏族社會，而擇其氏族中之尊長者爲之君。孰爲尊長，則有一客觀存在，人莫能爭。又君位世襲，父以傳子，子以傳孫，此亦一客觀，亦復無與相爭。故中國之君位尊嚴，實乃定於一客觀。

惟既在萬人之上，高踞君位，其內心仍不能無所欲。大學言「爲臣者止於敬」，中國則有敬君之禮，以滿足其君求尊之欲。人有同情，斯爲君者亦可啟發其對臣下之愛，故曰「爲君者止於仁」。而君臣上下之間，乃得相通相安，而政事不致於大壞。苟使爲臣者不盡其敬，則爲君者或可憑其權位以肆其自尊之表現，而爲臣者亦無以止之，國政乃不免於大亂。又爲君者深居簡出，乃以表顯其君之尊，此亦一禮，而濫用君權之害，亦隨以減。故中國重禮治，不重法治。君一位，臣一位，同在政府負一職位，即同在一禮治下，有其尊卑，亦有其平等。中國政治上禮之規定，莫不寓有深義，亦可謂其事乃大成於周公。

周公制禮必兼樂，其間皆寓深義。諸侯朝覲天子，多爲天子祭拜宗廟而特來陪祭。是則非尊天子

その人、實乃尊其祖先。如周文王如后稷，乃舉世共尊，而因以尊及其後代現任之天子。文王后稷之德，臨祭而歌其頌辭，即不啻對其繼位者以一番大教訓。而在位爲天子者，亦知已之見尊，乃由其祖宗積德來，孝思亦油然而生矣。諸侯歸其國，亦各祭其祖先。其意義亦近宗教，又近教育。讀詩經諸頌及大小雅各篇，可知朝廷遇事必有禮，遇禮必有教。禮之外貌在敬，而禮之內涵則在教，寓教於敬，從人心所歡處誘之教之，是則中國之禮意。此之謂「政教合」。

故中國天子雖受在下位者至高之尊敬，而實亦同在禮之下，而不得輕肆其一己之私欲。後世此禮繼承，而中國乃得成其爲廣土眾民大一統之民族國家。政府雖有君王，高高在上，而庶民在下，乃盡得有寬放安寧之自由。

尊爲一國之君，不得輕出都城一步。乃有巡狩封禪諸禮，登高山，臨大河，而以不擾民爲主。爲君者不僅不出都門，抑又不出宮門。今人巡覽北京清故宮，觀其建築之壯麗偉大，認爲惟帝王專制乃得有此。不知中國乃廣土眾民之一統大國，帝王之尊，乃不啻幽禁此宮中。禮以顯其尊，亦以嚴其防。其君傑出優異，固亦仍有所作爲。中材庸主，則亦可以其尊貴自足。最下者越禮自肆，亦多淫佚，而少暴虐，但亂亡亦隨之矣。

古人又有言：「禮不下庶人，刑不上大夫。」此又若封建時代之顯分階級。但在當時社會，下層亦有禮，如讀二南與幽風，皆在周初，何嘗得謂禮不下庶人。其次列國風詩亦皆有禮存。惟政治上層與社會下層有不同。刑不上大夫，亦非社會下層乃以刑治，而指朝廷君臣間，則有禮無刑。其風直至

西漢之初，貴爲三公，有罪不下獄，乃賜自盡。今之說者，乃據以爲中國傳統政治帝王專制之一證。細讀歷代之禮，其用心所在亦可見矣。

不知此亦一禮，非以尊君，乃以尊臣。循至後世，賜自盡之制衰，而大臣下獄之事卒亦少見。

中國重禮治，一切人事皆重禮，政治只其一端。爲君、爲臣、爲民同爲人，斯君道、臣道、民道同一道。大學之道，卽在教人以爲人之道，卽上通於爲君之道，故曰：「自天子至於庶人，一是皆以修身爲本。」治道卽人道，一如圓顱方趾，同在一體，雖高下有別，而生氣貫注，血脈流通，而亦有貴賤勞逸之別。於不平等處有大平等，於大相異處有大相同。禮者體也，豈得謂一身乃由一腦所專制。中國傳統政治之主要精神乃在此。

西方重法治，雖稱法律之前人人平等，但法與人已不平等，司法官與受訊人終不平等。耶穌乃上帝獨生子，凱撒得判其上十字架。後世教徒極意推行律師制度，但律師爲受判人辯護，亦仍待司法官判決。司法官一依法律而裁判，此見法之尊於人。然法律亦由人制定，此制定法律者，又是何等人？耶穌創教，使人人盡在教會之下。誰何人制定法律，又不斷改造，乃使人人盡在法堂之下？現代民主政治，立法、行政、司法三權分立，司法權乃外於立法、行政權而獨立存在，大總統犯罪，亦得受法庭裁判。是人權終低於法權。今人又稱民主必爭法治，則法在上，民在下，顯分高下。惟違犯上帝，乃死後靈魂事，渺茫而難知。違犯法律，乃生前當身事，具體而可證。但西方人除法律有明文規定外，一切又儘可自由，縱蕩放肆，惟意所欲，無復嚴則有限，信仰上帝遵奉法律皆其限。

再有防止，此之謂人權，豈不可畏！

中國人言法，亦如言禮。乃一種規矩，一種制度，一種模範，一種律則。天地運行皆有法，君有

君法，師有師法。孟子曰：「上無道揆，下無法守。」在下所守，即在上之道，是法亦道也。苟其人

而可爲法於天下，爲法於後世，斯非聖君聖師莫屬矣。而人之有法可守，則一切日常言行皆有法，亦

可謂法即人生，人生即一法。西方之法，在人生之外，人生不當犯此法，不當犯，與當守，其義又大

不同。西方人重外在，其法其政，皆外在於人生。中國人重內在，其政其法，則皆在人生之內。此又

其文化精神大不同之明顯可證之一端矣。

中國法家亦主立法以限制人。商鞅作法自弊。道在引導人爲善，法在防止人爲惡。一積極，一消

極。故法終不爲國人之所重。沛公起兵，與民約法三章，「殺人者死，傷人及盜抵罪」。此乃全國通行

之普遍法。漢武帝行鹽鐵政策，乃針對某一事之特殊法，引起全國之爭論，歷久未衰。正因法必本於

道，而道則必兼通於各地各時之一切事變。故中國不能言法治，於道統政統之下，乃始有所謂法。

中國有刑律，有制度，皆稱法。而一代之制度，則尤爲一代之大法。設官分位，各授以職，皆由

制度規定。君一位，亦一職，亦在制度中。又稱王制、王道，俗稱「王法」。此猶西方之所謂憲法矣。

王位最高，非謂由此一王乃可定此道，制此法。王亦在法之中，非能超乎法之上。記載此歷代制度沿

革者，唐有杜佑通典，宋有鄭樵通志，元有馬端臨文獻通考，後人稱爲三通。朝代有更換，而其道其

法則古今一貫，故謂之「通」。或稱典，或稱文獻，「文」即文章典章，「獻」則指賢人言。中國政治

尚賢，故曰賢君、賢相、賢臣，惟其賢，乃能制法定法，亦能守法行法。亦惟賢，乃能不專制。今國人不讀三通，乃謂中國有君主無憲法，故其政體為「君主專制」。不讀書，輕發言，亦非治學之賢矣。

中國政治不專為治國，亦求平天下。同此人，能盡人道，同為一國，斯其國治。同在天下，斯天下亦自平矣。唐、虞、夏、商、周三代封建政治，為天子者，僅治其邦畿千里之內，而列國諸侯盡來朝，盡相和，斯卽當時之平天下。秦、漢以後，改為郡縣政治，全國統一。然非無鄰邦，非無國防，非無兵爭，而和平睦鄰相處之道，則傳統不絕。近代國人又稱漢帝國唐帝國，以比擬之於西方中古以前之羅馬帝國，乃及晚近世之大英帝國。中西歷史各有記載，不詳加比較，烏得一以西史作準繩，一以國史作注腳。

今再綜合言之。中國傳統政治僅亦言人道，中國全部古籍，經、史、子、集，亦主在言人道。故非兼通四庫，略知中國文化大義，卽不能通知中國之政治，而又何專門成立一政治學之必須與可能。

略論中國社會學　一

一

中國人稱身、家、國、天下。人生各有身，又有家。家之上乃有國，有天下。人生不能離此四者以爲生。

身、家、國各有別，天下則盡人所同，故更無駕天下之上者。

人生乃一會合。身有五官四肢六臟百骸，卽是一複雜之組合。惟身之組合皆屬物，可謂乃一自然人。家國天下，則人與人相會合，乃爲文化人。凡其會合皆有統。身統於心，實則家國天下亦皆統於心，故人心乃人生最主要一統會。

所謂家，乃由夫婦組合。上有父母，下有子女。而父母以上，更可有祖父母，曾祖父母，高祖父母，以上推於無極。子女下有孫子女，曾孫子女，以下遞於無窮。而其歷代皆可有兄弟姊妹，又各別成家。故中國人言家，則必言族。又婚配之女家爲外家。內家謂之親，外家謂之戚。家族親戚，關係

牽連，乃成人文一大羣。如姬、姜兩族通婚，互為外家，家擴大而為國，國擴大而為天下，皆由夫婦之配合始。故曰「夫婦人倫之始」。夏禹時號稱「萬國」，其時疆土僅在黃河兩岸。所謂國，蓋僅一部落，古人所謂「化家為國」是也。

雖萬國林立，而同有一共同朝向歸往之天子。列國有相爭，每朝向此中央之天子而求其排難解紛，俾列國間常得和平相處。然此為萬方諸侯排難解紛之天子，尚德不尚力，其勢不可久。堯、舜禪讓，湯、武征誅，眾心朝向之此一中心，則常有代而起者，故中國人又必稱「朝代」。唐、虞、夏、商、周相代。商、周之際，其時當尚有千數百諸侯，較之虞、夏間國數大減，亦有兼併，多則和合。故生齒益增，治道益平。周初封建，興滅國，繼絕世，在當時已有一歷史大傳統之存在，天下觀念則常在國之觀念之上。實即社會觀念常在政府觀念之上。中國乃一宗法社會，每一宗族之團結融和，則常賴其祖宗之有德者。親親尊尊，以宗族血統建其本。必使每一宗，每一族，凡其祖先之有德者，則必使其存有一國而不亡。此乃西周封建之大義，而亦即中國文化大義之所存。稽考古史，此一義殆無可疑。

西周東遷，中央失其眾所朝向之地位，而無與代興，乃有霸者。王、霸之別，仍在其道，不在其力。迄至秦代，不再有封建，天下共戴一中央。秦始皇帝之大誤，乃在其以為天子之位可以一世二世以至萬世，永傳不絕，而不知有代興。豈得以一家永在萬家之上，則秦始皇乃對宗法觀念上有誤。但亦終不得以帝國征服之西洋傳統說之，則比較中西史跡而可知。

秦以下，有朝有代，有分有合。而國之上有天下，國之下有家之一傳統觀念則無變。要之，身、

家、國、天下四階層之遞累而上，而人之各自之身則爲之本。故中國人觀念，自身以達之天下，所謂

修身、齊家、治國、平天下，其道一以貫之。而中國社會之宗法精神，則始終不變。

故欲治中國之政治史，必先通中國之社會史。而欲通中國之社會史，則必先究中國之宗法史。由

血統而政統而道統，此則爲中國文化之大傳統。今人一慕西化，身之上忽於家，國之上又不知有天

下，乃惟知有「法」，不知有「道」，無可與舊傳統相合矣。

二

中國本無「社會」一名稱，家國天下皆卽一社會。一家之中，必有親有尊。推之一族，仍必有親

有尊。推之國與天下，亦各有親有尊。最尊者稱曰「天子」，此下則曰「王」曰「君」。王者衆所歸

往，君者羣也，則亦以親而尊。人同尊天，故天子乃爲普天之下所同尊。

人生在天之下，地之上。中國有「社」，乃土地神。十室之邑乃至三家村皆可有社。推而上之有

城隍神。一國之神則稱「社稷」。「稷」爲五穀神。中國以農立國，故「稷」亦與「社」同親同尊。

中國人觀念，凡共同和合相通處皆有神。故不僅天地有神，山川有神，禽獸、草木、金石、萬物亦各

有神。人心最靈，最能和通會合，故亦有神，而與天地同稱「三才」。則人羣社會亦必有神可知。今可謂社會可分天下與地上之兩種。西方社會爲地上社會，非天下社會。故多分別性，而少共性。西歐佛法有世界觀。世屬時間，屬天。界屬空間，屬地。故佛教之世界觀近似中國人之天下觀。西歐人獨富地上觀。所居住之地既各別，乃不相親不相尊，故其社會組織有國而無天下，而其國亦各別爲小國。近世英、法、德、意，皆僅如中國之一省。其他諸國土地更小，有同一民族而分爲異國，亦有異民族合成一國。其國不專以民族爲本，亦不專以地理疆域爲本，又不專以歷史傳統爲本。其立國之本，殊難言。或馬克斯唯物史觀，庶乃近之。

猶太人不成國，乃似有一天下觀。古代有耶穌，自稱爲上帝獨生子，其教徒乃共同尊親上帝與耶穌。近代有馬克斯，乃改從地上觀。主唯物史觀，分西方社會爲農奴、封建、資本主義與共產四階層，其所重盡在地上之物。但專言社會，不言國，雖亦不言神，而與耶穌有其共同相似處。西歐人獨缺一和通共同觀，故耶穌、馬克斯乃同得西歐人崇奉。但亦多變質，僅成西歐傳統中之一部分而已。

中國人之社會觀，乃使「天下」與「地上」共融爲一，既信有神，亦重有物，而人爲之主。如山川社稷，亦皆合天地神物而爲一，乃各加祭拜，各加尊親。故人必尚羣，而無個人主義。羣則本於人之德性。今人好分公德私德。孔子曰：「志於道，據於德。」又曰：「天生德於予。」韓愈言德「足於己，無待於外」。則德乃私而卽公，又何公私可分。中國觀念不僅人有德性，天地萬物亦各有其德性。德性則大同。人之有德，乃知有尊有親，故能尊親其家其羣，又必尊天親地，而人羣乃可安可

樂。此始爲中國人之社會觀。故中國人言社會必好言「風」，此乃一天下觀。又好言「俗」，此乃一地上觀。言社會，則必言「風俗」。猶之言人生，則必言「天地」。「天、地、人」三者之會合，即「自然」與「人文」之會合。耶穌教徒譏中國崇奉多神爲迷信，共產黨徒則譏中國爲封建社會，此皆不得中國之眞相。

近人又多稱政府爲上層，社會爲下層。實則中國乃以社會組成政府，非以政府組成社會。果其政府能知社會之在其上，則其政無不治。若使政府認爲其乃高踞社會之上，則其政無不亂。人之於羣，中國觀念重職任，非權位，細讀一部二十五史自知。即如蒙古滿洲以外族入主中國，此乃中國社會暫時承認此兩族之統治，而非此兩族能來改造此社會。顧亭林言：「國家興亡，肉食者謀之。天下興亡，匹夫有責。」言天下，即猶言社會，其地位尚遠高出於政府之上，而一士人一匹夫可以直接負其責，而政府之事，可置之於不問。朱舜水流亡日本，亦猶如孔子之周遊列國，欲居九夷，思行道於天下，亦猶顧亭林之所謂「匹夫有責」也。此乃中國文化傳統之大義所在，豈僅知有國不知有天下者之所能知。

近人又好言自由、平等、獨立。但就中國觀念言，個人處大羣中，非可有德性外之自由。德有大德小德，知有大知小知，亦非有平等。人生在大羣中，亦非可有獨立。德有大德之最高榜樣，但孔子稱之曰「仁人」。則伯夷、叔齊乃在大羣中獨立，非離羣以獨立也。故中國社會最富和合性、共通性，乃有其大同之理想。大同乃得太平。人處太平世大同社會中，乃各有其自無悶之最高榜樣，但孔子稱之曰「仁人」。則伯夷、叔齊可謂獨立不懼、遁世

由、平等、獨立之可言。

西方人僅知有國際，不知有天下。最近始有國際聯盟之組織。其下有一教育、科學、文化聯合機構，此三者皆具有天下性。但近世只有國民教育，無「天下人」教育，此乃教育上一大病。有民族文化，無「天下人共同」之文化，此又文化上一大病。因此國際聯盟下此一機構，亦仍趨於政治化。所謂政治化，乃仍保國別性，而無天下性。美國人最近乃主退出此機構。其實不僅此一機構難有實效，即整個國際聯盟亦然。國際會議亦學，無「爲天下保和平」之科學，此又科學上一大病。有戰爭科主少數服從多數，多數無財力無武力，豈能得少數服從。中國人則言：「得道者多助，失道者少助。」平天下有道，而其道則實從最少數之「先知先覺」者「唱之」，次多數之後知後覺者「和之」，而後絕大多數之不知不覺者乃相與「從之」。大學謂「明明德於天下」，此卽平天下之道卽從少數之先知先覺者起。曾國藩原才篇謂：「風俗之厚薄奚自乎？自乎一二人之心之所向而已。」二人心之所向，此卽一二人之明德。則天下大羣社會之基本，乃在最少數一二人之心上。此則爲中國最高之社會學。

故曰：「天下一家，中國一人。」此義大可深思。

三

中國乃一氏族社會，或稱宗法社會，其本則爲家。家與家同處一地，曰鄉黨鄰里，曰都邑。其上有國，有天下。家、國、天下，皆指人與人之關係。其關係或屬天，或屬地，而初無「社會」一名。

社會一名，乃傳譯西方語。西方人在社會之下有個人，在社會之上有國，輕視家，又無天下觀。化家爲國，其

中國之家，必有親長。親其親，長其長，乃人之性情，出於自然，亦可謂乃天道。同在此光天化日之下，同在大自然中，實無大不同可言。西方則認爲個人結合爲社會，社會結合成爲國，皆賴法，其相互內在間之性情關係則較爲淡薄。

中國人爲人，始於在家中爲幼童時，曰「孝」曰「弟」。成年爲家長，仍貴不忘其本初。孟子

道亦只在「親親長長」。人之性情，則道同，可推至於天下，爲大同。

曰：「大人者，不失其赤子之心者也。」推而至於家之外，則曰「忠」曰「信」。孝、弟、忠、信，乃中國人爲人之大道，處家、國、天下皆然。

西方人以個人處社會，不見有孝、弟、忠、信共遵之道，故曰自由，曰平等，曰獨立，實皆爲個人言。中國觀念，幼童處家中，皆賴父母親長之教養，何得自由，亦不平等，更無獨立可言。若如西

方，則待成年而一變，人生割裂爲兩截。晚年又成一截。乃謂「幼年如在天堂，中年如在戰場，老年如在墳墓。」此惟西方社會有此情況。

今人好分個人與大羣，此亦西方觀念。若在中國，一家融成一體，即無個人與羣體之分。鄉國天下皆然。人之爲人，有爲一家之人，有爲一鄉一國之人，有爲天下之人，獨不得爲個人。孟子分聖之任、聖之清、聖之和。但卽伯夷之「清」，亦非個人主義。孔子惡「鄉愿」，鄉愿亦非個人主義。老子主「小國寡民」，各安其鄉，樂其俗，老死不相往來，亦非個人主義。釋氏主出世，但同樣非個人主義。中國人只稱人生天地間，不稱人生社會中，此猶謂人生大自然中。卽太古原始人，其時尚無家，尚無社會，但亦無個人主義。中國人稱人生一家之中，則已爲一「文化人」。必謂人生社會中，乃有個人主義。

嚴格言之，亦可謂中國初無與西方人相似之社會觀。近代國人，乃將西方人對其社會一切之意見與討論移來中國，則宜其一無是處。尤甚者，莫如謂中國乃一封建社會。但迄今亦無議其非者，其他則復何言。

中國社會有兩大義，一曰「通財」，一曰「自治」。其見之歷代書籍記載者茲不詳。晚清之末，鴉片戰爭，五口通商，國人震於西化，乃唱實業建國。而江蘇省之南通、無錫兩縣，乃羣譽爲全國之模範。

四

南通主持於張謇季直一人，季直狀元及第，退而在野，提倡實業。自南通推及於近圍之淮河流域，自煮鹽、植棉、紡織、碾礱創爲種種工廠外，又興辦學校，設置圖書館、戲院，以及育幼院、養老院等，一縣之文教設施，幾乎全出張氏一人之手。地方長官承意唯謹，而江蘇一省之督撫藩臬，亦不加干涉。

同時無錫則並無如張季直其人。其西北鄉多營小鐵工業，在滬設廠爲生。一日，有三四人同遊西湖，晚宴於湖濱之樓外樓。席散下樓，夜已深，羣丐圍乞賞。諸人一時感動，謂無錫亦有此俗，儻能多設廠招羣丐爲勞工，豈非大佳事。乃歸而各設工廠，或在滬，或在錫。營業有得，亦各辦私立學校，或在城，或在鄉。一時興業辦學之風，乃更駕南通而上之。

余家無錫東南鄉之蕩口鎮，鎮上有華氏義莊，其莊主亦興辦一小學，余兄弟皆肄業於此。義莊始

於北宋之范仲淹，一千年來，其風遍全國。此亦尚通財之一例。而通財不僅爲濟貧，又兼之以宏教。

曰養曰教，皆社會自爲主持。而其他一切自治，亦皆由此一意義推擴而來。

無錫實業家之興學建校，又不限於小學中學。唐蔚芝以清末郵傳部大臣出長上海之交通大學，老

而退休，無錫唐氏某家聘其來創辦一國學專修館，其規模乃似一大學研究所。又特爲建宅第。蔚芝崑

山人，移家來，人遂誤傳蔚芝亦無錫人。抗日戰爭後，無錫榮氏又創立江南大學於太湖之濱，規模恢

宏。共產政權起，始停辦。

專就南通無錫兩縣論，其興業辦學之盛，皆在袁世凱及北洋軍閥時代。果使政治安定於上，則其

他縣邑，不乏慕效而繼起。歷數十年，中國當可早臻於現代化。近代中國，實非社會亂於下，乃政治

亂於上。乃政治使社會不長進，非社會使政治不安定。中國傳統文化亦自有其安定向榮之一途，民初

新文化運動乃主盡變其舊，而全國乃無寧靜之望矣。

余避赤禍至香港，曾遊新加坡與馬來亞，乃見海外僑民社會之一斑。其地皆有會館，國內以貧窮

單身來者，皆得一暫時安身處。此亦社會通財之一端。經商贏利，亦競辦學校。新加

坡初辦私立大學，羣情歡動。教授自外埠來，街上車夫拒不收車費，理髮店拒不收理髮費，店舖購物

則廉價，社會重視教育之風有如此。但司教者則必尚西化，於國人加鄙恥。此誠爲近代中國社會一悲

劇。新加坡、馬來亞，皆在海外，非能受國家之庇護，而歷明、清兩代五六百年之久，仍能保持一中

國社會之風貌，此非中國社會有自治潛力一明證乎！

又如辜鴻銘，誕生於檳榔嶼。幼受西教，長而博通西歐文獻。乃宏揚儒統，闡申國學，獲西方學術界之信重。歸國授教北京大學，則爲當時新文化運動所掩沒。陳嘉庚兄弟，隨父經商新加坡，其父業敗，其兄弟乃再起。又回國興學，自集美小學、中學以至廈門大學，爲同時全國各地私家興學之冠。陳嘉庚晚亦傾向共產主義。國內社會未能作國外之領導，則國外社會之影響國內者，宜其微矣。然如此類人，亦殊值重視。

其他如泰國，如越南，如美國舊金山，乃及各處海外華僑社會，不遑舉。即如美國紐約之有丁龍其人，豈不更大值重視乎！其他爲國人所不知而實值稱道者又何限。孫中山從事革命，得海外僑民之助，甚深甚大。中國古人言：「禮失而求諸野。」今則民族文化傳統失之國內，而猶可求之海外之僑民社會，此亦中國社會具自治潛力能通財能宏教之一證。而中國傳統文化之未可厚非，亦即由此見矣。

略論中國社會學　二

一

中國本無社會一辭，故無社會學，亦無社會史。然中國社會綿延久，擴展大，則並世所無。余嘗稱之曰「宗法社會」、「氏族社會」，或「四民社會」，以示與西方社會之不同。古代封建制度卽從宗法社會來，察擧考試制度卽從四民社會來。在中國，政治社會本通爲一體，因亦無顯明之分別。

今論中國社會，應可分四部分，一城市，二鄉鎮，三山林，四江湖。古代都邑有城，秦、漢後卽爲一縣，乃政治上一最低單位。西漢全國有一千多縣，卽一千多城，同時卽是一商業集中區。有持續兩千年，至今大體無變，而日趨繁盛者，如江浙之蘇州、杭州兩城，俗稱「上有天堂，下有蘇杭」。

考論中國社會，必先注意其城市。其次如江蘇之揚州，廣東之廣州，商業尤旺。揚州爲國內南北交通商業集中區，廣州爲對海外商業集中區。四川之成都，河南之開封，山東之濟南，皆所不如。中國自

古以農立國，然商業早興。今國人每稱中國爲一農業社會，實不符情實，稱「四民社會」較爲妥當。

城市四圍爲鄉鎮。鎮亦一市區，但無城，在政治組織上隸於縣，其起源亦甚早。如江西有景德鎮，河南有朱仙鎮，尤著名。鎮之四圍乃爲鄉村。大抵村民多聚族而居。余幼年所歷各鄉，全如此。即各鎮各縣亦大體如是。故稱中國爲宗法社會氏族社會，實歷三四千年而未變。

城市鄉鎮之外爲山林。其重要不下於城市，主要乃爲宗教區。「天下名山僧佔盡」，名山勝地與僧寺結不解緣。佛教影響中國社會至大，山林爲其根據地。其次爲道院，尤其如元代之山東嶗山，影響亦遍全國。儒林中亦有終身在山林者。如東漢初嚴光，隱居富春江上，影響後世千五百年而未已。宋初孫復、石介在泰山，亦影響迄今千年。清初有王夫之，亦終身山林，其影響當與前舉相伯仲。其他山林名儒不勝舉。要之，亦可謂中國山林多寓有社會文化精神，與近代所謂觀光遊覽區者大不同。

又次爲江湖。其與山林，地域難分，而情況則別。中國古代有游俠，富流動性。山林人物富靜定性。在山林而具流動性者，則謂之江湖。其勢時起而時衰，彌後而彌盛。明初小說水滸梁山泊，其故事遠起北宋。及宋室南遷，北方民間抗金故事流傳，即水滸忠義堂之前影。此乃謂之江湖。此下七俠五義、小五義等皆是。即如洪秀全、楊秀清起於廣西山林中，亦皆江湖。晚清之義和團及民國以後之毛澤東，亦莫非江湖流派。中國主要乃一靜態社會，而江湖則爲其靜態下層一動態，其人多豪俠，其名亦多爲忠義，而其趨勢則常歸於亂不於治。亦有江湖勢力侵入城市，則如清代之幫會。五口通商後，乃以上海爲大本營。又如晚起之共產黨，乃借西方政黨名義，在北京上海各大城市潛伏發展。就

中國傳統言，亦即一幫會，一江湖。中國社會現代之幫會遠自明代運河勞工之組織始，仍是一種江湖義俠傳統精神，與西方工廠勞工團體之結合仍有其大相異處。當從幫會本身以求其意義之所在，影響之所及。此亦研究中國社會一主要項目。

史記、漢書有貨殖、游俠、儒林三傳，東漢書有逸民傳，貨殖、游俠兩傳無繼起。「游俠」一項，轉入傳奇小說中。而「貨殖」一項，則後世甚少稱述。此四項人物，正可代表上述城市、鄉鎮、山林、江湖之四部分。「逸民」可與「儒林」相抗衡，而實亦出於儒林，爲其別支。故儒林之在城市，亦多慕爲隱逸者。惟貨殖人物，則較視爲卑下。中國常多連稱農工，商人最居四民之次。此正中國城市山林化，而資本主義絕不能形成之一大好說明。

合此城市、鄉鎮、山林、江湖四者，乃見中國社會之全貌。亦可謂中國社會，乃分別成爲此四部分。中國各省府縣之地方志，實亦可當中國之社會史。正史較詳「政治」，地方志較詳「社會」。中國人本不爲政治、社會作嚴格分別。可謂正史則多詳全國性，方志則多詳地方性，即各地之分別性。方志較晚起，始於宋代。亦因宋以前五代十國，即有十國之志，宋代統一，乃有地方志之出現。其後乃演化爲省志、府志、縣志。今欲搜集地方社會史料，則方志其首選矣。

亦有鎮鄉之志。最佳之例，當首推吾鄉之泰伯梅里志。僅就前清金匱一縣中，東南方數十鄉鎮，彙記其文物故事，詳其古今演變，而成一書。亦有一山林自成一志者，如廬山志。亦有一寺廟一書院自成一志者。更有專就某一觀點，成爲一書者，則如顧炎武之天下郡國利病書。雖綜合全國，而專就

經濟觀點各地分別記載成爲一書，乃爲明代社會史之極佳材料所在。此皆治中國社會史者所當注意。

中國文化傳統既與西方不同，則中國社會狀態亦自當與西方有異。今國人乃率據西方社會學來觀察評論中國社會，則胥失之矣。如言西方爲商業社會，中國爲農業社會，不知中國社會之工商業積兩三千年來，皆遠勝於西方。直至近代西方科學發達，情況始變。而中國始終不能有資本主義之產生，則爲中西雙方文化之大相異處。國人又稱中國爲封建社會，則又大謬不然。中國社會兩千年來，工商業皆極盛，何以終不產生資本主義？此乃一大問題，可自上層政治措施上論，亦可自下層社會情態上論。如蘇州，乃兩千餘年來一大城市，而頗亦趨向於山林化。其城外附近四圍山林人文化之日趨旺盛，姑不論。專就蘇州城內言，遠自唐代，近迄清代，其園亭建設之勝，冠於全國，亦可謂其超出於全世界。清之晚季，日本逼開商埠，乃劃城南區與之，但蘇州人迄未予以開發。及滬寧鐵路興建，又在城北闢成一新商業區，而城內舊形態依然保守不變。果使國人有遠識，能永保此蘇州城內之舊形態，則可供全世界人參觀欣賞，當遠在意大利文藝復興時諸城市之上，亦可活現出中國社會自古相傳之一種特有面貌。而惜乎最近數十年之改變，今已無可期望矣。此誠一大堪惋傷之事也。

中國文化之最高理想，與其最高精神，乃在「通天人，一內外」。以今語言之，則爲「人文」與「自然」之和合成體，即「人文」之自然化，「自然」之人文化。而城市之山林化，乃爲中國全社會所同心嚮往之一事。尤其如帝王首都，中央政府之所在地，如長安、洛陽、開封、餘杭、金陵、北平諸城，惟開封一城爲自然形勢所限外，其他諸城盡皆城市而山林化。宋都開封，其人文薈萃，則轉在

洛陽。今此諸城，雖長安、洛陽已趨衰敗，而往年景象，猶可依稀訪求。杭州、南京、北平三城，則景象猶存。即如山西大同之雲岡石刻，以及洛陽伽藍記之所記載，亦可見當時鮮卑人之華化，亦求其京師之山林化。此眞治中國社會史者所更當留意，更當研討者。

分論各省，則西南諸省如四川、廣西、貴州、雲南等，更易體會。所謂「天地之化育」，此實可作一最佳具體之說明。而雲南一省尤然。以其自然地理與其開發之較遲，稍加現代條件之修繕，即可成爲世界一瑞士，而實可爲城市山林化之更高象徵，亦中國文化理想最高一楷模。所謂「天地之化育」，此實可作一最佳具體之說明。

中國社會尤有一值得注意者，則爲其有「化外」之一部分。中國自古卽華、夷雜居。所謂戎、夷，實多與華夏同血統，特以人文生活卽文化爲分別，故曰「夷狄而中國則中國之，中國而夷狄則夷狄之」也。兩漢廣遷塞外異族入居中國，是卽夷狄而欲中國之。明、清兩代，西南諸省乃有「土司」制度。如何以相異民族，而能在同一地區和平共存，此又爲研究中國社會學者一項大值注意之問題。卽如臺灣，亦有高山族居民，但無如大陸之有土司制度。而有如吳鳳其人者出，此亦中國文化中國社會中之特有人物，爲其他民族其他社會所未有。

今國人則專就西方社會學眼光來治中國社會，強異以爲同，其不能深入瞭解往昔中國社會之眞相，殆無疑義。專就城市論，中國城市皆求山林化。而西方城市，以中國人觀念言，則可謂乃趨向於江湖化。山林化求靜定，而江湖化則易動亂。西方動亂多起於城市。卽如法國之巴黎，最爲西方人豔稱，然巴黎亦多見江湖化，少見山林化。西方人之江湖，更擴大而爲海洋。西方國際亂源，亦多起於

海洋。其實西方各國疆域，亦僅如中國之一省一府而止。西方鄉鎮人羣之趨赴大城市，亦可謂其乃趨於江湖化。近代美國人，羣喜從大城市遷居附近諸鄉鎮，則亦使附近諸鄉鎮同趨江湖化，而轉漫失其原有山林之情狀。

故在西方城市，幾盡屬貨殖人物。政府、宗教、學校，或可比中國之儒林，而盡必附屬於貨殖。因西方不重人物，僅重事業，而事皆需財，財則掌於貨殖之手。而貨殖則趨於江湖化，於是曰流動，曰競爭，乃成爲一資本主義之社會。隱逸一流，則甚少，幾乎無之。西方亦有山林，而無中國之山林氣象，徒供人遊覽或探險，亦可謂全成商業化，江湖化。此誠中西雙方文化大異處，亦社會大異處。

近代美國人中，有西歐白人，有猶太人，有非洲黑人，有東方中國、日本人，亦異族共處，成爲西方文化體系下有一嶄新形貌之社會。但其多人雜處，如一大賭場，如一大戲院，各有所求，各有所爭，若在靜定中而不勝其動亂性，縱佔富強，亦不易得安定。周濂溪太極圖說：「太極動而生陽，動極而靜，靜而生陰，一動一靜，互爲其根。」又曰：「主靜立人極。」宇宙大自然實爲一「動」，而人文化成則當爲動中一「靜」。自然爲人文之根，而人文亦可轉爲自然之根。今可謂西方社會富陽動性，乏靜定性。近於自然現象，而少人文理想。中國社會則在自然陽動中，必求以人文理想之靜定爲目標。今則受西方商業威脅，乃亦失去其靜定性。若求全世界人類同歸靜定，同臻安樂，首當限制資本主義。勿使商業在其社會中一枝獨秀。但若改採馬克斯唯物史觀共產主義，則將更深陷於自然窠臼

中，而其違反人文理想將更大，更無人類相處之真性情可得矣。中國四民社會，商人最居末。農工在其上。亦可謂農工在靜一邊，而商則在動一邊。中國社會非無動，而靜爲主，故信義通商，終不失人類相處之真性情，遂亦不產生資本主義，此又中西文化之相異。

中國人認爲生產多屬天地自然一邊事。人之從事生產，又須分工合作。故不主私，不主專，而有一種通財公產觀。孝、友、睦、婣、任、邮，乃人臺相處居心所宜之大道。故在中國不能有農奴社會，封建社會，資本主義社會。封建在中國，乃一政治制度。西方封建，則仍重在財富之分別佔有。則中國宜亦不能有共產社會。馬克斯創爲「唯物」史觀，中國當稱「唯人」史，實則乃「唯德」「唯性」。西方人生注重在外面物上，中國人生注重在人之內在德性上。換言之，西方人用心在物，中國人用心在己，即己之心。西方人亦知有心，惟主客輕重則大不同。

共產主義爲害中國，今已人人皆知，乃欲改稱社會主義。則當知中西社會有不同。中國社會摶成，不仗財力，亦不仗武力，故中國人無權力觀。齊家、治國、平天下，皆不能仗財力兵力，乃在人與人之性情之相感相通，而成爲一體。此種性情之培養，則貴在「心」。貴在先有一段靜定生活，在人則貴在未成年期，在地則貴有一山林生活，此兩者皆屬天。能知此，則知天、地、人本屬一體，即自然與人文之本屬一體矣。如原始人之洞居，實即山林生活，亦即人類未成年時之生活，此爲自然生活。而人文社會之生活，即本源於此。人文社會生活之最後歸宿，則仍應爲一種自然生活。總之，人類逃不出物的生活，而以心生活爲之主宰。若如西方人，以心生活投入物生活中，物爲主，而心爲

奴，心生活不長進，惟求物生活長進，則與中國爲大異矣。

釋、老皆重心了物生活。惟有儒家，執兩用中，心、物並重，而又會通和合，融爲一體，始爲人生之正途。故欲知中國社會，又須兼通中國經濟史，並須兼通中國思想史。要之，即須先通中國文化史。若分門別類，專一求知，則中國究爲何種社會，誠難以一言盡矣。

重物，則其大羣生活乃自下而上，由分而合。重心，則其大羣生活乃自上而下，由合而分。西方社會重多數，中國社會則特重一領導中心，此則必屬少數。四民首重「士」，即此意。但此下中國社會中「士」之一階層將漸消失，重少數將轉爲重多數，則心社會自不得不轉爲物社會。此乃中國當前一大問題。孫中山先生提倡知難行易，分知爲先知先覺，後知後覺，不知不覺三階層。「行」屬多數，「先知先覺」必屬少數。「易」屬多數，「難」屬少數。「分門別類之知」，亦屬多數。而「會通和合之知」，則仍屬少數。社會無一中心領導，此終屬一危途。而此中心領導階層，又如何產生，又如何得大衆之承認？此則爲治中國人文史者最當注意研尋之一問題。

然此事實亦不難。須使人先知心生活重於物生活，則自然尋向上去，識得自己性情，同時即識得人類性情，則已把柄在握矣。心生活何以重於物生活？其事亦不難知。反身以求，當下即是矣。中國古人之高瞻遠矚，而又切己體察，此亦執兩用中之一道也。吾國人其勉之。

二

夫婦和好，父子慈孝，即中國之所謂道。中庸言：「苟不至德，至道不凝焉。」「道」即凝於「德」，宇宙大自然萬物散布，非德則無以凝聚。德又有大小之分。中庸言：「小德川流，大德敦化。」川流則猶有形象可尋，如結爲夫婦，生育子女，生命無窮。中國乃一氏族社會，父子祖孫世代相傳，亦卽小德之川流。孔子爲中國之至聖先師，其道不僅傳於家，不僅傳於魯，並傳於兩千五百年來之全中國，斯則爲大德之敦化矣。兩千五百年來，疆土日廓，生齒日繁，同爲一中國人，此生同，此心同，乃有同德同道。今日此世界則同有電燈自來水，以色列人、巴勒斯坦人同樣生活在此燈水中，而有不可同日生之勢。又如宇宙大自然，渾然一體，本無區別。此身乃生命一時所附著，其魂氣則可離於肉體，而還歸宇宙大自然之渾然一體中，卽其生命之依然存在。乃不朽，非復活。

宇宙大自然之渾然一體，此乃一大生命。人類生命卽由此大生命中分得，中國人謂之德。三不朽以立德爲首，德不在身，而在心。聖人先得吾心之同然。人人之心，皆可同於聖人之心。故聖人之德，亦長在人人之心中。此卽中國古人之生命不朽觀。立功立言，則較落於外面形象上，然仍必歸於心，故同得爲不朽。是則中國人之生命觀乃在心，心則非器物，無形象。故言靈魂，世人之靈魂觀，

二三三

仍可有分別。中國言心，則有同然，無分別。如言夫婦父子，自身言，亦各有分別。然夫婦和好，父子慈孝，自其內心之德言，則可無分別。

俗云「說法」，此「法」字，亦猶文言所謂之「名義」。顧名思義，正名定義，一名則必有一義。師出有名，則非無義。即猶俗語每一事必該有一說法，即如登山玩水，亦該有法可說。古代帝王登泰山，行封禪。封禪是一名義，登泰山觀日出是一實情，然實情必當有名義可說。無錫附郭數里外有惠山，山有泉，稱天下第二泉。蓄泉爲池，坐池旁二泉亭，觀池中大紅鯉魚結隊游泳，品茗玩賞，其樂何如。然人生不該專以登山品茗爲樂，仍該有一說法。縣人皆於山麓建祖先祠堂，又建歷代名賢祠，如唐代張巡、許遠祠等。每逢春秋佳節，先祭拜祖宗祠堂，又瞻拜先賢羣祠，乃赴二泉亭。則登山品茗乃有名義，乃有說法。余少年時即喜讀韓昌黎張中丞傳後序一文，反復朗誦不忍輟。及瞻拜張許祠，益增崇敬嚮往之情。余之於國家民族歷史文化聖先賢之有其一番真摯深沉之感者，此乃由社會風氣，亦即社會教育之培養，有不知其然而然者。余家五六華里外有讓皇山，相傳乃吳泰伯讓國至此。又名鴻山，因東漢梁鴻、孟光夫婦亦隱居在此。實只一小土丘，無林泉之勝。而環繞十華里內居民，每逢清明佳節，羣來瞻拜。余幼年即隨族中長老前來。余之對國家民族歷史文化往聖先賢有其崇高之敬意，實早由幼年植根。及余初來臺灣，環遊全島，至今逾三十年，記憶猶新者，在臺南拜孔廟，謁鄭成功祠。在嘉義，謁吳鳳廟，感動尤深。古人云「行萬里路，讀萬卷書」，此兩者亦同有名義說法，主要則在學「爲人」。余未來臺灣，初未知有吳鳳其人，故其感余心者尤爲深厚。三

十年來臺灣觀光遊覽區日益開闢。索忍尼辛來，全國上下仰崇，陪其遊覽，卻不去吳鳳廟。蓋人心已變，名義說法亦不同。觀光遊覽僅為尋開心，同時亦為經商贏利。風氣既別，古今人不相及，但其間高下得失實仍堪尋味。中國人言社會，必先問其「風氣」。西方人言社會，則必論其「經濟」。則又何「小德川流，大德敦化」之足云。

三

今日國人爭言知識，此時代亦稱為知識爆破的時代。一幼稚園兒童，其所知，為余九十老翁所未知者亦多矣。然以中國傳統觀念言，則知識中最有意義最有價值者，乃知你自己，所謂「自知之明」是也。又稱「知人知面不知心」。又曰「人之相知，貴相知心。」所謂自知，乃在自知一己之心。孔子十有五而志於學，三十而立，至於七十而從心所欲不逾矩，此即孔子自述其七十年生命中為學之心路歷程。顏子曰：「如有所立卓爾，雖欲從之，末由也已。」此所立卓爾欲從末由者，即指孔子，實指孔子之心之德。孟子曰：「我四十不動心」，亦即如孔子之四十而不惑。中國人之重其心，重自知其心有如此。

重自知，又貴知己之一家。父母、兄弟、姐妹、夫婦、子女，一家相聚，互不知心，他復何言。

自家而推之鄉，推之國，推之天下，同此人類，實即同此一社會，皆貴能互相知心。故中國人言「民情風俗」，又言「人心天理」。若言中國亦有社會學，惟此乃其主要之一端，為最所當知者。

余幼居蕩口鎮，樓下大門旁有一酒釀舖，酒釀美名，馳名全鎮。舖主老夫婦兩人，年各六十許，日製酒釀兩大鍋，日未夕，即賣完。有子三人，年在二十上下，每日下午各擔一缸酒釀，分赴鎮上他處路售，亦均未晚即歸。一家衣食已足，樂以悠悠。闔鎮知者，無不稱羨。其舖最少亦歷數十年之久。

及余長，任教蘇州中學。城內玄妙觀前一街，最所知名。然一街店舖最多不過四十家左右。其中有稻香村、采芝齋兩舖，皆賣小食品，乃馳譽全國。余家本在七房橋，距蘇州城四十里，有小航，日開一次。每月必託小航購買兩舖食品，幾乎全村皆然。至是已踰二十餘年，乃知此兩舖僅皆小門面，一小長櫃。不只蘇州人競來爭購，京滬鐵路過客幾乎無不來購。後余轉赴北平任教，亦可得此兩家食品。避赤禍來香港及臺北，亦仍有此稻香村、采芝齋之店舖。其實此兩家自數百年前明代已有之。不知此兩家歷代相傳，生齒日繁，生計何以維持。要之，此兩家則依舊一小門面小店舖，無分店無擴張，則盡人皆知，無足疑者。

抗戰時，余在成都華西壩任教。一友常在圖書館相候，謂余，君喜治理學家言，當時一理學家日讀書幾何，予等每晨閱報章字數當已超之，而生活營養又遠遜，健康豈可忽。西門內八號花生米，馳名全城。此物富滋養，佐飲濃茶，不患不消化。必偕余往購，兩人各一小袋，同坐華西壩溪上品茶暢談，至晚而散。此八號花生舖，亦如余家蕩口大門前酒釀舖，大小花生皆裝大袋銷各地散售。其場面

當亦歷數世不變矣。

及抗戰勝利，余重蒞昆明，乃知昆明有一月餅店，亦播譽全省。在中秋前一月即停售，謂當爲他家月餅業留一地步。在其停業期間，即航空遠銷京滬。其他月餅店乃亦賴以維持。

抗日勝利後，余返無錫任教江南大學，乃知無錫肉骨頭，有某街一家特佳。門外設一鍋，晨十時銷售到午卽畢，不再售，需待翌日。傳說此鍋滷汁必日有留賸，歷數百年之久，故其味終爲他處所不及。適余弟家居此街，故得知之。其味乃余自幼五十年來屢嘗所未及。然其家亦歷數百年，仍爲一小家。

以上偶舉飲食一小端，自小鄉鎮至大城市，廣達全國，其業長有歷數百年不變者，亦以見中國人一種安足之心情，安常守故，安分守己，知足常樂，安居樂業。中國人言「心安理得」，「足於己無待於外」，此一「安」字「足」字，乃寓甚深妙理。吾中華民族之得五千年緜延迄今，廣土眾民一大結集，一大和合，則亦惟以此一「安」字「足」字得來。今日國人則爭相詬厲，斥之曰守舊不進步。

而當前之希臘人又如何？如西歐之古希臘，遞變遞新，而乃有後代之大英帝國，又有現代之美、蘇對立。英倫三島人又如何？有新無舊，有進無退，則無安可言。卽如吾家在無錫東南鄉嘯傲涇上之七房橋，亦已自明迄清六七百年一舊家庭，直至最近推行共產主義，始大變，則姑舉開新進步者言之，

大異其舊。有一美國人讀余八十憶雙親一文，大生慕戀，爲之傳譯，來書囑余爲五世同堂家宅作全圖。又進而通讀錢氏家譜，將進而爲無錫全縣之研究。中國人言：「此心同，此理同。」在此同處，亦未嘗無一番妙理，思之而得，則此心自安自足矣。

近代國人一意慕向西化，治社會學，則必以西方社會爲藍本。羣謂農村必進步爲都市，則試問人類豈能僅有都市而無農村之社會？故西方之資本主義，必進而爲帝國主義，以殖民地爲農村，乃始可耳。今則帝國主義之時代又已過去，而農業國之購買力則必日退，乃有經濟不景氣之新興現象。試問又何從而得解決。

西方人爲學，好分別專門。但政治社會緊密相關，合則兩得，分則兩失。或因其乃一猶太人，無權過問歐洲白人之政治。上帝事耶穌管，凱撒事凱撒管，馬克斯乃專論社會經濟，置政治於不顧。則試問共產主義又何得成其爲一世界性？列寧借其說，向尼古拉帝皇專制作革命。一共產國家新興，又何得與並世資本主義之富強國家並立？史太林乃繼列寧，而仍遵帝俄之帝國主義以前進，迄今而核子武裝海空軍備乃超美國與西歐之上。論其實，則仍是一西方政治大傳統。此豈馬克斯提倡社會主義時所知。

近代吾國人或專治經濟學，或專治社會學，亦每置政治問題國際問題於不顧。已往三十年之毛政權，今可勿論。但當前之大陸，又豈專治經濟學、專治社會學者所能措手加以改進。孫中山先生三民主義首爲「民族主義」，則不可不顧及五千年來中國之人文大傳統。最後爲「民生主義」，則如余此上所舉蕩口鎮之酒釀舖以及無錫城中之肉骨頭鍋，此亦民生，而有自安自足之民族心情民族文化之甚深傳統涵其間。豈得與西方社會相比，又豈得以一專家專論經濟問題社會問題，又必以西方之經濟理論與社會理論爲準繩，而謂吾民生乃得由此而安而足，而和而樂乎？

西方傳統中，有兩度加入猶太人思想而得廣爲流傳者，古代爲耶穌，近代爲馬克斯。耶穌主上帝事由他管，凱撒事則凱撒管。唯其不管凱撒事，故猶太人終不能立國。而凱撒亦終釘死耶穌於十字架，但耶教則終得流行。馬克斯主張剩餘價值由無產階級取而分之，則資產階級失其存在。然非謂資產階級乃人類之剩餘，而不許其存在，特不許其專擁經濟之剩餘價值而已。此一百年來，西方資本社會盛行社會福利政策，勞工有罷工之自由，失業者得公費撫養，此卽承馬克斯之遺意。馬克斯亦並未主張將資產階級斬盡殺絕，而推行無產階級之專政。俄國地處寒帶，又慣受帝王專制之暴政，其性情異於其他歐洲人。列寧創造共產政府，則實非馬克斯之初意。

世人僅知猶太民族乃一經商民族，然不知在猶太人中，資產階級乃永能救濟無產階級。馬克斯思想實早已存在於猶太民族中，故猶太民族雖永久流亡，而其民族經濟則常得旺盛。以色列乃歐洲人代爲立國，而在政治上則沾染了西方思想，只求自己立國，不許其他民族亦同樣立國。中東和平，大受干擾。馬克斯則僅一經濟思想家，非一政治思想家。亦如耶穌僅一宗教主，非凱撒，亦非一政治思想家。穆罕默德以政治混入宗教，而回教民族乃永無和平可言。亦如列寧以經濟思想混入政治思想，而蘇維埃之立國乃亦永無和平可望。故原本屬一專門者，卽不宜輕易擴大爲通義。必認清馬克斯共產思想非一政治思想，其流弊乃可減，其遺禍乃不深。耶穌教亦必堅守其凱撒事凱撒管之初意，乃庶可仍得流傳。中國人則主「政教合」，又主「政經合」，則與西方自不同。西方人主分別，耶穌、馬克斯雖專論宗教信仰與經濟，但其言偏近和合性，爲西方人所無。故西方人不得不採用此兩人思想

以資調劑。中國人本亦主和合，倘加進此兩人思想，則非全部改造不可。故言現代化，則必求其「傳統」之現代化，而非可現代化其「傳統」。此一層，現代國人更當深究。

略論中國文學

中國文學亦可稱之爲「心學」。孔子曰：「辭達而已矣。」不僅外交辭令，卽一切辭，亦皆以達此心。心統性情，性則通天人，情則合內外。不僅身、家、國、天下，與吾心皆有合，卽宇宙萬物，於吾心亦有合。合內外，是卽通天人。言與辭，皆以達此心。孔子曰：「言之無文，行而不遠。」言而文，則行於天下，行於後世，乃謂之文學。何謂文？此涉藝術問題。故文學亦卽是一種藝術。

古人生事簡，外面之侵擾少，故其心易簡易純，其感人亦深亦厚，而其達之之文者，乃能歷百世而猶新。後人生事繁，外面之侵擾多，斯其心亦亂而雜，其感人亦浮而淺。抑且時地事物雖已變，而人心猶常，後人爲文，遂多援用古人語，實獲吾心，言之不啻若己出，則三復之而不厭矣。今國人疑其爲蹈常而襲故，務守舊而不開新。實卽全部中國文學史，遂如枝葉扶疏，潛而尋之，一幹一本。此心旣猶故常，言辭又何待開新。

人之性情必有所向。先之則父母子女之長幼相依，兄弟姊妹之平等相隨。繼之則有夫婦男女之異性相戀。實則一家卽一己生命之往前而擴大。兄弟姊妹或缺或無，人則必由父母而生。年長則必有婚

配，始得爲成人，有意義有價值，以異於他人而成其爲一己。或生而父母喪亡，長而未有婚配，則爲

人生一憾事，一不幸。

人之性情，實卽人之生命。而父子、夫婦兩倫則最見性情之眞。至於身，則僅生命寄存之工具。

食、衣、住、行、視、聽、言、動，爲我生命之維持與表現，非卽我生命之內涵。生命必與生命相接

觸，而有家、國、天下，乃有父子、夫婦、兄弟三倫外，復增有君臣、朋友兩倫。生命接觸不止人與

人，乃有宇宙萬物，禽獸、蟲魚、草木、山水、土石。人之性情亦多接觸於此而發，乃若此等亦同有

與己相類似之生命。吾之生命乃若無往而不在，故「君子無入而不自得」。

以上所言，可讀古詩三百而得之。亦貴本於以上所言以讀古詩三百首。此下中國全部文學則盡

從此詩三百來。故中國古人又稱「文心」。文心卽人心，卽人之性情，人之生命之所在。故亦可謂文

學卽人生，倘能人生而卽文學，此則爲人生之最高理想，最高藝術。

西方人則馳心於外，中國古人所謂之「放心」。心放於外，則所見盡爲事事物物，而不見有一己

之生命。自古希臘之小說戲劇起，直至於現世，亦大體無變。重生命，言性情，則無可詳言，無可詳

言，並有無可言之苦，實卽無可言之妙。抑且有心之言，則心與心相通，亦不煩多言。故中國文學務

求簡。陶淵明詩：「此中有眞意，欲辯已忘言。」此最中國文學之至高上乘處。

詩三百，首關雎，第一句「關關雎鳩」四字，「關關」乃雎鳩和鳴之聲，而雎鳩雌雄戀愛之情，

亦卽此而在矣。如古希臘之小說戲劇，言及男女戀愛者何其詳，何其盡。抑且此一對男女之戀愛，與

另一對男女之戀愛，又必求其相異而不同，乃得成其為另一篇小說與戲劇。此之謂文學之開創。中國詩人只言「關關雎鳩」四字，即人類男女戀愛之真情蜜意，亦已一語道盡，可無多詞。故中國古人婚禮，必誦關雎之詩。今人乃謂中國人不知戀愛，故文學中不言戀愛。實則中國人文非不言戀愛，乃從生命深處性情深處言，乃可一言而盡耳。

而且中國文學，必求讀者反之己身，反之己心。一聞雎鳩之關關，即可心領而神會。如讀西方小說戲劇中戀愛故事，則情節各異，不相類似。故西方文學貴創作，人各說一故事，說了千百件，件件不同，而讀之不厭。但各故事盡在外，非本之作者一己之性情。中國則不然，一切文學皆自著者一己之性情發出。讀者不反之心，而求之外，則若千篇一律，無新奇、無創造，乃若其陳舊而可厭。

西方文學從外面事物求其獨特奇異，而多出捏造，離奇曲折，緊張刺激，挑動人心，而實出於人之性情之外，乃必如是以為快。中國人貴從內心同處言，尋常平實，而其可樂可喜，可哀可怨，有更深入更生動者。孔子即以詩教，宋代理學家言「喫緊為人」，亦無不知欣賞文學。即如周濂溪「光風霽月」，程明道「如坐春風」，人生即如文學。而理學家之能詩能文，超出於一般詩人文人者亦多。此見中國文學實即一種「人生哲學」。今必分文學、哲學而為二，斯其意義與價值，惟各見其減，不見其增矣。

中國道家言實多通於儒家。而中國文學中尤多道家言，如田園詩、山林詩，不深讀莊子、老子書，則不能深得此等詩中之情味。是則欲深通中國之文學，又必先通諸子百家。故曰徒為一「文人」，

斯無足觀。今人則一慕西方，專治文學，欲爲一文學專家，以此治中國文學，寧得有當？

佛法東來，中國高僧出家，多爲慈悲救世，不爲生老病死而厭世。其僧院修行，亦多中國情味。翻譯印度經典，及其創爲經論，如大乘起信論等，皆絕精妙之散文。禪宗號爲「不立文字」，但其故事則可謂皆成極高尚之文學小品。如慧可向達摩「求心安」一則，苟以羼入世說新語中，亦可爲上乘之選。慧能則儼是一傳奇人物。壇經行由品，亦顯見爲一極佳之短篇小說。此下禪宗諸派大師，亦莫不傳奇化。其故事流傳，亦莫不小說化。即身成佛，立地成佛，亦皆諸禪師一種出格之文學人生，卽藝術人生，亦卽哲學人生矣。是則宗教亦成文學化、藝術化、哲學化，而相通爲一。要之，則是中國之人生。寒山子以詩人爲僧，卽以僧人爲詩，而其詩乃爲後代所愛誦。其他僧人能詩者，歷代皆有。韓愈最闢佛，而當時僧人登其門乞討一詩一文者不絕。柳宗元尤多佛門文字。韓愈之徒李翱，則以古文闢佛義，後人或推尊其在韓愈之上。而如歐陽修、蘇東坡，皆自稱居士，此卽如居家爲僧。唐三藏法師玄奘，更許其徒不出家爲僧，從事翻譯，轉爲其門下一高僧。爲僧爲儒，爲佛爲聖，皆從性情中出，此仍中國傳統。故中國僧人亦皆好中國文學，而中國文人亦好誦佛書，交僧友。如劉勰之著爲文心雕龍，卽其最佳一例證。

中國人生既求文學化，文學亦求人生化。佛教東來，但爲中國人生增闢一新途徑，亦爲中國文學創立一新境界。此須深通中國文化內在深義，乃能認識其相通處。僅從外面形名貌相上，慕效西化，好作分別，則無可得之。故道、釋兩家之在中國文學史上，雖不能與孔、孟儒家成鼎足之三，但亦有

其文學上之成就。今日專意欲爲一文學家，封閉其一己之意識，摒棄一切舊文學於不顧，則亦無以語之。

小說家在先秦爲九流十家之一，此後演變，亦漸成爲文學之一部分。然後起小說，仍不失古代小說家言之傳統。中國之集部，本源先秦之子部，此亦其一例。唐代人應科舉，先作溫卷，好爲傳奇，投之先達，期能上公榜。而佛家如「目蓮救母」等故事流播，則爲近人所稱俗文學、白話文學開先路。宋代如三朝北盟彙編諸書，則史書而亦幾近小說化。於是乃有元季施耐庵水滸忠義傳章回小說之出現。其稱忠義傳，則小說而慕爲史書化。中國人好求通，爲學亦然，此亦其一證。清初金聖歎乃有「六才子書」之選，以西廂記、水滸傳上媲屈、莊、馬、杜。文不論雅俗，體不論古今，一部中國文學史先後承續一貫會通。聖歎所見，爲治舊文學者所不同意猶可，而今日國人提倡新文學者讀水滸傳，聖歎批注乃擯不閱，是亦其自我意識好自封閉之一例。

元曲承自宋詞，又演爲戲劇，又繼之以明代之崑曲，清代之平劇，於是小說與戲劇，乃成爲中國文學中之一部分，一支派，而盛大流行。其實亦可謂平劇亦上承古詩三百首而來，風、雅、頌亦有演有唱，其與後起戲劇依然是一貫相承，一脈相承。必當認識中國文學之生命，乃能認識中國民族之文化生命。今人則一刀兩斷，元曲以前稱之曰舊文學，元曲以後始稱之曰新文學。舊文學死去，新文學始誕生。但實是同一生命，姑不論。而今日國人之提倡新文學，實視元曲以至平劇一段之演變，仍屬舊文學。必承續西方乃得謂之新文學。是則中、西之分，即新、舊之分。凡中國皆屬舊，凡西方始是

新。「周雖舊邦，其命惟新」，今日中國以後之大命，則惟有繫之西方矣。從器物觀點言，則有新陳代謝。從生命觀點言，則當繼續成長。父子相傳，亦同一生命，故中國人講孝道。若必除舊布新，認父為舊，子為新，除了父，何來子，又何家祚可傳？西方乃一工商社會，故「貴創」。今尚創，其古亦早尚創，故古希臘亦仍為今西人所尊。中國乃一宗法社會，故「貴襲」。今吾國人欲襲西方，乃怪古人不能襲希臘，乃轉自今來承襲希臘，如模倣奧林匹克運動會而以聖火導其先，乃始得謂之新，謂之是人生，是文學，是藝術，豈不大可怪乎！

大體言之，中國乃廣土眾民大一統之民族國家，所謂「統」者，乃自上而統下，故其文學亦自上而下。古希臘小市寡民，其文學亦自下而上。中國人重生命相通，故其文學亦重心性，自內而外。西方人重事物相異，故其文學亦重於異，鄙其同。即言平劇，臉譜服裝，臺步動態，歌唱道白，皆於相異處會通和合同為一體，主要在其劇情。而劇情則主在人之心性。孝、悌、忠、信，凡屬人心，無不皆同。西方劇情則重外在之事物，必求其相異。平劇中臉譜亦非人生之真面目，其歌唱亦異於人生之真言辭，則臉譜與歌唱亦即是一創。宋代理學家「氣象」二字，乃可為之說明。理學家重要在指出聖賢氣象，平劇則表演尋常各色人之氣象。此亦一氣相通，有其大傳統之所在。

晚清曾國藩編有古文四象一書，亦以氣象論古文。然非逐篇朗誦，以聲音貫通之，則不易得其陽剛陰柔分別之所在。觀氣象，又必兼以辨音聲，斯則古文與平劇用意相通。其實自詩、騷以來，辭賦詩詞何一不重音聲，又何待至於戲劇而始然。此又中國文學古今傳遞一共通點。今人提倡白話詩白

二三六

話文，唱之誦之，無聲調，無情味。又模做西方人爲話劇，把日常現實人生依樣葫蘆搬上舞臺，重事不重情，事非眞事，則情亦非眞情，與中國文學傳統之意義價值乃迥異。中國人生則期望其能文學化，藝術化，亦即可謂期望其能戲劇化。人生而眞能如戲劇，現實人生一如舞臺人生，豈不廻腸盪氣，可歌可泣，爲人生大放一異彩乎。此誠中國人生、中國文學一至高之意義價值所在，戲劇亦其顯明之一例。

故居今言文學，果眞欲提倡新，莫如復興舊。古代詩、騷乃其含苞初放期，唐、宋則其羣艷燦爛期，明、清則其凋謝零落期。然終爲同一花朵，同一生命。器物可以除舊布新，生命則有起死回生。貞下起元，循環往復，一陰一陽之謂道，此惟中國人能知之，能言之。韓昌黎言：「好古之文，好古之道也。」昌黎能文起八代之衰，今人提倡新文學，宜當於昌黎有所師法。昌黎又言不平則鳴。今人提倡新文學，亦若於古人舊文學有不平，惜乎其不能鳴，則待後起能鳴者再鳴之。果有能鳴者，亦恐非若今之新文學之所爲矣。

大匠能與人以規矩，不能與人以巧。中國人之道，卽是一規矩，時時地地人人事事所不能離。《中庸》言：「道不可離，可離非道。」文學亦不能例外。自古文學中演變出平劇，乃爲文學與藝術一大結合，而其規矩乃益顯。每一劇之出場人員，自跑龍套以至於生、旦、淨、丑諸角，乃至於二胡三弦鑼鼓聲樂，全由一規矩中來。自其登臺，一步一坐，一振衣，一舉手，一顰一笑，無不在此一共同規矩中演出。劇中主角則爲此規矩之中心。如譚鑫培、梅蘭芳，演技各有千秋，此皆在規矩中見巧。他人

雖同規同矩，卻不能有此絕技，有此奇巧。中國之藝術然，文學亦然。推而廣之，無大無小，以至於

修、齊、治、平，同無不然。天地自然乃是一大規矩，聖人合德，乃是一大技巧。莊周所謂「神欲行

而依乎天理」，孔子所謂「知天命而從心所欲不踰矩」，皆是也。今人則欲打破傳統，創造新格，文

學如此，其他一切全如此。乃視修、齊、治、平亦如寫一篇白話文，務求人人能之，又務使人人不踏

襲故常，惟意所向而能之。此非人人為一天帝，人人為一創造主，又何以達此理想。

西方人不重傳統重創造，故能於科學外又創造出哲學，又創造出文學，而此諸學則又不斷各有其

創造。韓昌黎曰：「識古書之真偽」，如屈原始為真，宋玉則不免有所偽。偽者，人為，而有失於道

之真。屈原離騷，文與人一，其人即在其文中，始為「真」。宋玉求工其文，不能工其人，人在文外，

是為「偽」。揚雄早年為辭賦，晚而悔之，曰：「雕蟲小技，壯夫不為。」乃模倣論語、周易，作為法

言與太玄，此亦揚子心中一真偽之辨。如司馬相如作為辭賦，在其辭賦中，不見司馬相如其人，此即

雕蟲小技。讀論語、周易則見孔子、文王其人矣。陳子昂詩：「前不見古人，後不見來者，念天地之

悠悠，獨愴然而涕下。」子昂乃一詩人，詩若為文學中一小技，然前有古人，後有來者，子昂心中乃

有其一大傳統之存在，為同時他人所不知，乃獨愴然而涕下。故雖文學，雖藝術，亦貴有「獨知」，

為他人所不知。孔子曰：「人不知而不慍。」又曰：「後生可畏，焉知來者之不如今。」是則必待有後

生之知矣。以此心境，乃能知中國之文學，而豈不知有己徒求通俗大眾化之所能與知？

「月明星稀，烏鵲南飛，繞樹三匝，無枝可依。」此非曹孟德之詩乎！當時曹孟德統軍八十三萬，

南下荊州，而東吳大敵在前，進退兩難，月夜不眠，閒眺林野，得此十六字。曹孟德之心情，藉以「抒寫」。此之謂「文心」。司馬遷言：「離騷者，猶離憂也。」曹孟德此十六字，亦其一時之「離騷」矣。

至於統軍八十三萬南下之一事，前曹孟德之生幾千年來無之，繼曹孟德之死幾千年後無之，此如天上浮雲，偶此一現。曹孟德只自寫心情，何暇寫此身外事。抑且中國傳統，身外事待後人執筆，不許當事人自有敘述。屈原離騷，亦僅寫屈原當時一己之心，不涉及屈原當身其他之事，此乃中國文學一特徵。

後曹孟德八九百年，乃有蘇東坡，謫居臨皋，築爲一雪堂，往來其間。偶逢月夜，漫遊赤壁。曹孟德當年此十六字之心情，則正亦蘇東坡此刻之心情。曹孟德、蘇東坡，其人其事互不同，而其一時之心情則同。蘇東坡漫遊中，憶及曹孟德此十六字，不啻若自其口出。中國人所謂之立言不朽，此亦其一例。

「客有吹洞簫者，其聲嗚嗚然，如怨如慕，如泣如訴。」蘇東坡當時正有此一可泣可訴，有怨有慕之心情。客之洞簫聲，乃與曹孟德此十六字之詩，同樣卽是東坡之心情。乃歷近千年之人間世，與此廣大無垠之宇宙而融凝如一。則東坡之賦赤壁，同時卽賦此廣大無垠之天地，賦此悠久之人生，而豈僅賦其一己一時之心情！故孔子曰：「詩可以興，可以觀，可以羣，可以怨。」無此心情，則無興、無觀、無羣、無怨之可言矣。

抑東坡遊赤壁，乃一己私人事，故可賦。其實蘇東坡之居臨皋雪堂，亦有事涉政治，不可賦者。後人爲東坡詩文筆記編年，合而觀之，

乃見東坡此遊之眞實境況，而此賦中之心情乃益顯。此之謂文學中之考據，亦即據其背景而考其心

情。若考蘇東坡遊赤壁非即曹孟德當年之赤壁，則無當詩情，所考亦非所必考。

如讀論語，「子曰：『學而時習之，不亦悅乎！』」讀孟子，「孟子見梁惠王，曰：『王何必曰利，

亦有仁義而已矣。』」豈不已情見乎辭，何必別待詳考。然讀司馬遷史記孔子世家，孟子列傳，詳考

孔、孟身世，其爲人，其處境，而論、孟兩書中逐章逐句，乃盛見孔、孟心情之所在。人之心情，則

必於其身世中見。浪淘盡千古英雄人物，曹孟德之爲人，則已爲時代浪濤所淘去，然其在八十三萬大

軍中，一時不安之心情，有合於人心之同然，則不爲浪淘以盡。故讀蘇東坡引曹孟德詩，乃可瞭解何

以來治中國之文學。

西方文學不見作者內在之心情。如魯濱遜飄流荒島，非作家自有此心情，乃僞造一魯濱遜之心

情。讀者所激動，乃一僞造心情，故所激動亦不深。僅爲一時消遣，非如讀中國文學，乃一如讀者自

己心情之抒寫。今讀者自無心情，僅求消遣，則宜讀西方文學，視爲新而可喜。

子貢言：「夫子之文章可得而聞。」凡孔子平日告其弟子，詩、書、禮、樂，皆文章也。則後世

經、史、子、集四庫之書，亦皆稱文章。不僅如此，即如堯、舜之禪讓，湯、武之征誅，一國之典章

制度，乃至如一賢人一君子之出處言行，如屈子之沉湘，董子之三年目不窺園，揚子雲之下簾寂寂，

嚴光之垂釣富春江，諸葛孔明之六出祁山，鞠躬盡瘁，此亦莫非一時代之大文章。豈止詩歌辭賦，駢散爲文，乃始謂之文章乎？孔門四科，游、夏文學，亦乃爲文章之學，而豈詩歌辭賦駢散諸文之始爲文學乎？故中國，如屈、宋乃至如司馬相如諸人，爲「辭賦家」。陶、謝、李、杜爲「詩家」。韓、柳爲「古文家」。而獨無「文學家」之稱。今日國人之稱文學，則一依西方成規，中國古代學術史上無之。此雖一名稱之微，孔子曰：「必也正名乎。名不正，則言不順。」今日國人競稱中國文學，乃亦以文章爲文學，則其厭棄舊文學豈不並孔門游、夏文學一科而亦加厭棄，此又不可不辨。

（一九八四年一月東方雜誌復刊第十七卷第七期）

略論中國藝術

一

欲論西方文化，姑以中國所遭受者言。英國人來中國販賣鴉片，林則徐加以拒絕，引起戰禍。當時英國國會亦有反對，而戰氛終起。至今英國人不肯稱爲「鴉片戰爭」，則其內心亦知歉疚。中國割香港賠巨款求和，又開五口通商，英國人佔盡便宜，但仍不滿足。貪慾無饜，又求關稅權。貨物低稅進口，卽可通行全國。治外法權與不平等條約之訂立，使中國蒙受莫大災禍。英國人則仍不以此爲滿足。繼之有英、法聯軍與八國聯軍之舉，非陷中國於滅亡，則其進終不已。

中國人亦非全無知。謀求整頓國防，乃派留學生赴英學習海軍。福建青年嚴復在其選。彼乃認西方富強不僅經商講武兩事，其學術思想有關治平大道者，亦當研求。歸國後，乃盡瘁譯事，有穆勒名學，斯賓塞羣學肄言，赫胥黎天演論，亞當斯密司原富，以及法國人孟德斯鳩之法意諸書之傳譯。繼

之有胡適之諸人之新文化運動。此見中國人用心之廣大開通。

西方人爲學主分門別類，而嚴氏之譯則通以求之。胡氏慕西化惟主民主與科學，對其宗教與哲學則擯棄不論。此皆中國人意見，無當西方文化之大體。

西方文化亦非有利而無病，有得而無失。當時遭受其害者，又何止一中國。知進而不知退，知爭而不知讓，乃啟鬩牆之爭，歐洲內部遂有第一次大戰之興起。幸得平息，和會中對德國之虐待，可謂無微不至。乃有第二次大戰之繼起，大英帝國之命運乃終告停止。而似仍無體會，仍無領悟。最近復有英、阿福克蘭羣島之戰。西方文化之病態，卽可專據英國一百四十年來之往事爲例而見。

中國人言家、國、天下。西方人有身無家，有國無天下。古希臘人卽依商爲生，迄於現代，海上自由，仍爲一大口號。科學發達，交通便利，今日人羣相處可謂已達天下一家之境地。不論人與人，單論國與國，苟無一種友誼存在，則國際相爭，何有寧日。英、阿之爭，美國竭力調解，又繼以國際協商聯合會議，凡爲英國之友，無不望英國不採武力之一途。而兵禍終難免，國際友誼復何在。國與國不能有友誼，其病乃從人與人不能有友誼來。科學發展，益增人與人間之爭奪。現代禍亂，胥由此起。中國人言「忠恕之道」，不論爲人謀之「忠」，己所不欲，弗施於人之「恕」，實爲西方所無。繼自今，中國文化已可供當前世界以大用。

西方文化主要在對物，可謂是「科學文化」。中國文化則主要在對人對心，可稱之爲「藝術文

化」。中國人重禮樂，即是中國人之一種藝術。中國人重道義，其實亦即是中國人之一種藝術。當前

英、阿之爭，我姑稱之曰「不藝術」。以前兩次大戰，亦可稱之爲不藝術。果使人與人相處相接，能

有一種藝術，則戰爭宜可避免，縱或不得免，其禍害亦可減至最低度。

西方藝術僅供娛樂。果使人生有意義，有價值，有前途，有遠景，則其本身即是一樂，何待另求

娛樂。抑且西方人爲富貴權利名譽地位而有爭，即其藝術亦不免。繪畫必求當眾展覽，音樂必求集會

演唱。更如運動會，必求爭取冠亞軍，更不得謂是一藝術。天地大自然中演化出人生，可謂亦天地大

自然一藝術，但不得謂乃天地大自然一科學。藝術有樂趣，科學無之。人生本體即是一樂，於人生中

別尋快樂，即非眞藝術。眞藝術乃始得眞快樂。周濂溪教二程尋孔、顏樂處，此乃中國藝術人生之最

高境界。濂溪並未教二程尋孔、顏道義。明道教人則曰「喫緊爲人」，不曰「喫緊爲道義」。此即人

生藝術尤高出於道義之上。故樂天知命即道義，即藝術。孔子教人曰：「志於道，據於德，依於仁，

游於藝。」中國人論道皆必「據德依仁」。德與仁乃人性，即人生藝術所本。未有違於人性而得成爲

藝術者。亦可謂西方科學、宗教、哲學亦皆從人性中來，亦皆人生一藝術，惟未得其全，僅得其偏，

未見其和，僅見其別。莊子天下篇又曰：「道術將爲天下裂。」孔門之游於藝，得人性一大自由，亦

即人生一大快樂，乃爲人生一大道義。今姑以現代化名辭言，則曰「人生藝術」。亦豈有藝術而違於

心性，又無當於道義者？求快樂而要不得，即此之由。而中國文化大傳統亦即在是。孔、顏樂處亦在

是。欲罷不能，死而後已，而豈「吾與點也」一意之所能盡？

故西方藝術其用意仍在外，仍有求取，乃成爲一專門職業。中國人之禮樂，禮即兼賓主、人我，融人生爲一體，而樂亦自在其中。禮樂即藝術，即道義，亦即是人生。非於人生道義外，有爭有求，而成爲一藝術。而藝術則更超道義而上之。故中國藝術不僅在心情娛樂上，更要則在德性修養上。藝術價值之判定，不在其向外之所獲得，而更要在其內心修養之深厚。要之，藝術屬於全人生，而爲各個人品第高低之準則所在。即言戰爭，禮樂藝術亦寓其內。試讀左傳兩百四十年大小諸戰事，當時之禮樂，亦無不隨以流露。孔子曰：「君子無所爭，必也射乎？」射御爲當時戰爭所必需，而亦爲當時人生藝術精神之一種表演。無禮無樂，不論勝負，人競鄙恥。

此下全部中國歷史，死生關頭，成敗要點，仍亦有禮樂，即人生藝術之存在。如沛公之鴻門赴宴，項王之垓下受困，亦莫不流露一種超成敗超死生之禮樂精神。即如諸葛亮與司馬懿之五丈原對陣，其餽贈問候，亦莫不有一種禮樂精神。而尤如文天祥被囚，從容就死，其忠君愛國之道義精神，固已表現無遺。而更撰正氣歌，此即其超道義之一種藝術精神之流露。其感動人心，則更有遠超於其從容就死之上者。西方人則從不見有此一項藝術修養。即如拿破崙兩次軍敗投降，幽囚海島上，除圖再起外，更無其他表現，而永爲法國人所崇拜，即其例矣。故余稱中國人生爲藝術人生，乃本之中國歷史文化傳統，固非特創一新名詞，以求驚世而駭俗。

今再進而言之，科學、藝術皆本之自然，皆從邃古原始人生來。惟科學偏向外，藝術偏向內。科學偏重物，藝術偏重心。科學僅爲人生一工具，而藝術則爲人生之本體。西方藝術亦科學化，而中國

則科學亦藝術化。換言之，西方人視天地大自然亦如一物，求以科學來加以征服。中國人視天地大自然則如一大生命，一流動歡暢快活之大全體，科學亦當爲藝術之用，乃庶盡其功能。果使藝術亦待科學而完成，則非藝術之眞矣。

人以核武器來，我亦以核武器往。縱謂此非無道，此非不義，但以殺人手段相對付，終非一種最高藝術。卽以近一百年論，西方一切戰爭皆以增添問題，並不能解決問題。則戰爭決非一種人生藝術，而核子戰爭之違反人性，更不待論。違反人性，卽無當於道義。然而何以得廢止此核武器之使用，則須有一種人生最高藝術。西方人分門別類，務求專，不求通，務求別，不求和，則無以語之。

中國文化之所長則正在此「通」與「和」。

中國人自古以農立國，常與天地大自然之生命體相接觸，而人類生命亦寄存在此大生命中。故此一人生藝術最高境界，惟中國人可以不言而喻。心知其意，乃不知其手之舞之足之蹈之，而心與之一，此所謂樂天知命，安天順命，是卽中國人之一種藝術精神。

今日世界已到一無可再前之困境，以藝術濟之，此正其時。果使世人皆知禮樂，貧而樂，富而好禮，則資本主義共產主義皆可轉向，而帝國主義亦隨以消失。國防武裝，成爲次要，亦可不必要，而核武器乃可不禁而自絕。其轉變樞紐，則全在人心上，非科學技巧所能爲力。然則又誰爲之開先作領導，恐非中國人則無足以當此大任。

一則惟中國乃積有五千年來之藝術文化傳統，二則惟中國乃今世界廣土眾民之惟一大國。果使中

國自對日抗戰勝利後，卽能和平統一。美、蘇對立，中國儘可以中立姿態，以忠恕之道，與美、蘇交而潛消其相互之敵意。美、蘇以種種計量，又誰肯先與中國樹敵以自增一重負。今日中國則一師美，一師蘇，先自分裂，求讓不求爭，乃中國人生藝術最先一步伐。天佑中國，天佑人類，退讓未必卽禍害。而卽此仰望天命之一心，亦爲中國人之最高一藝術境界，亦最高一藝術心情。幸吾國人其善體之。

二

昔俄國文豪托爾斯泰有言，科學乃發現，藝術則是創造，此辨極具深義。科學發展，人類已能登上月球。但此種種可能之理，實是早已存在，不得謂由人類智力所創造。凡屬科學眞理皆然。藝術則不然。如一樂曲，天地間原無此樂曲，乃由人類創造而有。如中國人畫山水，並非天地間眞山眞水，乃由藝術創造而成。

藝術有創造，亦有模倣，但模倣亦是一種創造。如伯牙鼓琴，乃是模倣天地自然之高山流水而成。伯牙之琴聲，但已淨化其模倣之痕跡，非鐘子期則不知其深趣。

中國藝術境界，創造更勝過模倣。如畫山水，一山一水，乃經畫家百方觀察，心領神會，其模倣工夫亦已融化脫盡。躍然紙上者，乃其意境之創造，但亦不得謂與天地間自然山水有不同。

不僅山水，卽畫人物、禽獸、蟲魚、花鳥，亦莫不然。如畫人，頰上三毫，傳神阿堵，主要在能傳其神，不在其貌。傳其貌，此是素描工夫。傳其神，則須畫家之心領神會，精靈相通。則仍是一種創造，而非模倣。

照相又不同，憑一機械，惟妙惟肖，只是表現，非創造。創造乃人類心靈上事。人生實更近於藝術，而較遠於科學。一切人生活動，決不限於物質與機械，而更貴其有精神與心靈。

天地自然生人，本只生一自然人，亦可說乃一素樸人。繼此以下，則貴人類自創自造。固不能違反脫離於自然之素樸，但求加進心靈作用，有所融化，有所改進，以自赴人生之理想。此乃謂之人生藝術。

今天的科學，已能創造出機械人，但決非一自然人。又想創造出自然人，如人工受孕之類。但亦僅是一自然人，絕不能創造一理想人。人生理想則須其人進入社會，長大成立，種種教育，種種指導，並經其一己之努力進修，乃得完成其理想，亦可稱爲一文化人。此則仍須藝術創造。

科學家之創出自然人，其種種眞理亦早存在，仍是發現，非創造。藝術創造則不僅個人，乃及羣體。故必藝術始是創出理想眞人生，而科學則外於人生而僅加以利用。故欲求人生眞能贊天地之化育，則必當是藝術，非科學。

中國人在自然科學方面，或較西方落後。但就藝術言，中國人成就更高，非西方可比。換言之，中國人有一套人生理想，卽是本於人之自然賦予，而釋回增美，以完成一文化理想人。中國古人在此路嚮上指導人者，已成爲一套極精美之人生藝術，此亦可謂乃中國文化大傳統之精意所在。

中國人罵人，乃說如你般像不像人，算不算人，你眞不是人，如是等等嚴酷的呵斥，實有深意存在。圓顱方趾，五官四肢俱全，就中國人觀點言，有時不算是一「人」。此似無理，實是有理。人須進入大羣，但有人則不入羣，正如山水花鳥不入畫，便不在畫家筆下。其人不入羣，則擯諸四夷，不與同中國。故中國人言「人」，乃指羣體生命之全總體而言，不專指各別一軀體言。此亦中國人生藝術一主要宗旨所在。

今再進一步言之。則藝術亦僅有發現，乃在發現人性可能，天地大自然一切可能，乃依隨其可能以求演進，非能於自然與人性外可別有所創造。則科學與藝術之相異，仍當更端別論。

三

孟子曰：「可欲之謂善，有諸己之謂信，充實之謂美，充實而有光輝之謂大，大而化之之謂聖，聖而不可知之之謂神。」孟子此條，歷言人生理想諸境界。人莫不有所欲，然有可欲，有不可欲。其

在物者，如飲食、衣服、宮室、車馬，其可欲程度皆有限。過此限，則不可欲、不爲善，而爲惡矣。

人之所欲在人世界，更親切深密於其在物世界。如居家，賢父母，賢兄弟，賢姊妹，賢夫賢妻，此最可欲，亦爲最善。此善在己，如我得爲一賢父母，賢兄弟，賢姊妹，賢夫賢妻，能自信，斯對方亦信之。若我無自信，則人亦於我無可信。一言一行善，而充實之，斯爲美。孔子曰：「未見好德如好色者。」色固有美，而德則更美，更可好。居家如此，居鄉居國猶然。其德充實光輝，則爲一大人。人能有此可欲之德，而充實光輝之，通之人生之大全體，居家居國猶然。聖人有不可知處，乃爲神。顏淵讚孔子之聖而不可知處，乃如一神人矣。故中國人生理想乃本於可欲而達於神。

孔子曰：「如有所立卓爾，雖欲從之，末由也矣。」顏淵最善學，而猶有「欲從末由」之歎，此即孔子之聖而不可知處，乃如一神人矣。故中國人生理想乃本於可欲而達於神。

今則舉世務於物欲。父母子女暫合即離，各組小家庭，可以不相聞問。兄弟姐妹更不論。結爲夫婦前有戀愛，仍是欲。爲時亦甚暫。結婚即爲戀愛之墳墓，又可自由離婚。今則男女同居，可省一切手續。所欲盡在外，在物不在心。擁有財利，則爲富。擁有權位，則爲貴。一富人之下，必有數百千萬之勞工，故人人皆欲富，而不再計及他人。乃有共產主義，分人爲有產、無產兩階級。有產階級，可殺可誅。即無產者，而具有有產階級之意識形態，則亦可殺可誅。其衡評人心，亦皆以物爲標準，而乃以無財爲最可欲，亦可怪矣。

論富，必有家別。推行人民公社，則可無家別。論貴，則又有國別。貴於一國之內，不能貴於一國之外。

猶太人兩千年來無國，今幸有國，不及四十年。但即欲他人無國，蹂躪巴勒斯坦人，推及於

全中東，極其能力之所至，當使舉世僅有一以色列。此亦如共產主義之世界化，有己無人始爲貴。其實並世列國居心皆然，而核子武器則爲達此境界之最高憑藉。

今世競創電腦，又競造機器人，無人性，無人情，無人心，盡已化人而爲物矣。繼此益進，當成一物世界，人類世界末日來臨，斯世則盡爲電腦機器人所宰制。其果有此一日乎？上帝不管凱撒事，則又誰知之。

中國人教人不求富，不求貴，只求爲一聖，爲一神。求此人生爲一聖與神之人生，求此世界亦爲一聖與神之世界。求爲聖與神，當先求可欲與可信。聖人先得吾心之同然。爲父母者，皆欲有孝子孝女。爲子女者，皆欲有慈父慈母。孝慈人人可能，人人慈孝，則國治而天下平，亦可無他求矣。今人則競求利，慈與孝若不如電腦機器人原子彈之更有利。論語：「子罕言利，與命與仁。」物極必反，使今世界來一第三次大戰，原子彈電腦機器人皆不爲利。孔子之言重見信，亦見孔子之仁。而孔子則一若預見有今日，此即孔子之智，亦可謂之神通廣大矣。

實則電腦機器人原子彈非可欲。擁有一電腦機器人原子彈，而此心仍不安不樂。苟得父母之慈，子女之孝，則此心安樂。故科學非可欲，人之可欲，則主要在求之人，求之心。物與物不相通，惟人與人心與心能相通。「聖」本訓「通」，通則成其「神」，斯謂之「神通」。如人坐電燈下讀論語，則可神通孔子。此與坐油燈下讀論語，亦何異？儻以電腦代人腦，則烏得有通神之妙。故以電燈代油燈，此亦可欲。以電腦代人腦，則不可欲。可欲在人在心，而不在物，亦可不煩論而知。

自己不學好好做一人，卻欲做出一機器人。教人做出一機器人，何如教人學聖與神。此乃一藝術，非科學。做一機器人，違反自然。學聖與神，則依順自然。科學違反自然，藝術則依順自然。中國人重藝術，修心、養性、齊家、治國、平天下皆藝術，非科學。

故於中國藝術中求加進西方科學，其事易。於西方科學中求加進中國藝術，其事難。如何好好使用人腦外再加進電腦，如何好好做人外再加進一機器人，則可，又易。反之，非不可，但難。

余嘗有「質世界」與「能世界」之辨。西方科學重物質，乃為質世界。中國藝術重心靈，則為能世界。從質世界言，則人亦一物，其地位至為卑微。從能世界言，則人為萬物之靈，天工人其代之，人之地位乃見其高。西方科學自物質不滅轉入電子，則亦已開由質轉能之端，即當由科學而轉進於藝術。但其事難。中國人主神通廣大，此非近代西方科學之所能。西方科學又從三度空間轉到四度空間，亦可謂由科學轉進到藝術一開端。中國人最重時間觀，求可久，則電腦遠不如人腦，機器人亦遠不如自然人。非有人則電腦機器人皆不可久。而原子彈則更要不得。惟有只顧目前，只在三度空間內，此三者始見爲有利。從朱子大學補傳之「格物窮理論」中，再加入近代西方科學觀念，則其事易。若從西方科學觀念中，要加入朱子格物窮理之理論，則其事難。換言之，中國孔、孟傳統觀念中儘可加進西方科學。晚清儒有「中學爲體，西學爲用」之主張。若必依樣葫蘆，一尊西方科學，則孔、孟自宜在批反之列。

西方科學又與其宗教相對立。然西方社會亦不能只有科學，無宗教，故兩者仍並存。宗教亦近似

中國人所主心靈之通，但終非一最佳之可欲與可信。故宗教亦近藝術，而終非一最高之藝術。中國古人兼言魂魄。魄屬物世界質世界，魂則在能世界心世界中。人死則魄滅而魂存。故中國在人世界中，又能涵有鬼世界。抑且鬼世界更悠久，實可謂鬼世界涵有人世界。惟鬼世界無可改造，而人世界則仍可改造。中界，但仍包涵有後世之人世界，不能分別作兩世界看。中國五千年歷史，盡已成一鬼世今日生。故鬼世界不爲一至善可欲之世界，而人世界則可期望其達於至善可欲，而其本源則仍從鬼世覆轍，此即亦爲改造歷史。中國人教人做人，重要在改過遷善。以前種種譬如昨日死，以後種種譬如國人正貴此改造。爲子者，貴能「幹父之蠱」。秦始皇焚書坑儒，此下兩千年歷代君主，再不重蹈其界來。則鬼世界中乃有一神世界。故得成爲一神通廣大之最高藝術。

而亦即科學，即宗教，即哲學。

中國文學亦可以此意通之。凡中國文學最高作品，即是其作者之一部生活史，亦可謂是一部作者之心靈史。此即作者之最高人生藝術。其他中國一切藝術品，亦必見有其作者之心靈。西方人則放其心於文學藝術中，非能存其心於文學藝術中，此又當辨。

中國人主「通」，而名則在於「別」。老子曰：「名可名，非常名。」但非孔子所謂「必也正名乎」之名。如父母、夫婦、兄弟、君臣、朋友，乃成爲中國人倫之大道，正此名，乃可超乎實質人自然人之上而可常。故孔子「正名」亦即一人生藝術。中國人生與西方異，亦可謂皆從孔子正名之義來。而其主要用心，則仍即孟子之主可欲與可信。

四

西方人分宇宙大自然爲眞、善、美三項。哲學、科學求其眞，宗教求其善，藝術求其美，故亦稱美學。中國人不主分，不特立藝術美學一名目。但中國人非不知美。姑以女性言，詩曰：「美目盼兮，巧笑倩兮。」其美不在目與口，乃在盼與笑。使其盼與笑不眞不善，則亦無美可言。又曰：「窈窕淑女，君子好逑。」窈窕非色，乃其行，其心，其德。故曰「未見好德如好色者」。孟子曰：「充實之謂美。」中國人論美，在德不在色。

東施效顰。西施之笑非不美，而顰則尤美，故東施效之。人生有笑有顰，有憂有樂。西方人以悲劇爲文學之上乘，然西方人生則終以求喜求樂爲目的。求之不得，乃成悲劇。中國則不然，孔子曰：「詩可以興，可以觀，可以羣，可以怨。」怨乃人文心理中之更高級者。心憂則有顰，怨則更不止於顰。儒家人生最高理想不當有怨。孔子稱伯夷、叔齊「求仁得仁又何怨」。屈原作離騷，司馬遷釋之曰：「離騷者，猶離憂也。」儒家人生理想亦不主有憂。孔子曰：「人不堪其憂，回也不改其樂。」周濂溪教二程尋孔、顏樂處，樂則人生本體，當爲人生一最高境界最高藝術。

道家言人生藝術，較儒家爲次。莊周德充符舉四兀者，非謂人生殘廢乃最樂最上品，特謂人生卽

殘廢亦有可樂，亦得居最上品，然不如儒家言之平實。宋玉作悲秋賦，以爲一年四季惟秋氣爲可悲。

後世詩人承其說，歷二千年不變。此亦莊生德充符特舉四兀者之意。

深一層言之，中國人重憂、重哀、重怨、重悲，乃更過於喜與樂。儒家理想則求化憂怨而爲樂。

孔顏樂處，亦非一般人之所謂樂。王昭君之出國琵琶，蔡文姬之歸國胡笳，非卽琵琶與胡笳之吹彈爲

藝術，亦非卽琵琶聲與胡笳聲之爲美。此兩人之人生藝術之美乃在其心之有否。怨何在？

就兩人生平卽知。然不怨天，不尤人，此兩人之怨乃在自怨己命。「怨命」二字，已成俗語，人人能

言，不知其中乃有人生最高哲理，人生最高藝術，亦卽人生最高之美德。近代國人則僅知尋樂，不知

怨，更不知怨命。孔子所謂「可以怨」，則誠難與今日國人言。

歷代相傳，貞女節婦皆有怨。卽賢妻良母，亦多有怨。苟其平居歡樂自得，喜氣洋洋，亦將不顯

其賢良之所在。此誠中國人生藝術之甚深處，所當縝密體會者。卽如觀平劇，凡涉女性，其高出尋常

處，皆在其有所怨，而又非今人所謂不得其所欲之謂怨。可欲而不得，始可怨。多欲而怨，非孔子所

謂之可怨。

女性如此，男性亦然。放翁詩：「不如意事常八九，可與人言無二三。」此亦不可謂無怨。放翁

爲人，亦可謂能放任自樂一賢人。讀其詩，自知其心中之亦有怨。凡中國之大詩人大賢人，果能知人

論世，當知其心乃無不有怨。卽大聖如孔子，亦不得謂之獨無怨。欲居九夷，此亦有怨。但可怨

僅怨己身之遭遇，而對家國天下，則仍可安可樂。故又曰「樂天知命」，斯可安分守己。中國之最高

人生藝術即中國人之最高修養，最高德性，當於此等處求之。

中國人於淺近日常人生方面，亦非不知其到處有美，並能用種種藝術以完成其美。即如烹飪，舉世莫及，至今猶然。中庸言「人莫不飲食，鮮能知味」，此即以知味教人。子在齊聞韶，三月不知肉味，曰：「不圖爲樂之至於此」，是孔子亦考究肉味，惟聞韶而知爲樂之更甚於肉味。而人生之樂則猶有更甚於聞韶者，此當逐步尋之，乃知其更高境界之所在。

中國詩人好言美酒，唐人詩：「葡萄美酒夜光杯，欲飲琵琶馬上催」，此詩亦有怨。「勸君更盡一杯酒，西出陽關無故人」，此詩亦仍有怨。中國詩必及飲，但禹惡旨酒，孔子惟酒無量，而不及亂。可知飲酒爲歡，非即人生藝術之深處。中國絲織品之美，早已馳譽國外，然中國爲衣冠之邦，其美乃更有超乎其質料之上者。居住之美，則尤不勝言。園亭已駕宅第之上。行旅之美，山水之勝，則尤盡宇宙之佳景。然皆由人文化成，非僅自然而止，此則爲中國之最美最藝術者。然並無藝術家美學大師著爲專書暢發其趣。非通於中國文化傳統之大全，則亦無以領會之。

今國人言藝術，則必以西方藝術爲準，乃有其風馬牛不相及者。姑言繪畫，如竹，食衣住行，家具器物多賴之，而不可一日居無竹。庭園欣賞，幾於無處無竹。以其挺而直上，虛而有節，歷四季之變而不失其常，不開花，不結果，而即此以止。植物中有竹，乃不帝爲中國人之至親密友。中國詩辭文學皆竹，尤所常見，乃有專以畫竹名者。西方何嘗有此。人之有心，自求以己心感他心。故誦其詩辭，必欣賞及其作者。西方小說戲劇皆以其故事之緊張刺激感人心，觀者讀者亦惟愛其然。畫中有竹，

略論中國藝術

二四七

故事,與作者無關。繪畫亦然。中國人看一畫,必欣賞及其畫者。西方人則惟賞其畫,不及其人。最多亦賞及其作畫之技巧。故一唯心,一唯物。若論書法,則更成中國藝術一特色,非通中國人文之妙,宅心之深,則又何以言書法。其他若絲織,若陶瓷,爲中國藝術特色者又何限,皆可以見中國人之心,乃始可以見中國人之巧。非以其巧迷他人之心以求售,乃以己心感他人之心而相賞。是則皆技而進於道矣。至如西方科技發明殺人利器,求威脅人心以強其屈服,則又違道之甚矣。

一國人,一項學問,必由其自己獨特處著眼用心。一意鈔襲,則誠如東施效顰,效其貌不知效其心,則顰與笑亦復何異。東施自東施,西施自西施,可以移心易性,但不得改頭換面。惟今一世人盡知效西方人之笑,不知效西方人之顰,則恐將爲東施所笑。而西方人亦僅知有笑,不知有顰,則又恐爲西施所笑。要之,笑不如顰,則又誰歟知之?

（一九八三年十二月二十七、二十八、二十九日《中華日報副刊》。）

略論中國音樂　一

余嘗謂中國人重和合，西方人重分別，此乃中西文化大體系歧異所在。隨時可以作證，卽論音樂，亦不例外。

中國古人稱「絲不如竹，竹不如肉」，絲竹乃器聲，肉指人聲。中國人亦知分別人聲、器聲，而樂則以人器聲和合爲上。金、石、絲、竹、匏、土、革、木，器聲中有此八類分別。但金聲玉振，則和合此八類，有首有尾，有始有終，會成一體。而器聲又必和合之於人聲。古詩三百首，必於人的歌唱聲中和合以器聲。此乃中國音樂之主要所在。自楚辭、漢樂府以下，實皆以人聲爲主，直迄近代無變。西方人則器聲歌聲終不免有分途發展之勢，此則雙方不同之顯然可見者。

但和合中仍必有分別，而分別中亦仍必求和合。西方樂器中如鋼琴，卽在一器中亦可演奏出種種分別來，而和會爲一，故鋼琴可以獨立爲一聲，而自見有種種和合。相傳西方鋼琴乃由中國之笙傳入後演變而來。但笙之爲器在中國，則數千年無變。雖亦可獨立吹奏，然其聲簡單，無特別可甚深欣賞處，終必和合於其他器聲中，乃始見笙之爲用。其他樂器皆然。

如琴爲中國主要樂器。詩曰：「鐘鼓樂之，琴瑟友之。」則琴亦每和合於其他樂器以爲聲。若其單獨演奏，如伯牙之鼓琴，下至於嵇康之廣陵散，非不擅一世之名，而其傳則終不久。又如後代之琵琶，亦可獨立演奏，上自王昭君之出塞，下至潯陽江頭之商人婦，琵琶聲非不飛揚震動於人心，然琵琶聲亦終必和合於歌聲。而且亦終不能以琵琶聲來作中國音樂之代表。故其分別發展終亦有限，較之如西方之鋼琴，則遠見其不如。

故中國音樂之發展，則必在其和合上求，不能在其分別上求。但在和合中必有一主。西方音樂主分別，在其分別中亦多求和合，而在其和合中則不再有一主，此又雙方一大分別。如鋼琴可奏種種音種種曲，但其爲主者則只是此音此曲，不能在此音此曲外更有主。西方之大合奏，集種種樂器，但所奏只是此曲此調，非別有主。中國音樂則於會合成樂之外又有主。此乃中西文化體系一大分別所在，不可不加以嚴格之分別。

西方重個人主義，但亦必有社會和合。而於此和合中，則必盡存一切分別。即如大總統，乃政治上一最高領袖，亦必在立法、司法、行政之三權分立中盡其有限之一分權力而止。又有年限，一任四年，再任八年，則必退。故居總統位者，雖有才能而不能盡量呈現其才能。斯可見西方政治理想中，似亦並不以政治人物之才能爲主，更無論其德性。即如西方音樂中之大合奏，積數十百人、數十百器以爲奏，誰一人誰一器爲之主？故惟此奏與彼奏有分別，而每一奏則分別各爲一奏。

治，此非一大和合而何。而於此和合中，則不能再有主。即如今之所謂民主政

中國平劇，雖是一大和合，然必以人聲爲主，而一切器聲皆其副。在器聲中，又必以京胡爲主，而其他盡其副。即論鑼鼓聲，亦以一小鼓爲主，而其他鑼聲、鼓聲盡其副。即就人聲論，亦有主有副。如四郎探母，此劇中角色極多，但以四郎爲主，此外如鐵鏡公主等皆其副。又如鎖麟囊一新劇，出場角色儘多，但以薛湘靈一角爲主，其餘則皆陪襯而已。中國劇本盡如此，亦惟如此，乃可謂之眞和合。

大學言齊家、治國、平天下，豈不在求家、國、天下之和合，然曰：「自天子以至於庶人，一是皆以修身爲本。」則各自以其「身」爲家、國、天下和合之本，即以己身爲家、國、天下之中心。中庸言：「致中和，天地位焉，萬物育焉。」天地萬物仍不失其分別之存在，以位以育，則成一「太和」之境。然和之內，仍有一「中」，乃始得成其和。苟無中，斯亦無和可言矣。莊子曰：「得其環中，以應無窮。」一環即是一和，環有大小，而皆有一中心。使無中心，亦不成環。余此文所言之「主」，則卽是莊子所謂之「環中」也。

中國乃一士、農、工、商之四民社會，以「士」爲中心，故社會得和合。士志於道，孝、弟、忠、信、仁、義、禮、智，乃人道之大者。惟以「道」爲中心，則人羣乃永得其和合。西方個人主義，個人與個人間無道，何得有和合。西方有宗教，然凱撒事凱撒管，政教分離，則宗教亦人生中一分別。西方音樂主要在教堂內，或則在娛樂場合，卽中國亦大率如是。惟中國之迎神賽會，以及一切社會之羣眾娛樂，必求融洽在大道中。而西方則缺此一大道，雖亦仍求和合，終不得一眞和合。民主

政治乃以兩黨分立爲標準。美國共和黨競選，獲大多數，得舉出一大總統，而民主黨則依然存在與之對立，而其他有並不能兩黨對立，對立。民主黨競選獲大多數，舉出一總統，而共和黨復依然存在與之對立，而多黨紛立者，則亂常多於治，其政治安定更不易。以此爲例，又何從產生出一大和合之音樂來。

但中國平劇，本亦是一種衰世之音。故其情節及其歌唱皆非和平中正之音，乃多哀怨苦痛之聲。

即如四郎探母一劇，楊四郎被俘番邦，正爲欠缺一死，隱姓易名，以求倖存。又得番邦優遇，登駙馬之榮位，嬌妻之奉侍，可謂已享受了人生無上幸福，難以復加。然而在四郎之內心深處，則天良未盡泯滅，尚有其前半世故家祖國之追憶。事隔十六年，忽聞其老母與其弟又復率領大軍近在邊境，渴思一見，苦悶萬狀。而其番妻旣悉其夫之隱祕，竟爲之盜取令箭，縱其出關。四郎獲見其母弟妻妹。而番妻之情深義重，四郎亦不得不重返番邦。蕭太后亦竟赦其盜令偷關之大罪，使重享駙馬之榮，再留富貴之位。但四郎內心自此以下，將永不得安靜懽樂之一日。統觀此劇，處處見深厚之人情味，如母子情、母女情、夫婦情、兄弟情，一皆深厚無比。然在極懽樂中，透露出極苦痛來。則正爲楊四郎之欠缺一死，大義凜然，乃於劇中絲毫不露。而楊四郎一人之悲情哀思，說不出，唱不盡，聽劇人亦僅與以深厚之情之同情而止。卽此可見中國文學與中國音樂之深厚處。

西方文學重事不重情，中國文學則重情不重事。如魯濱遜漂留荒島，如何爲生，其事描寫難盡。然魯濱遜亦僅求度生，無深情可言。至如楊四郎坐宮一唱，令人低徊往復，而以前十六年往事則在不言中交代過去矣。至其前妻，十六年守寡孤苦，劇中亦不見。只在重見四郎之四五句歌唱中吐露。惟

其西方文學重事，故音樂歌唱亦分別發展。惟其中國文學重情，乃使音樂歌唱代替了文字記敍，文學之與音樂乃和合爲一。而音樂歌唱更占了重要地位，成爲文學中主要不可缺之一內容。

更爲重要者，乃於四郎探母一劇中，又出現了一楊宗保，不僅爲劇中增添一小生，令角色益備。乃有一楊宗保出現，接代有人，豈不爲楊家將來留一無窮之希望。楊四郎心情在無限絕望中，不意獲見其姪楊宗保，較之其見老母，見前妻，見弟妹，更留有無限深情。在楊家一門之將來，可使其安慰無盡，寄託無盡，而此劇亦遂不成爲一絕對之悲劇。此尤中國文學之至深妙意所在，而豈無端出現一楊宗保，爲一可有可無之角色而已乎！中國平劇中寓有至深妙意者尚多，此則姑舉四郎探母一劇爲例，加以說明。

繼此尚有申述者，中國文學重情，故能和合進音樂，而融會爲一體。而中國文字又有一大特點，如詩辭之有韻是也。「關關雎鳩」四句中，卽三句有韻。使吟詩者，留有餘情不絕之味。所謂一唱三歎，唱者一人，歎者三人，於句末着韻處增歎，遂使此詩句之韻味，益見有餘而不盡。故中國音樂乃特重音。卽器聲亦然。故曰：「餘音繞樑，三日不絕。」卽如平劇，唱辭已畢，而餘音則更爲廻環往復，曲折不盡，乃更見唱工之妙。樂聲如是，情事亦如此。如探母一劇中之楊宗保卽是其例。中國文化大傳統，乃更見其有餘不盡之深妙所在。

西方文化如希臘，如羅馬，皆及身而止。豈能如中國之春秋、戰國，如漢、唐諸代之有餘不盡。

西方則有唱而無歎，中國則歎更深妙逾乎其唱。音樂可以代表文化，此亦其例。以中國音樂言，古詩三百首乃是唱，楚辭亦然，漢樂府亦尚然。後世之元曲、崑腔、平劇則終是歎，今樂不如古樂，是則然矣。亂世衰世，人心之哀怨多於和樂，故如平劇所唱，乃亦使聽者心中得一大解放一大安慰，音樂仍不失其陶冶心情之功用。而歎之爲用，乃有其不可忽者。余之此意，則亦於文化之大和合處發之。

若專就音樂論音樂，則斷不能知此。

西方之文學與音樂，在其文化體系中，任務各別。主要在表現技巧與供人懽樂上，則惟有彼此相爭，而哀怨之情淡矣。惟男女戀愛過程中有哀怨，然事過則已，哀怨亦不深。果男女雙方皆爲情死，亦有愛無怨，但已爲西方文學之最高上乘。今國人慕西化，故曹雪芹紅樓夢遂受尊奉。漢樂府：「上山采蘼蕪，下山逢故夫，長跪問故夫，新人復何如。」短短二十字，哀怨之深，已遠勝讀全部紅樓夢。

西方音樂供人懽樂則易，養人哀怨則難。惟中國以器樂和合之於歌唱，又和合之於戲劇，而後哀樂之情乃亦藉以宣達。西方惟知追尋懽樂，故其人生在一意向前。中國重哀怨之情，故其人生在懷舊戀往。一意向前至無去處絕境，則其人生亦全部終歇。中國人知哀怨，則舊情常在，新境易闢。五千年少哀怨，斯亦斷前境，只有待美、蘇之另闢新途矣。中國人知哀怨，豈不亦將如古希臘、羅馬。惟其文化傳統，綿延起復，其關鍵全在此。專就音樂論，衰世亂世，情多哀怨，儘宜閒居獨奏，而豈必滿堂懽樂，乃始爲音樂之理想境界乎！平劇中如四郎探母之類，則尤其衰亂世爲樂之出色當行者。

前清末，余中學同學劉天華，性喜音樂，在軍樂隊中任大鼓手，同學引以爲笑。民國初年在滬習

中國樂器。某冬之夜，同學兩三人，圍爐聽其彈琵琶十面埋伏，傳情傳勢，手法之妙，常在耳邊，積

年不忘。及在北平奏二胡，創新把勢，一時轟動，全國慕效。然距今數十年，劉天華二胡已漸不聞人

演奏。近代風氣必求登臺，滿堂懂騰，始為時髦。中國古樂器如琴如琵琶，以至如二胡，閒居獨奏，

乃以自怡悅，非以持贈人。亦如中國社會有隱君子，而時風變，所謂隱君子，至今則尠矣。

抑且中國人每事重其意義，輕其技巧。如「文以載道」，乃以意義言。「一為文人，即無足道」，

則僅以技巧言。如劉天華二胡奏空山鳥語，能使人如聞羣鳥鳴聲，但非能使人如坐空山而覺山更幽之

妙。蓋劉天華亦已近西樂之尚技巧矣。空山鳥語之境界與情味，豈能徒於二胡聲中奏出。西方人則僅

尚技巧，一切小說故事，傳奇劇本，乃至音樂演奏，技巧精絕，斯為上乘，而境界情味有所不論。但

技巧必歷時而變。只此一技巧，歷時久，則技巧不成技巧，故必求變求新。如境界情味則有

高下大小深淺之別，其高者大者深者，可以歷久而不變，又何求新之有。

其時有人在西方學小提琴，返國演奏，極受歡迎。因小提琴亦如古琴、琵琶、簫、笛、二胡之

類，可以單獨演奏，可以羼入中國情味，宜其獲得大眾愛好。非如鋼琴與大合奏，與中國情味有如風

馬牛不相及。然小提琴傳來中國似亦閒居獨奏為宜，必求登臺出鋒頭，則自會與中國舊傳統之情味隔

絕。孔子言學有「為己」「為人」之分，孟子言有「獨樂樂」與「眾樂樂」之別，而今則有博取人樂

以為樂之一途，道不同不相為謀，斯則今日國人所當知也。

然則欲求中國音樂之復興，不當在樂器上求，不當在技巧上求，主要在「人心哀樂之情」上求。

有此情，斯生此音。故中國人論「樂」必先「禮」，而論「禮」又必先「仁」。即如上論四郎探母一劇，有夫婦、有母子、有兄弟、有家、有國，須有此情，乃有此禮，斯生此樂，斯亦可知中國禮樂仁義文化大體之所在矣。而豈拘拘於考古，乃以見禮樂，一意於哲學思維，乃以知仁義道德之眞意乎？

音樂亦當和合在文化全體中，則雖小道，亦必有可觀，不當分別專在此一節上求之。

（原刊一九八三年八月二十三日《中華日報》副刊。翌年收入此集，重加增修。）

中國古代禮樂並重，而樂必附於禮。禮必見於兩人相會，樂則可資獨處。故禮主合，樂可分。西方尚個人主義，羣聚則賴法，禮非所重。音樂乃見獨尊，有音樂家，亦如文學家，憑其技巧，供人娛樂。或人問孟子：「獨樂樂與人樂樂，孰樂。」孟子曰：「不若與人。」此言與人樂，卽禮樂之樂。爲求與人樂，故必附合於禮，不當過分發展，自不當有其獨立地位，而必有其限制。

孔子曰：「鄭聲淫。」淫卽言過分。人生當有娛樂，然不當超於禮之外。超禮則謂之「淫」。孔子又曰：「仁者樂山，智者樂水。」水可有淫，有橫流衝決堤防以爲害。山則靜止，無此患。山有阻礙交通，山之南，山之北，可以老死不相往來。然山南山北同可得安居之樂。仁者可居大羣而樂，亦可居小羣而樂，亦可獨居以樂。孔子之曲肱而枕之，顏子之居陋巷是矣。不能安居獨處，必求大羣相聚，交通旣便，淫佚隨之。讀鄭、衞之風，較之二南之與豳，其異可見矣。

西方古希臘人內感不足，遠出經商，購貨者對之無親和感，無尊敬感。獲利歸來，家居亦覺孤寂，乃外出尋娛樂，藉以消遣，並得安慰。乃有劇場樂院之產生。經商惟求牟利，獲利以尋歡樂。歡

樂之餘，再以牟利。人生分作兩截。郊外耕稼則爲農奴，散居孤寂，交通不便，其人生更無足取。有奧林匹克運動會，亦希臘人一大樂事。若謂希臘人亦有禮，則必在劇院劇場，乃及運動會中始有之。其實亦即是法，乃以便於爭，非以求得和。此一風氣，直至近代歐洲迄無變。西方人誠如智者之樂水，其常有洪水決堤之患亦宜矣。

中國以農立國，農村爲居，勤勉爲生，往來交通不便，但有禮樂。曾點言：「暮春者，春服既成，冠者五六人，童子六七人，浴乎沂，風乎舞雩，詠而歸。」不待有戲場劇院運動會之樂。下逮戰國時代，始有都市商業。然如臨淄、邯鄲，大羣密集，仍少羣聚尋樂之所。馮煖客孟嘗君，取鋏而歌曰：「長鋏歸來乎！食無魚。」與之魚，又歌曰：「長鋏歸來乎！出無車。」中國古人以詩言志，馮煖之歌其詩，即自歌其志，非以歌唱取悅他人。孟嘗君門客三千人，雞鳴狗盜無不有，然不聞有娛樂大會之集合。信陵君、平原君、春申君門下皆然。五口之家，百畝之田，上承祖父，下傳子孫，安其居，樂其業，安其土，樂其俗，自給自足，無憂無慮。人各自尊，而相親相合，即勤勞，即懽樂，人生本身即是一樂，更無在人生中需另求快樂一想法。

故商業社會，志相同而業不同，其所尊在各自之業。農業社會業相同而可志不同，故所尊在各自之志。孟嘗君門下食客三千人，而馮煖志不同，乃以其歌自尊自樂。荊軻去秦，送者有「風蕭蕭兮易水寒」之歌，乃以抒其敬愛哀悼之情。楚霸王圍於垓下，有「虞兮虞兮奈若何」之歌。漢高祖還沛，有「焉得壯士守四方」之歌。凡其歌，皆以見其當時之「情志」。伯牙鼓琴，或志在高山，或志在流

水，惟鐘子期知之。鐘子期死，伯牙終身不復鼓琴。伯牙之鼓琴，本非供人以娛樂，人之知與不知，亦與伯牙無關。但鐘子期死，伯牙每操琴必念及死友，徒增悲傷，故不復鼓耳。十五國風中無楚，楚俗亦有沿途歌唱者，乃有陽春白雪與下里巴人之別。屈原爲離騷，則亦自述己志，自抒憂情，而楚辭乃成爲中國傳統文學一大宗。宋玉不如屈原，不在辭，乃在志。而樂器則更非所重矣。故莊周妻死，鼓盆而歌。莊周情不能已，鼓盆鼓瑟則何論焉！

王昭君出塞，馬上彈琵琶。蔡文姬歸漢，而有胡笳十八拍。王昭君、蔡文姬之情志可尊，歌聲樂器則其次矣。「絲不如竹，竹不如肉。」肉指歌唱，絲如琴瑟，彈琴鼓瑟，須有技巧。竹如簫笛，吹奏技巧，差於琴瑟。人生不能爲尋求快樂而浪耗精力，多費功夫，故音樂在中國不成一項專門學問，亦不成一專家。如絲綢陶瓷，皆關日用，精進不已，惟樂器則不求精進，但求普及，則如簫笛之代替琴瑟是矣。而歌辭則惟求普及於能聽，難求普及於能作。中國人生知有種種品級之分乃如此。

「月明星稀，烏鵲南飛，繞樹三匝，無枝可依。」此非曹孟德之詩乎？方其八十三萬大軍南征荊吳，豈不震爍一世。然而曹孟德之詩，則離鄉遠出，淒涼惶惑，乃古今一尋常人心情。曹孟德之事業爲後世人鄙棄，而曹孟德之此詩，則依然爲後世所傳誦。中國文化深度，當從此等處衡之。今世核武器出現，羣嗟以爲科學進步，乃不知舉世人亦將有無枝可依之厄乎！

唐詩宋詞普遍流布中國全社會，一詩一詞，初出手，或盛傳，或遺棄，此亦當時社會羣情眾志之一種共同表現，而成爲一時風氣與教化之本源之一，豈徒供一時之娛樂而已。唐代有三大名詩人，一

夕同登酒樓，三女伎陪坐侍飲。三詩人各命其侍伎唱一詩，乃三伎所唱，即各是其三人之作。此三詩人乃大懂若狂。然此三伎初不識此三客。此一故事，何等動人。酒樓歌伎，皆由官設，但此等伎，亦皆有修養，其所唱皆當世負盛名之作，正見一時羣情之所歸。但當時實無文學批評一名目，亦無開大會頒獎之事，亦無羣譽爲名歌星之事。風氣之異，亦可證中國文化傳統有其深處，爲近代國人競慕西化之所難想像者。

宋代秦少游貶官，途中宿長沙驛館，歌伎伺飲，命唱。所唱即少游詞。心喜，命續唱。仍唱少游詞。又命唱，又然。問所唱三詞皆一人作，汝知之否。曰知。問識其人否。答，我乃驛館一歌伎，焉能識京師名宦。少游因問何以獨唱其詞。答，生平所惟此。少游曰，予即其人也。今貶官南來，明晨即行。遂相約再遇而別。及少游卒於藤，伎忽夢見少游，即送其喪於途，歸而自縊。如此伎，欣賞文學，深情獨鍾，又豈尋常可及。

元代始有劇曲，登臺表演，而劇場乃爲羣衆集合求樂之所。近代國人提倡新文學，乃認此爲跡近西化，競相推崇，奉爲中國新文學開始之一端。然此風至明初，即告衰歇。崑曲繼之，則改於家庭堂屋中紅氍毹上演出。清代繼起，劇場又興，平劇尤風行。儻無元、清兩代之劇場，則中國一部文學史，又少一項可與西方相比擬處，豈不更國人之羞慚。然同爲一中國人，生於三代及漢、唐、宋、明之盛世者，平居自安自樂，不煩再求羣衆集合求樂之場所。蒙古、滿洲異族入主，人心不安不樂，乃有此等出門離家羣集求樂之事，乃得與西方人相比，亦誠其意外之榮矣。

惟劇場演出，終亦以情事唱辭爲重，歌聲樂器爲副。樂器更無創新。崑曲以一笛爲主，平劇以一京胡爲主，樂器既非精製，亦不需高深技巧，而鑼鼓則更屬簡陋，豈能與西方鋼琴等器相比。近代西方維也納西樂創興，乃於舞蹈場中伴奏，獲酬賞，音樂成爲一項專門學問，亦有音樂專家，實亦如一商業而止。

西方音樂重技巧，或奏彈樂器，或歌唱，個人團體皆然，非積年練習不可。中國音樂則重在情味，僧寺中暮鼓晨鐘，須何技巧。聽者心頭則別有一番情味，「姑蘇城外寒山寺，夜半鐘聲到客船」，而寒山寺一鐘，遂亦留名千古。近代日本人，偷竊以去。但放置日本全國任何去處，此一鐘亦何特別情味可言。亦惟仍放寒山寺，乃有千數百年傳統無窮之情味。又如禰衡之擊鼓罵曹，鼓非難得，禰衡一擊，此故事亦近兩千年常在人心頭，此乃中國之音樂。白居易詩潯陽江頭之舟中商人婦，夜彈琵琶，其聲亦歷千年而情味無窮。同一琵琶，燈紅酒綠，賓客滿堂，一彈千金，然其情味則非矣。蘇東坡遊赤壁，客有吹洞簫者，其聲嗚嗚然，亦歷千年而仍在。故凡中國音樂，必和合在某一環境中，而始見其特有之情味。音樂乃實際人生中一部分，非超人生而獨立。音已散，而人生情味猶存，遂若音猶存，使人追念不已。故中國文化中之音樂，乃在中國之傳統人生中表其情味，倘離去中國文化，而獨立成爲一音樂專家，則猶風馬牛之不相及矣。

余嘗謂中國人重內，西方人重外。中國人重和合，西方人重分別。惟其重在內之一心，人心相同，則易見其和合矣。惟其重在外物上，物與物不相同，則易見其有分別矣。音樂亦然。重在器上，

心受限止，不得自由稱心以成聲。練習技巧，愈見工深，心則全在器上，乃更不見其本心之存在矣。

故中國音樂必和合在其整體人生中，如牧童在田野牛背上，俯仰天地，一時心感，捫笛吹之，此笛聲即牧童心聲，即牧童當時之全體人生聲，亦即古往今來全體人生中之一聲。一旅客之「長笛一聲身倚樓」，亦如此矣。樂器愈簡單，而樂聲愈自由。聲相感斯心相感。今雖未聞其聲，猶可由吾心想像得之。故西方音樂，可稱客觀存在。中國音樂，則必兼主觀，此亦其一別也。

惟中國音樂重在人心，故重歌唱。而一人唱更必有三人嘆，乃見其和。孔子唱於前，而兩千五百年來之中國人嘆於後。一部中國文化史，正如聽一場歌唱，不外一「和」字。西方則無此境界，無此情味，有唱無嘆，其他尚復何言。劉天華二胡即其證。最近有人吹中國笛，加入美國一交響樂團，得為主角。西方人聽之，羣爲醉心。蓋笛與二胡之爲器，製造簡單，可以靈活使用。中西樂互爲影響，此下應可有變。惟聽西方音樂，如智者之樂水。聽其一進行曲，正如有人在邁步向前。聽中國音樂，則如仁者之樂山。「水流心不競，雲在意俱遲。」天地生人，中西雙方性格不同，情味亦異。國人一意好學西方，恐終不免有「雖欲從之，末由也已」之嘆。此誠一無可奈何之事也。

（一九八三年八月三十日刊載於《中華日報副刊》）

略論中國音樂　三

中國重和合，西方重分別，一切學問亦然。如禮樂、修身、齊家、治國、平天下皆須禮。禮之和合範圍大，故中國人極重禮。樂則附帶於禮而見其功用，故遂連稱「禮樂」。西方人僅在各事件上分別有各套儀式，沒有一番意義，故禮亦不成一項學問。音樂則獨立成為一項專門學問，其受重視遠過於禮。

古詩三百首為後代中國文學鼻祖，實本附隨於禮。每一詩必經歌唱，則樂又附隨於詩。其所唱則辭為主，聲為副。孔子曰：「鄭聲淫。」非謂鄭風諸詩皆淫辭，乃謂鄭風樂聲過分了，使人愛聽其聲，而忽略了其辭。此是說音樂性能超過了文學性能，而漸有其分別獨立之地位，乃為孔子所不取。但孟子則曰：「今樂猶古樂也。」此謂音樂漸趨獨立，亦非不可，只要保留著音樂的原始本意便得。

中國「師」字即從瞽者教樂來。孔子亦常鼓瑟鼓琴，但孔子教其子伯魚則曰：「學詩乎！」「學禮乎！」可知當時為學，孔子意當先詩先禮，而樂附隨之。蓋中國人之學，主要在人與人相處，心與心相通。若專在聲音上來求，則疏失其本矣。故音樂一門，中國人終以次要視之。

孔子在衛鼓瑟，有過其門外，聽其聲而知其意者，此人終不易得。伯牙鼓琴，或志在高山，或志

在流水，惟鍾子期知之。孔子曰：「人不知而不慍，不亦君子乎！」我自鼓琴，非求人知。然而伯牙

心情亦可原諒。如西漢之揚雄，北宋之歐陽修，其學有不爲當時人所知，而曰：後世復有揚雄、歐陽

修，則必好之矣。西方樂譜多流傳後世，而中國人之樂譜則往往失傳。如古詩三百首，亦各有譜，而

後世均失傳。但誦其辭，斯知其意，樂譜之亡，未爲大失。故中國文學，三千年來，猶能保存其大

傳統。

春秋以下，唱詩之樂已不傳。然如馮煖之唱「食無魚」，易水之歌之唱「壯士不復歸」，項王垓

下之歌「力拔山兮氣蓋世」，漢祖之歌「大風起兮雲飛揚」，當時歌譜亦皆不傳。直至漢武帝，始立

「樂府」之官，搜集全國各地民謠，由官府製爲樂譜。然後世亦只傳其辭而失其譜。魏晉以下，古詩

復興，四言改成五言。當時可歌，亦應有譜。如魏武帝之歌「月明星稀烏鵲南飛」，想像當時歌聲，

大體亦承襲古代，但亦未有傳譜。

唐詩有律有絕，各地歌女得其辭卽能唱，亦因有譜，如李白之「雲想衣裳花想容」之詩是也。後

起之詞，其唱格律較嚴，每一詞必有譜，但今亦失傳。宋詞以下，又有元、明之曲，以及晚清後平劇

之歌唱。今惟崑曲與平劇之譜尙傳。試就中國文學與音樂之和合成爲一體言之，則古代辭之地位，實

居音上。而後代則音之地位，有漸轉而居辭上之趨勢。據唱譜之傳不傳，卽可知。若就中國傳統文化

之理想言，則實今不如古。

國人論文學，謂中國舊文學乃貴族性、封建性、官僚性，不如西方文學爲民間性，此則遠失之矣。謂中國文學乃就上層逐漸及於下層則可。然如詩之有風，漢之有樂府，亦皆自下層進入上層。中國自始即爲一大一統之國家，一切豈上層貴族與官僚之所能專。故中國一切學問，實不應有上下之分，而每見其自上而下。中國學問之自上而下，則正爲中國文化之特長。

今專就元、明以下言，自元劇，明代崑曲，直至晚清以來之平劇，以及各地之地方劇，可謂音樂與文學相配合，依然是承續舊傳統，而音樂歌唱方面則發展更爲旺盛，已遠逾孔子所謂「鄭聲淫」之程度。然每一歌唱，則必以戲劇內容爲主。而每一戲劇，又必以忠孝節義爲其共同題材。則三千年後之平劇，以及各地之地方劇，實與三千年前古詩三百首與禮樂之關係，依然傳統相承，可謂無大變化。孟子之所謂今樂猶古樂，亦仍有其相當之意義矣。今人則必倡爲白話詩，又提倡音樂之獨立發展，儻能熟考國家民族自己文化傳統之意義，而善加運用，則亦絕非無發展之新途徑，又何必盡捨其舊，而一惟新之是謀乎！

今再論白話。禮有灑掃應對，應對不僅當愼其辭語，亦當愼其音吐。余近年雙目盲，不能讀報，時聽電視節目，偶亦聽連續劇。劇中人對語，十六七近似嬉笑怒罵。中庸言：「喜怒哀樂發而中節之謂和」，喜怒之情流露在外，最好不至於笑罵。若是放聲大笑，破口大罵，則更要不得。不中節則失其和，則並此喜怒之情亦要不得矣。孔子讚顏淵曰：「賢哉回也，賢哉回也。」孔子斥冉有曰：「求非吾徒也，小子鳴鼓而攻之可也。」此見孔子之喜怒，但皆不流爲笑罵。今之連續劇中之笑罵，每放聲，

每破口，亦自謂其有情有理。但非禮，則終不免於不中節而失和。

魯迅為近代新文學大師，每一文膾炙人口。其為阿Q正傳，尤獲傳誦。其用阿Q一詞來諷刺國人，可謂不莊嚴、不忠厚之至。其尖酸刻薄，猶超乎嬉笑怒罵之上。其病在流入人心，為害風俗。此則須深通中國文化大義，乃知其不宜之所在。

余初次赴日本，遇其開全國運動會，以鳴打兩大鑼開端，繼之以西方軍樂隊。竊喜其猶能保留東方舊傳統。今日國人模倣西方古希臘，亦舉行奧林匹克運動會，必有聖火遞傳。竊謂改以大鑼，仍可遠地傳遞，而不失夫子木鐸之遺意，豈不更勝於聖火。此殆謂之善變，亦豈守舊不變之謂乎！

又在三十年前，大陸以地方劇製為電影，有梁山伯與祝英臺一片，以紹興調演出，轟動香港及南洋各地。香港某電影公司改以黃梅調拍攝，來臺放映，備受歡迎。兩大學老教授，一看此片七次，一看八次。片中一名女演員來臺，萬人空巷迎候。看此影片七次之老人，親持旗列隊伍中。今距此影片開始放映已近三十年，仍然在臺重映。即此一小節，可見一民族一社會，有其傳統心情在，不知不覺，牢固而不可拔，深沉而不可見，而實為其文化之大本大源之所在。非發掘到此，非體悟到此，又何得輕言文化之改革。

中國人一切皆貴一種共通性，而音樂尤然。每一吹奏歌唱，聲入心通，使吹奏者歌唱者與聽者，各有一分自得心，更何名利權力之種種雜念存其間。即如平劇，其每一劇之製作者，果為何人，今多不可考。劇中所唱，無論為二黃西皮，孰為此調之創始人，今亦無可考。其實如古詩三百首，其作者

亦多不可考，可考者惟一二人而止。其樂譜誰爲創作人，更不可考。卽如楚辭，除屈原、宋玉外，其

他作者亦多不可考。如漢樂府，如古詩十九首，作者亦多不可考。不僅如此，論語編者究係何人，豈

不亦不可考。老子作者，中庸、易傳之作者，莊子、外雜篇之作者，究係何人，豈非同一不可考。此

乃中國傳統中，人人必讀之幾部大書，而同無作者編者之姓名，則中國人又何嘗重視其私人之名。

至論音樂，卽在當時，歌唱聲吹奏聲散入空間，卽不復聞。其時尚無留聲機收音機等之發明，而

吹奏者歌唱者樂此不已，此所謂自得其樂，非有他念也。近代西方音樂則每一曲調之誰爲其創始人，

必明白分別無誤，此亦中西雙方人心不同一明證。繼今而後，果其創造一新學說，作爲一新詩文，或

吹唱一新歌調，而先爲自己一人之聲名計，則其內涵自必當遠異於本篇之所述，此誠不可不知。音不

可傳，而辭可傳，故中國人重辭甚於重音。此乃指辭之內容傳世言，非指作者之傳名言。作辭者，志

在傳其辭，非爲傳其己之名。立德、立功、立言，其不朽皆在公，非在私。此又不可不辨。

故中國人重實，又更重虛。如治平大道，最實又最虛。至於朝代興亡，爲漢爲唐，此起彼仆，則

不足計。音樂亦最實，又最虛。小戴禮記有樂記篇，備論古人對樂之觀念。謂「樂」以「象德」，又

謂樂「通於政」「通於教」，其義深矣。樂記曰：

樂可以善民心，其感人深，其移風易俗，故先王著其教焉。夫民有血氣心知之性，而無哀樂喜

怒之常。應感起物而動，然後心術形焉。是故志微噍殺之音作，而民思憂。嘽諧慢易繁文簡節

之音作，而民康樂。粗厲猛起奮末廣賁之音作，而民剛毅。廉直勁正莊誠之音作，而民肅敬。寬裕肉好順成和動之音作，而民慈愛。流辟邪散狄成滌濫之音作，而民淫亂。

樂之感人心如此，斯其所以能通於政教也。夔之司樂，其為政之意義則更大。師曠教樂，與孔子之教

又不同。中國人論學尚通，亦必知其別。惟不當過尚別而不求其通耳。

平劇中有三娘教子，歌聲哀怨，聽者淚下。然豈得即以其歌為教。孟母斷機，即以教子，然必使

其子出而從師。故謂音樂乃文化中一項目則可，即以音樂代表文化則大不可。把音樂一項目與其他項

目盡作平等看，亦不可。即如書法繪畫，與音樂同屬藝術，然仍得分別看，不當作平等看。音樂屬

聲，動而虛。書法繪畫見之形、見之色，則比較靜而實。心則動而虛，物則靜而實。物不如心，故書

法繪畫論其在文化深處亦不得與音樂相比。中國人合稱禮樂，而書法繪畫則不與焉。中國後代以書法

繪畫名家而流傳後世者多矣，然樂師傳名則甚少，但豈得謂音樂之不如書法與繪畫！即如立德、立

功、立言，功與言皆有實可見，德則不能與人以共見。孔子門下如子路、子貢、子游、子夏，皆有實

可見，獨顏子無可見，而顏子最為孔門七十弟子之冠。知及此，則知中國文化大傳統之精義所在矣。

今論書法與繪畫，亦皆有德可象。觀王羲之之書法，必隱約可見王羲之之為人。觀顏魯公之書

法，必隱約可見顏魯公之為人。今人之學書，乃忽其德而習其術，則其於中國書法之真精神亦遠矣。

畫又不如書。畫中有物，而書中無物，惟超乎象外，乃能得其環中。故中國畫亦貴能超。畫山水，非

畫山水。畫鳥獸、蟲魚、花卉、林木，非畫鳥獸、蟲魚、花卉、林木。若僅求其形似，則繪畫不如攝影，今日發明了照相機，則繪畫一藝宜可廢矣。中國人畫山水，則畫山水之德。畫鳥獸，亦畫鳥獸之德。如畫中梅、蘭、菊、竹，稱爲「四君子」，可知乃畫其德，非畫其形。畫中之德，實卽畫家之德。中國人謂「詩中有畫，畫中有詩」，則繪畫與文學亦相通，亦通在其德。詩無德，亦非詩之上品矣。德者，得也。韓昌黎謂：「足於己，無待於外之謂德。」足於己無待於外，自安自樂，故曰：「樂以象德。」而豈僅供人娛樂之謂乎！

樂則在諸藝術中境界最高。故樂卽樂也，外發之聲，卽其內心之聲，故曰：「樂以象德。」而豈僅供人娛樂之謂乎！

諸藝術中，惟音樂爲最切於人生，以其與人心最能直接相通。故音樂不僅能表現其人之個性，而尤能表現時代，於是有「治世之音」與「亂世之音」之分別。平劇起於晚清，其爲衰世亂世之音亦可知矣。斯人居衰亂世，其心不安不樂，一到劇院，觀聽之餘，斯心稍安稍樂，又能導此心一正路，此則平劇之可貴也。如改聽崑曲，似不如平劇之動人。實則崑曲亦爲衰世亂世之音，而較平劇爲稍愈。其音較平較淡，以笛聲較之二胡聲，其相異處亦較可見矣。然則又如何追復古樂爲治世盛世之音乎？從來大儒注意及此者亦不少，而惜乎皆無以達其志而成其業。

孔子曰：「志於道，據於德，依於仁，游於藝。」中國人惟重一人生共同大道。修、齊、治、平乃己之德與仁，卽立己立人之本，亦大道之本也。莊子言：「道術將爲天下裂。」大道貴同不貴異，卽莊、老道家亦作如是觀。藝亦人生所不可無，然藝有六而道則一。孔子當時，樂卽六藝之一，亦德

亦仁，然亦僅爲小道，僅可游而止。大道之行，必由有大德大仁之賢人君子，爲之領導而漸進。故必待治世盛世，乃有治世盛世之音。非可謂有治世盛世之音，乃可領導此世以達於治與盛。故中國人教人爲學，亦不以樂爲先。抑且人之哀怨則易有歌，人之和樂且安，若轉不易有歌。如聽平劇，哀怨深處，卽歌唱之佳處。待到歡喜團圓，則歌聲亦息。鄭聲淫，斯見其世之衰。然則亦可謂音樂正盛於衰世亂世，乃能越乎禮而特盛。若治世盛世，則樂亦僅附隨於禮，不能大有所發揚。故處三娘之境，乃有三娘之唱。若處境平安，又何來有此唱。然則以音樂而獨立言之，則自中國人觀念言，乃於撥亂反治處始見其功用耳。是則又爲游於樂之一藝者所不可不知也。

今則音樂自成一專門之學，僅供人以娛樂，以暫忘其內心之苦悶。亦如運動會，世愈亂，則參加運動會音樂會者日多，然皆無意於導人一入德之門。則運動日繁，音樂日盛，而此世仍可以益亂益衰，此又不可不知矣。

（一九八三年九月三十日刊載於《中華日報副刊》）

略論中國音樂　四

一

中國人非不具專門知識，如農田水利皆是，然其事皆屬公。更有屬於私者，乃更爲大公之本，如修身齊家，乃各人各家之私，而爲每人每家之大公。故修齊之道，其尊又在農田水利之上。治平之道，更見爲公，然乃從修齊之道來，不從農田水利諸項專門知識來。中國人在此分知識之本末輕重。又如醫藥治病，亦屬專門知識，雖亦人人所需，而中國古人亦終以次等視之。算數星曆，農事所需，亦屬專門知識，中國古人亦仍以次等視之。

又如法律，亦屬一種專門知識，孔子曰：「聽訟吾猶人也，必也使無訟乎！」凡屬專門知識，只須專精於此，較易及格。今人進大學修法律系，四年畢業，亦即爲法律專家矣。但如何能使人無訟，則無此一項專門知識，而其意義與價值則實遠在法律專家之上。此爲中國人觀念，

大值發揚。

今再明白言之，西方知識重在物，重向外求，故重分門別類之專家。中國知識重向內，向心求，故無門類可分。聽訟，專求之現行法律即可。「使無訟」，則屬「人心」問題。以己心識他心，此乃中國人所認爲之第一大通識。故凡屬專家，實當屬於唯物論。通才通識，則必爲一唯心論。柏拉圖之理想國，自幼童即爲之分別，判定孰當治農，孰當從軍，孰當爲他事，一如機械，由人分配，此非視人如物乎？實則商人亦視對方如一物，只求贏利，對方人心情則非所重。農人視田中五穀百蔬，亦如家人子弟般，時其寒暖，調其潤枯，晨夕無忽。雙方心理不同，斯其文化傳統之所由大異也。

由於知識分別，乃連帶引生人品分別。樊遲問爲農爲圃，孔子譏之爲小人。孔子又曰：「中人以上，可以語上。」人分上、中、下三等，實亦以知識分。孔、孟儒家言「士尚志」，「志於道」，道則屬「通識」，非專門知識之比。後世經、史、子、集皆必歸於道，亦即歸於通識。人而不通，何以爲學。凡求通，皆須本乎心。通於人心斯謂之道義。專一求之物，則爲功利，非道義。此乃中西文化大異之所在。

西方一切專門之學，以「物理學」爲主，而「數學」實爲之基礎。中國一切通才之學，以「心理學」爲主，而「音樂」實爲之基礎。中國之傳統心理學，與西方近代心理學不同，不在此詳論。中國人言「知心」，中國古人重禮樂，未有禮而無樂者。孔子之終日不捨其琴瑟，亦可謂之重樂矣。中國人言「知心」，

亦言「知音」。中國後人或於音樂一項稍疏，未聞學人必通樂。然中國文言亦尚聲，中國之文學尤以音爲重，如詩是矣。散文亦寓有音樂妙理，故讀其文玩其辭亦貴能賞其音。高聲朗誦，乃始得之。晚清曾國藩編古文四象一書，分文章爲陽剛之美與陰柔之美，又分純陽純陰，次陽次陰，共四象。何以識之，則貴能誦。中國古文，字句章節，長短曲折，亦皆存有音樂妙理，非精究熟玩者不能知。今人務求變文言爲白話，但白話中亦有語氣，有音節，亦同寓音樂妙理，不可不知。

杜詩：「吟成一個字，撚斷數根鬚。」言吟則其重「音」可知。「僧推月下門」，推無聲，門內或不知。「僧敲月下門」，敲有聲，門內易知。推敲之辨，亦辨在「聲」。蘇東坡赤壁賦：「客有吹洞簫者，倚歌而和之，其聲鳴鳴然，如怨如慕，如泣如訴，餘音嫋嫋，不絕如縷，舞幽壑之潛蛟，泣孤舟之嫠婦。」曹孟德、周郎赤壁之戰，近千年前之歷史聲，亦可在此洞簫聲中依稀傳出。與東坡同時，歐陽永叔作秋聲賦，亦以聲音象徵人生，與東坡之以洞簫賦赤壁，用意亦相似。上推之詩經三百，樂聲即人生，即史聲。莊周齊物論，亦以風聲比擬人生。一線相承，大意如此。

中國音樂中尤重「餘音」，長笛一聲人倚樓，餘音繞樑，非笛聲之不絕，乃吹笛者心聲之不絕。中國詩必押韻，不僅賦體，其他如頌，如祭文，如箴，如銘文，皆押韻，皆「以聲傳心」。惟韓退之祭十二郎文不押韻，而哀傷之心亦傳達無遺。此乃中國散文之精妙處。故中國人常言「文氣」。氣則以聲傳。今日國人力戒言舊文學，僅知有文字，不知有聲音氣象，舊文學之精妙處，則盡失之矣。

即專論元劇崑曲，何一不主聲。流爲平劇則更顯。余嘗謂平劇乃人生之舞蹈化，圖繪化，音樂

化。實則更以音樂爲主。人物之賢奸高下，事情之哀傷喜樂，莫不寄於聲。即全劇亦只一片樂聲而止。故謂中國人生乃一「音樂人生」，宜無不可。而平劇歌唱之最着精神處，則尤在其餘音繚繞，往復不絕。而中國古人所謂之流風餘韻，乃人生一至高境界，今國人亦復不加理會。所謂音樂人生，換言之，實即「藝術人生」，亦「唯心」的人生。西方則音樂、歌唱、戲劇各別分途。戲劇不以歌唱表達，則情味不深厚。歌唱不兼戲劇表演，則不落實不眞切。音樂離了歌唱戲劇，則僅得爲人生中技巧表達之一項，絕不能使人生音樂化，或音樂人生化。西方音樂尚器，亦可謂是唯物的，乃離於人心以自見其美妙，而西方人生亦可謂是唯物的人生。故西方人生又可謂之乃數理的人生，物則莫不可以數計也。

於是人物高低，事情大小，亦皆從數字分。財富收入多，即見其人地位之高。財富收入少，即見其人地位之低。甚至一切人生大道，孰得孰失，孰是孰非，亦以舉手投票之多少數爲定。西方尚多數，而中國則尚少數。曲高則和寡，陽春白雪之與下里巴人，其多少數之所判亦可知矣。又如西方各項運動比賽，優劣莫不以數字定。兩人賽跑，所差不到一秒鐘，而勝負判。試問人生優劣勝負豈果在此？

語言亦屬聲，聲有「雅俗」，即在其所通之廣狹，故語言必求雅，文字亦然。如古詩三百首，今一小學生尚有能誦而通其意者，此之謂「大雅」。今國人則必尚俗，不尚雅，是必令人唱下里巴人，不許人唱陽春白雪也。人羣相處，自一家至一國，乃至一天下，莫不有公亦當兼有私，不能有公而無

私。數字計算客觀屬公，音聲欣賞主觀屬私，必令人尚公而無私，乃爲近代國人提倡西化之主要點。

然吾中華民族積四五千年語言文字不變，而搏成一廣土眾民大一統的民族國家，此惟尚雅不尚俗之故。而西方則語言屢變，文字各異，疆土分裂，以有今日，則爲尚俗不尚雅之故。今日國人對此「雅」字亦惟知厭惡，而不知其所解。

聲音亦以雅化人生，此乃人生之最高藝術。今日國人則並此而不知矣。

聲音亦發自物，目視耳聽主要仍在取於外物以爲用，惟喉舌發聲，乃爲其生命之自表現。鳥獸耳目其功能有勝於人者，但其喉舌發聲不如人，斯爲下矣。馬克斯論人生，主要在「兩手」，亦爲其運用外物。而不知「口」之爲用，其於人生之意義價值爲更大。兩手仍偏在物，惟口始轉進到心。西方人亦非不知心，其文學必高談男女戀愛。然中國之詩則曰：「關關雎鳩，在河之洲」，關關乃雎鳩和鳴之聲，則中國人言戀愛，亦首及聲。又曰：「呦呦鹿鳴」，中國人言朋友，亦以鹿鳴爲比。當如一音樂人生。此則西方人所不言。詩又有之曰：「琴瑟友之」，「鐘鼓樂之」，是中國人之夫婦人生，亦

蘇東坡又言：「大江東去，浪淘盡千古風流人物」，此亦謂千古英雄人物淘盡在大江之浪中。若謂江浪可以淘盡千古人物，則爲唯物觀念矣。中國人生乃爲一音樂之人生，故好言風聲、風氣，又言聲氣。

近代西方社會學又寧及此一「聲」字「氣」字，於是中國人言「風氣」，遂亦爲西方所不解。

中國言「教化」，亦譬之於音樂。如「天將以夫子爲木鐸」是也。僧寺中有暮鼓晨鐘，做一天和尚撞一天鐘。又手敲木魚，木魚聲亦即佛法所在。唱聲「南無阿彌陀佛」亦即佛法所在。是宗教信仰

亦重在聲，故有觀世音菩薩之稱號。今人則僅知觀物，不知觀音矣。要之，生命在音樂中透露。宇宙乃一大生命，亦卽一大音樂場。人生亦宇宙之化聲。大聖大賢，卽天地之知音。於何悟人？則古詩三百首以下騷賦、文辭、詩詞、劇曲亦其選矣。

王維之詩有曰：「雨中山果落，燈下草蟲鳴。」枯坐荒山草廬中，雨中果落，燈下蟲鳴，聲聲入耳，乃使我心與天地大生命融凝合一。誦中國詩此十字，亦如讀西方一部哲學書，又兼及自然科學，生物學。著語不多，而會心自在深微處。此爲音樂人生與數理人生物質人生之境界不同，亦卽雙方文化不同之所在也。

余在對日抗戰期中，曾返蘇州，侍奉老母，居耦園中。有一小樓，兩面環河，名聽櫓樓。一人獨臥其中，枕上夢中，聽河中櫓聲，亦與聽雨中山果燈下草蟲情致無殊。乃知人生中有一「音」的世界，超乎「物」的世界之上，而別有其一境。

余又自幼習靜坐，不僅求目無見，亦求耳無聞。聲屬動而靜，色則靜而動，無聲無色，又焉得謂此心之眞靜。佛法言涅槃，乃人生之寂滅，非人生之靜。中國人理想所寄，在「靜」不在「滅」。故中國禪宗必重「無所住而生其心」。心生則聲自生，故中國佛法終至於「禪淨合一」。一聲「南無阿彌陀佛」亦不得不謂中國文化人生中一心聲矣。但中國文化人生尚有其最高第一層心聲，讀者幸就本文再審思之。

（此節原刊一九八三年十月十二日中華日報副刊）

二

中國人重聲，乃亦重名。名亦聲。孔子曰：「必也正名乎。」夫婦、父子、兄弟、君臣、朋友五倫，皆重名。舜父頑母嚚弟傲，皆以殺舜爲快，而舜終以成其大孝之德。後世有百孝圖，父母各異，子女各異，而其孝行則一。故孝乃爲抽象名詞，有其共通性，而具體事實則各不同。

老子曰：「道可道，非常道。名可名，非常名。同謂之玄，玄之又玄，衆妙之門。」是異必出於同，同則無可名，而有其常。周濂溪太極圖說：「無極而太極。」西方人於萬物之上求太極，則爲其宗教信仰之上帝。然非無極。又於物物之上求太極，如哲學研求眞理。上起蘇格拉底、柏拉圖、亞里斯多德，中有康德、黑格爾，下迄近代以哲學名家者數十百人，各持一說，然眞理究屬何等樣，亦無定論。如科學研求自然，發明家更多，然亦各有發明，自然究屬何等樣，亦仍無定論。則知有太極，不知有無極。

孔子爲中國之至聖先師，顏子、孟子爲亞聖，後儒爲一世師者何限。孔子以前亦有聖，亦可師。堯、舜以前曾讀何書來，此則「無極而太極」也。當知有具體世，有抽象世。西方人謂由具體生抽象，中國人則謂由抽象生具體，此大不同。

天最抽象，一切物則皆由天生。性最抽象，一切德則由性立。名最抽象，一切實則皆由名成。即虛生實，無生有。故人生當由虛無中，引生出種種事態。如歌與哭，乃爲情感哀樂之最眞實者。同一歌，可歌出種種樂。同一哭，可哭出種種哀。即如同一孝，可演出種種行。其同處則謂之本，謂之源。

《中庸》曰：「執其兩端，用其中於民。」《莊子》曰：「得其環中，以應無窮。」「中」亦一名，非具體，乃抽象。乃虛無，非實有。中國人乃以己之一心爲宇宙萬狀之中。聖人先得吾心之同然，心與心同，此一中，乃即在正反彼此之兩端一圓之四環而爲中。故一歌一哭，乃可窮人生之萬態，而無不盡。《中庸》：「致中和，天地位焉，萬物育焉。」一歌一哭，而中和可致。故曰「通天人」，「合內外」，「人皆可以爲堯舜」。此即人生之最高藝術。

故歌與哭，乃人生之太極。歌哭何由來，則人生之無極。人能善體此無極，此非最高藝術而何。

今再論平劇，劇情、角色、臉譜、道具、唱腔、道白，乃至鑼鼓管弦，誰爲之一一作規定，今多不可考。然登臺者如譚鑫培，如梅蘭芳，生、旦、淨、丑，各各擅名於一世，傳譽於無窮，此亦一無極而太極也。西方如莎士比亞，數百年演劇者莫能比，此亦有太極無無極。「實有」則人所爭，「虛無」則衆所忽。中國人言太平大同，人各一太極，實亦一無極，則又何由而得臻此。即如運動，人爭冠亞軍。故求富，必爲一資本家。求強，必爲一帝國。馬克斯主唯物史觀，凡西方之藝術，必外見於物而心爲之奴。一歌一哭，亦盡從於外面環境特殊遭遇來。中國歌哭則從心來，從

天來，從極尋常處來，此之謂「中庸」。「極高明而道中庸」，此亦無極而太極也。最中庸處乃是最藝術處，一觀中國平劇，斯可得其趣旨矣。一聽平劇中之歌哭，斯可得其玄妙矣。反之己心而自得，則斯可見其眞實矣。觀西方劇，可使其心常在劇。觀中國劇，可使其劇常在心。又如戀愛，西方人把心放在所戀愛之對象身上，中國人則將所愛存之己心。此心一放一存，此亦中西人生藝術一不同。